참 중요한 3·4점

수능에 꼭 나오는 기출 유형 체계적 공략

[3·4점 유형] 고등 **수학 II**

참 중요한 3·4점 수학

| 특징 | 이 책은 빈출 유형의 중요한 문제로 기본기를 탄탄하게 다지고, 문제 해결 능력과 실전 능력을 강화하여 고득점을 할 수 있도록 구성했습니다. |

중요한 기출 유형과 개념 이해로 **탄탄한 기본기 강화**

- 교과서 핵심 개념 및 기본 공식, 이전에 배운 내용, 핵심 첨삭 등의 부가 설명으로 기초가 부족해도 쉽게 유형을 정복할 수 있습니다.
- 중요한 기출 유형과 맞춤 해법으로 개념을 확실하게 익힐 수 있습니다.

단계별 Action 전략으로 **문제 해결의 원리와 스킬 터득**

- 기출 유형 체계적 정복을 위한 단계적 Action 전략 제시로 3, 4점짜리 문제를 완벽하게 공략합니다.
- 문제 해결의 원리 터득으로 기본기를 강화합니다.

최신 출제 경향에 딱 맞춘 적중 예상 문제로 **실전 능력 강화**

- 최신 출제 경향에 따른 빈출 문제, 신유형 문제에 대한 적응력을 키울 수 있습니다.
- 중요한 3, 4점 문항들에 대한 해결 능력과 실전 적응 능력을 강화합니다.

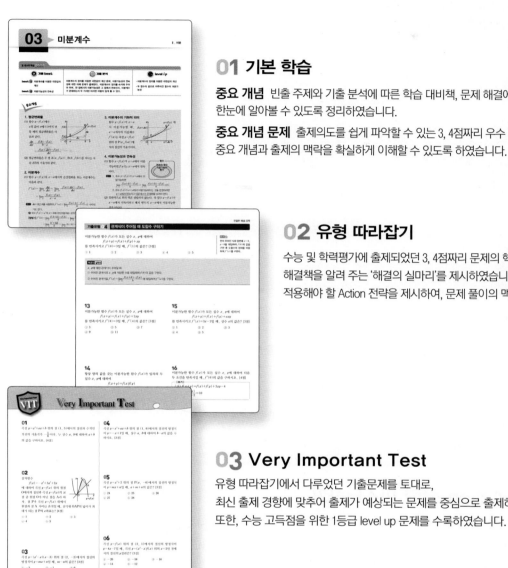

참 중요한 3·4점 수학 구성

01 기본 학습

중요 개념 빈출 주제와 기출 분석에 따른 학습 대비책, 문제 해결에 필요한 중요 개념을 한눈에 알아볼 수 있도록 정리하였습니다.

중요 개념 문제 출제의도를 쉽게 파악할 수 있는 3, 4점짜리 우수 기출문제를 다루어 중요 개념과 출제의 맥락을 확실하게 이해할 수 있도록 하였습니다.

02 유형 따라잡기

수능 및 학력평가에 출제되었던 3, 4점짜리 문제의 핵심 유형을 선정하고, 해당 유형 해결책을 알려 주는 '해결의 실마리'를 제시하였습니다. 또한, 문제 해결 과정에서 적용해야 할 Action 전략을 제시하여, 문제 풀이의 맥락을 쉽게 알 수 있도록 하였습니다.

03 Very Important Test

유형 따라잡기에서 다루었던 기출문제를 토대로, 최신 출제 경향에 맞추어 출제가 예상되는 문제를 중심으로 출제하였습니다. 또한, 수능 고득점을 위한 1등급 level up 문제를 수록하였습니다.

04 정답과 해설

풀이를 보고도 이해를 하지 못하는 경우가 없도록 자세히 풀이하였습니다. 알찬 해설이 되도록 문제 해결 과정에서 풀이의 맥락을 알려주는 Action 전략, 특별히 보충해야 할 공식과 설명, 수식 계산의 팁 등으로 구성하였습니다.

참 중요한 3·4점 수학

이 책은 중요한 유형의 문제로 기본기를 탄탄하게 다지고
문제해결 능력을 강화하여 수능 및 학교시험의
중요한 문제를 완벽하게 해결할 수 있습니다.

학습방법

중요 개념 익히기

중요 개념, 이전에 배운 내용, 첨삭의 내용을 이해하고 3, 4점짜리 기출 중요 문제를 풀어
개념을 확실히 익힙니다.

기출 유형별 Action 전략 마스터하기

기출 유형으로 제시된 3, 4점짜리 기출 문제와 함께 '해결의 실마리'를 보고 어떻게 문제를 풀 것인지
생각한 후, 단계별 Action 전략을 따라서 풉니다. 동일한 유형의 문제를 통해 앞서 익힌 풀이 전략을
집중 연습하여 문제 해결의 원리를 확실하게 마스터합니다.

최신 출제 경향 문제로 실력 다지기

실전과 같이 해답을 보지 말고 앞에서 익힌 문제 해결의 원리를 적용하여 풀어 봅니다.
틀린 부분이 있다면 유형 따라잡기의 '해결의 실마리'부분을 다시 한 번 복습합니다.

c o n t e n t s **차 례**

01 함수의 극한

참 중요한 학습 point

 기출 best

best ① 좌극한과 우극한

best ② 함수의 극한값의 계산

best ③ 함수의 극한의 대소 관계

 기출 분석

주어진 그래프에서 좌극한과 우극한을 구하는 문제가 매년 출제된다. 또한, $\dfrac{\infty}{\infty}$, $\dfrac{0}{0}$, $\infty-\infty$ 꼴의 극한값을 구하는 문제와 극한값의 성질을 이용한 이차함수 또는 삼차함수의 식을 추론해야 하는 문제의 출제 빈도가 높아지고 있으므로 충분한 대비가 필요하다.

 level up

• 극한값을 이용한 다항함수의 결정
• 함수의 극한의 활용

중요개념

1. 함수의 수렴과 발산

(1) 함수의 수렴

함수 $f(x)$에서 x의 값이 a와 다른 값을 가지면서 a에 한없이 가까워질 때, $f(x)$의 값이 일정한 값 α에 한없이 가까워지면 함수 $f(x)$는 α에 수렴한다고 하고, 기호로 다음과 같이 나타낸다.

$$\lim_{x \to a} f(x) = \alpha \text{ 또는 } x \to a \text{일 때 } f(x) \to \alpha$$

(2) 함수 $f(x)$의 좌극한과 우극한이 일치할 때, 극한값이 존재한다.

$$\lim_{x \to a-} f(x) = \lim_{x \to a+} f(x) = \alpha \Longleftrightarrow \lim_{x \to a} f(x) = \alpha$$

2. 함수의 극한에 대한 성질

$\lim\limits_{x \to a} f(x) = \alpha$, $\lim\limits_{x \to a} g(x) = \beta$ (α, β는 실수)일 때

① $\lim\limits_{x \to a} \{cf(x)\} = c \lim\limits_{x \to a} f(x) = c\alpha$ (단, c는 상수)

② $\lim\limits_{x \to a} \{f(x) + g(x)\} = \lim\limits_{x \to a} f(x) + \lim\limits_{x \to a} g(x)$
$\qquad = \alpha + \beta$

③ $\lim\limits_{x \to a} \{f(x) - g(x)\} = \lim\limits_{x \to a} f(x) - \lim\limits_{x \to a} g(x)$
$\qquad = \alpha - \beta$

④ $\lim\limits_{x \to a} \{f(x)g(x)\} = \lim\limits_{x \to a} f(x) \lim\limits_{x \to a} g(x) = \alpha\beta$

⑤ $\lim\limits_{x \to a} \dfrac{f(x)}{g(x)} = \dfrac{\lim\limits_{x \to a} f(x)}{\lim\limits_{x \to a} g(x)} = \dfrac{\alpha}{\beta}$ (단, $\beta \neq 0$)

3. 함수의 극한값의 계산

(1) $\dfrac{0}{0}$ 꼴의 극한

① 분모, 분자가 모두 다항식인 경우 : 분모, 분자를 각각 인수분해하여 약분한다.

② 분모, 분자 중 무리식이 있는 경우 : 근호가 있는 쪽을 유리화한다.

(2) $\dfrac{\infty}{\infty}$ 꼴의 극한 : 분모의 최고차항으로 분모, 분자를 각각 나눈다.

(3) $\infty - \infty$ 꼴의 극한

① 다항식인 경우 : 최고차항으로 묶는다.

② 무리식이 있는 경우 : 분모를 1로 보고 분자를 유리화한다.

(4) $\infty \times 0$ 꼴의 극한 : 통분하거나 유리화하여 $\dfrac{0}{0}$, $\dfrac{\infty}{\infty}$, $\infty \times c$, $\dfrac{c}{\infty}$ (c는 상수) 꼴로 변형한다.

4. 함수의 극한의 대소 관계

두 함수 $f(x)$, $g(x)$에서 $\lim\limits_{x \to a} f(x) = \alpha$, $\lim\limits_{x \to a} g(x) = \beta$ (α, β는 실수)일 때, a에 가까운 모든 실수 x에서

① $f(x) \leq g(x)$이면 $\alpha \leq \beta$

② 함수 $h(x)$가 $f(x) \leq h(x) \leq g(x)$이고 $\alpha = \beta$이면

$$\lim_{x \to a} h(x) = \alpha$$

중요개념문제

01
[2019학년도 수능]

함수 $y=f(x)$의 그래프가 그림과 같다. $\displaystyle\lim_{x\to-1-}f(x)-\lim_{x\to1+}f(x)$의 값은? [3점]

① -2　　② -1

③ 0　　④ 1

⑤ 2

04
[2019학년도 수능]

$\displaystyle\lim_{x\to\infty}\frac{3x^2-2x+1}{x^2+5}$의 값을 구하시오. [3점]

02
[2018학년도 수능]

함수 $f(x)$가 $\displaystyle\lim_{x\to1}(x+1)f(x)=1$을 만족시킬 때, $\displaystyle\lim_{x\to1}(2x^2+1)f(x)=a$이다. $20a$의 값을 구하시오. [3점]

05
[2016학년도 수능 모의평가]

두 상수 a, b에 대하여 $\displaystyle\lim_{x\to1}\frac{4x-a}{x-1}=b$일 때, $a+b$의 값은? [3점]

① 8　　　　② 9　　　　③ 10

④ 11　　　　⑤ 12

03
[2015학년도 교육청]

$\displaystyle\lim_{x\to2}\frac{x^2+x-6}{\sqrt{x+2}-2}$의 값을 구하시오. [3점]

06
[2018학년도 수능 모의평가]

다항함수 $f(x)$가 다음 조건을 만족시킨다.

(가) $\displaystyle\lim_{x\to\infty}\frac{f(x)}{x^2}=2$　　　　(나) $\displaystyle\lim_{x\to0}\frac{f(x)}{x}=3$

$f(2)$의 값은? [3점]

① 11　　　　② 14　　　　③ 17

④ 20　　　　⑤ 23

$\lim\limits_{x \to 2} (x^2 - 3x + 8)$의 값을 구하시오. [3점]

Act ①

$\lim\limits_{x \to a} f(x)$는 $x \to a$일 때 $f(x)$가 한없이 가까워지는 값을 뜻한다.

해결의 실마리

(1) x의 값이 a에 한없이 가까워질 때, $f(x)$의 값이 일정한 값 α에 한없이 가까워지면 함수 $f(x)$는 α에 수렴한다고 한다. 이때 α를 $x = a$에서의 함수 $f(x)$의 극한값 또는 극한이라 하고, 다음과 같이 나타낸다.

$\Rightarrow \lim\limits_{x \to a} f(x) = \alpha$ 또는 $x \to a$일 때 $f(x) \to \alpha$

(2) $f(x)$가 다항함수이면 $\Rightarrow x \to a$일 때 $f(x) \to f(a)$이다. 즉 $\lim\limits_{x \to a} f(x) = f(a)$

(3) 유리함수 $\dfrac{f(x)}{g(x)}$에 대하여 $g(a) \neq 0$이면 $\Rightarrow x \to a$일 때 $\dfrac{f(x)}{g(x)} \to \dfrac{f(a)}{g(a)}$이다. 즉 $\lim\limits_{x \to a} \dfrac{f(x)}{g(x)} = \dfrac{f(a)}{g(a)}$

01

[2019학년도 교육청]

$\lim\limits_{x \to 2} (x^2 + 5)$의 값을 구하시오. [3점]

03

$\lim\limits_{x \to 1} \sqrt{x^2 - 2x + 5}$의 값을 구하시오. [3점]

02

$\lim\limits_{x \to -2} (x^2 - 3x)$의 값을 구하시오. [3점]

04

$\lim\limits_{x \to 9} (\sqrt{x - 5} + 1)$의 값을 구하시오. [3점]

[2020학년도 수능]

함수 $y=f(x)$의 그래프가 그림과 같다. $\lim\limits_{x \to 0+} f(x) - \lim\limits_{x \to 1-} f(x)$의 값은? [3점]

① -2 　　② -1 　　③ 0

④ 1 　　⑤ 2

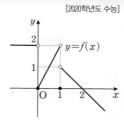

Act ❶

$x \to a-$는 x의 값이 a보다 작으면서 a에 한없이 가까워짐을 나타내고, $x \to a+$는 x의 값이 a보다 크면서 a에 한없이 가까워지는 것을 뜻한다.

해결의 실마리

(1) 좌극한 $\lim\limits_{x \to a-} f(x)$의 값 ⇨ x의 값이 a보다 작은 값을 가지면서 a에 한없이 가까워질 때, $f(x)$의 값이 가까워지는 값

(2) 우극한 $\lim\limits_{x \to a+} f(x)$의 값 ⇨ x의 값이 a보다 큰 값을 가지면서 a에 한없이 가까워질 때, $f(x)$의 값이 가까워지는 값

(3) 좌극한과 우극한을 각각 구하였을 때, 두 값이 다르거나 수렴하지 않으면 ⇨ 극한값이 존재하지 않는다.

05

[2020학년도 수능 모의평가]

닫힌구간 $[-2, 2]$에서 정의된 함수 $y=f(x)$의 그래프가 그림과 같다. $\lim\limits_{x \to -1+} f(x) + \lim\limits_{x \to 1-} f(x)$의 값은? [3점]

① 1 　　② 2

③ 3 　　④ 4

⑤ 5

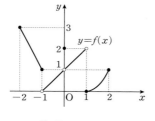

07

[2019학년도 교육청]

함수 $y=f(x)$의 그래프가 그림과 같다. $f(0) + \lim\limits_{x \to 2+} f(x)$의 값은?

[3점]

① 5 　　② 6

③ 7 　　④ 8

⑤ 9

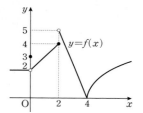

06

[2019학년도 교육청]

함수 $y=f(x)$의 그래프가 그림과 같다.

$\lim\limits_{x \to -2-} f(x) + \lim\limits_{x \to 1+} f(x)$의 값은? [3점]

① 1 　　② 2

③ 3 　　④ 4

⑤ 5

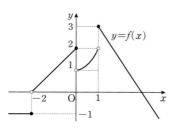

08

[2019학년도 교육청]

함수 $y=f(x)$의 그래프가 그림과 같다. $f(0) + \lim\limits_{x \to 1+} f(x)$의 값은?

[3점]

① 1 　　② 2

③ 3 　　④ 4

⑤ 5

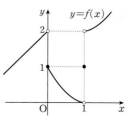

두 함수 $f(x)$, $g(x)$에 대하여 $\lim\limits_{x \to \infty} \dfrac{f(x)}{g(x)} = 4$일 때, $\lim\limits_{x \to \infty} \dfrac{3f(x)+2g(x)}{f(x)-2g(x)}$의 값은? [3점]

① 5   ② 6   ③ 7   ④ 8   ⑤ 9

Act ❶
수렴하는 함수들의 합, 차, 곱, 몫의 꼴로 변형하여 극한값을 구한다.

해결의 실마리

함수의 극한에 대한 성질은
⇨ 주어진 함수가 모두 수렴할 때 이용할 수 있으므로 구하는 극한을 수렴하는 함수들의 합, 차, 곱, 몫의 꼴로 변형하여 극한값을 구한다.

09

함수 $f(x)$에 대하여 $\lim\limits_{x \to 0} \dfrac{f(x)}{x} = 3$일 때,

$\lim\limits_{x \to 0} \dfrac{9x^2 - x + 3f(x)}{3x^2 + 2x - 2f(x)}$의 값은? [3점]

① -2 ② -1 ③ 0
④ 1   ⑤ 2

11

두 함수 $f(x)$, $g(x)$에 대하여 $\lim\limits_{x \to 1} f(x) = 6$,

$\lim\limits_{x \to 1} \{2f(x) - 3g(x)\} = 3$일 때, $\lim\limits_{x \to 1} g(x)$의 값은? [3점]

① 0   ② 1   ③ 2
④ 3   ⑤ 4

10

[2019학년도 교육청]

함수 $f(x)$가 $\lim\limits_{x \to 1} (x-1)f(x) = 3$을 만족시킬 때,

$\lim\limits_{x \to 1} (x^2 - 1)f(x)$의 값은? [3점]

① 5   ② 6   ③ 7
④ 8   ⑤ 9

12

두 함수 $f(x)$, $g(x)$에 대하여 $\lim\limits_{x \to a} f(x) = 6$,

$\lim\limits_{x \to a} \{g(x) - f(x)\} = -2$일 때, $\lim\limits_{x \to a} \dfrac{2f(x) - g(x)}{f(x) + g(x)}$의 값은? [3점]

① $\dfrac{1}{5}$ ② $\dfrac{2}{5}$ ③ $\dfrac{3}{5}$
④ $\dfrac{4}{5}$ ⑤ 1

기출유형 **04** $\frac{0}{0}$ 꼴의 극한

[2013학년도 교육청]

$\lim\limits_{x \to 2} \dfrac{6x^2-24}{x^2-2x}$의 값을 구하시오. [3점]

Act ①

분모, 분자가 모두 다항식인 $\frac{0}{0}$ 꼴의 극한은 분모, 분자를 각각 인수분해하여 약분한다.

해결의 실마리

$\frac{0}{0}$ 꼴의 극한

(1) 분모, 분자가 모두 다항식인 경우에는 ⇨ 분모, 분자를 각각 인수분해하여 공통인수로 약분한다.

(2) 분모 또는 분자에 무리식이 있는 경우에는 ⇨ 근호가 있는 쪽을 유리화한 다음 공통인수로 약분한다.

13

[2012학년도 수능 모의평가]

$\lim\limits_{x \to 5} \dfrac{x^2-25}{x-5}$의 값을 구하시오. [3점]

15

$\lim\limits_{x \to 2} \dfrac{x^2-x-2}{\sqrt{x+2}-2}$의 값을 구하시오. [3점]

14

[2014학년도 수능 예비평가]

$\lim\limits_{x \to 2} \dfrac{x^2+9x-22}{x-2}$의 값을 구하시오. [3점]

16

$\lim\limits_{x \to 1} \dfrac{x^2+2x-3}{\sqrt{x+3}-2}$의 값을 구하시오. [3점]

$\lim\limits_{x \to \infty} \dfrac{3x^3 + 3x - 7}{x^3 - 2x^2 + 1}$ 의 값은? [3점]

Act ①
$\frac{\infty}{\infty}$ 꼴의 극한은 분모의 최고차항으로 분모, 분자를 나눈다.

① 1   ② 2   ③ 3   ④ 4   ⑤ 5

해결의 실마리

$\frac{\infty}{\infty}$ 꼴의 극한

⇨ 분모의 최고차항으로 분모, 분자를 각각 나누어 $\lim\limits_{x \to \infty} \dfrac{c}{x^n} = 0$ (n은 자연수, c는 상수)임을 이용한다.

17

$\lim\limits_{x \to \infty} \dfrac{(x-2)(2x+1)}{3x^2 + 1}$ 의 값은? [3점]

① $\dfrac{1}{6}$ ② $\dfrac{1}{3}$ ③ $\dfrac{1}{2}$

④ $\dfrac{2}{3}$ ⑤ $\dfrac{5}{6}$

19

$\lim\limits_{x \to -\infty} \dfrac{x+2}{\sqrt{x^2 + 2x} - x}$ 의 값은? [3점]

① $-\dfrac{3}{2}$ ② $-\dfrac{1}{2}$ ③ $\dfrac{1}{2}$

④ 1   ⑤ $\dfrac{3}{2}$

18

다항함수 $f(x)$에 대하여 $\lim\limits_{x \to \infty} \dfrac{f(x)}{x}$가 0이 아닌 값일 때,

$\lim\limits_{x \to \infty} \dfrac{2x^2 - f(x)}{x^2 + 2f(x)}$의 값은? [3점]

① 1   ② 2   ③ 3

④ 4   ⑤ 5

20

다항함수 $f(x)$에 대하여 $\lim\limits_{x \to -\infty} \dfrac{f(x)}{x} = a$,

$\lim\limits_{x \to -\infty} \dfrac{3f(x) - 1}{\sqrt{x^2 - f(x)} + f(x)} = 4$일 때, 실수 a의 값을 구하시오. [4점]

기출유형 06 ∞−∞, ∞×0 꼴의 극한

$\lim\limits_{x \to \infty} (\sqrt{4x^2+12x}-2x)$의 값은? [3점]

① 0　　　　② 1　　　　③ 2　　　　④ 3　　　　⑤ 4

Act ①
분모를 1로 보고 분자를 유리화
하여 $\dfrac{\infty}{\infty}$ 꼴로 변형한다.

해결의 실마리

(1) ∞−∞ 꼴의 극한

① 다항식인 경우 ⇨ 최고차항으로 묶어 ∞×(0이 아닌 상수) 꼴로 변형한다.

② 무리식인 경우 ⇨ 근호가 있는 쪽을 유리화하여 $\dfrac{\infty}{\infty}$ 꼴로 변형한다.

(2) ∞×0 꼴의 극한

식을 통분하거나 근호가 있는 쪽을 유리화하여 $\dfrac{0}{0}$, $\dfrac{\infty}{\infty}$ 꼴로 변형한다.

21

$\lim\limits_{x \to \infty} \sqrt{x}(\sqrt{x+4}-\sqrt{x})$의 값은? [3점]

① 1　　　　　② 2　　　　　③ 3

④ 4　　　　　⑤ 5

23

$\lim\limits_{x \to -1} \dfrac{1}{x+1}\left(\dfrac{5x-1}{x-1}+3x\right)$의 값은? [3점]

① 1　　　　　② 2　　　　　③ 3

④ 4　　　　　⑤ 5

22

$\lim\limits_{x \to 0} x\left(\dfrac{1}{2x-1}+\dfrac{1}{x}\right)$의 값은? [3점]

① 1　　　　　② 2　　　　　③ 3

④ 4　　　　　⑤ 5

24

$\lim\limits_{x \to \infty} x\left(\dfrac{\sqrt{x}}{\sqrt{4x+1}}-\dfrac{1}{2}\right)$의 값은? [3점]

① $-\dfrac{1}{2}$　　　② $-\dfrac{1}{4}$　　　③ $-\dfrac{1}{8}$

④ $-\dfrac{1}{16}$　　　⑤ $-\dfrac{1}{32}$

두 상수 a, b에 대하여 $\lim\limits_{x \to 2} \dfrac{x^3 - a}{x - 2} = b$일 때, $a + b$의 값을 구하시오. [3점]

Act①
$x \to 2$일 때 (분모) $\to$ 0이고
극한값이 존재하므로
(분자) $\to$ 0이어야 함을 이용한다.

해결의 실마리

미정계수가 포함된 분수 꼴의 극한에서 $x \to a$일 때
① (분모) $\to$ 0이고 극한값이 존재하면 $\Rightarrow$ (분자) $\to$ 0
② (분자) $\to$ 0이고 0이 아닌 극한값이 존재하면 $\Rightarrow$ (분모) $\to$ 0

25
[2013학년도 수능 모의평가]

두 상수 a, b에 대하여 $\lim\limits_{x \to 1} \dfrac{x^2 + ax}{x - 1} = b$ 일 때, $a + b$
의 값은? [3점]

① -2　　　② -1　　　③ 0
④ 1　　　⑤ 2

27
[2014학년도 수능 모의평가]

두 상수 a, b에 대하여 $\lim\limits_{x \to 2} \dfrac{\sqrt{x + a} - 2}{x - 2} = b$일 때,
$10a + 4b$의 값을 구하시오. [3점]

26

두 상수 a, b에 대하여 $\lim\limits_{x \to 3} \dfrac{\sqrt{x + a} - 2}{x - 3} = b$일 때,
$2a + 4b$의 값을 구하시오. [3점]

28
[2019년 교육청]

두 상수 a, b에 대하여
$$\lim_{x \to \infty} \frac{ax^2}{x^2 - 1} = 2, \quad \lim_{x \to 1} \frac{a(x - 1)}{x^2 - 1} = b$$
일 때, $a + b$의 값을 구하시오. [4점]

기출유형 **08** 극한값을 이용한 다항함수의 결정

[2019학년도 교육청]

다항함수 $f(x)$ 가 $\displaystyle\lim_{x\to\infty}\frac{f(x)-3x^2}{x}=10$, $\displaystyle\lim_{x\to1}f(x)=20$을 만족시킬 때, $f(0)$ 의 값은? [3점]

① 3   ② 4   ③ 5   ④ 6   ⑤ 7

Act❶

$f(x)-3x^2$은 x와 차수가 같고 최고차항의 계수의 비가 10이므로 $f(x)=3x^2+10x+a$로 놓는다.

해결의 실마리

두 다항함수 $f(x)$, $g(x)$에 대하여

(1) $\displaystyle\lim_{x\to\infty}\frac{f(x)}{g(x)}=L$ ($L\ne0$인 실수)이면 ➡ $f(x)$와 $g(x)$의 차수가 같고, 최고차항의 계수의 비는 L이다.

(2) $\displaystyle\lim_{x\to a}\frac{f(x)}{g(x)}=M$ (M은 실수)일 때, $\displaystyle\lim_{x\to a}g(x)=0$이면 ➡ $\displaystyle\lim_{x\to a}f(x)=0$

29

[2016학년도 교육청]

다항함수 $f(x)$ 가 $\displaystyle\lim_{x\to\infty}\frac{f(x)-x^3}{x^2+1}=2$, $\displaystyle\lim_{x\to-1}\frac{f(x)}{x+1}=5$ 를 만족시킬 때, $f(1)$의 값을 구하시오. [4점]

30

[2017학년도 교육청]

다항함수 $f(x)$가 다음 조건을 만족시킬 때, $f(3)$의 값을 구하시오. [4점]

(가) $\displaystyle\lim_{x\to\infty}\frac{f(x)-x^2}{3x^2+2x+5}=\frac{1}{3}$

(나) $\displaystyle\lim_{x\to0}\frac{f(x)}{x^2+x}=-1$

31

[2016학년도 수능 모의평가]

다항함수 $f(x)$가 다음 조건을 만족시킬 때, $f(2)$의 값을 구하시오. [4점]

(가) $\displaystyle\lim_{x\to\infty}\frac{f(x)-x^3}{3x}=2$ (나) $\displaystyle\lim_{x\to0}f(x)=-7$

32

[2018학년도 교육청]

다항함수 $f(x)$가 다음 조건을 만족시킬 때, $f(1)$의 값을 구하시오. [4점]

(가) $\displaystyle\lim_{x\to\infty}\left\{\frac{f(x)}{x^2}+1\right\}=0$

(나) $\displaystyle\lim_{x\to0}\frac{f(x)-3}{x^2}=-1$

함수 $f(x)$가 모든 양수 x에 대하여 $3x-1 < f(x) < \dfrac{3x^2+2x+1}{x+1}$을 만족시킬 때, $\displaystyle\lim_{x \to \infty} \dfrac{f(x)}{x}$의 값을 구하시오. [3점]

Act ①
$f(x) \leq h(x) \leq g(x)$에서
$\displaystyle\lim_{x \to a} f(x) = \lim_{x \to a} g(x) = \alpha$이면
$\displaystyle\lim_{x \to a} h(x) = \alpha$임을 이용한다.

해결의 실마리

세 함수 $f(x)$, $g(x)$, $h(x)$에 대하여

$f(x) \leq h(x) \leq g(x)$이고 $\displaystyle\lim_{x \to a} f(x) = \lim_{x \to a} g(x) = \alpha$ (α는 실수)이면 $\Rightarrow \displaystyle\lim_{x \to a} h(x) = \alpha$

33

함수 $f(x)$가 양의 실수 x에 대하여
$\sqrt{x^2+x+1} < f(x) < \sqrt{x^2+x+5}$를 만족시킬 때,
$\displaystyle\lim_{x \to \infty} \dfrac{f(x)}{x}$의 값을 구하시오. [3점]

35

함수 $f(x)$가 모든 양의 실수 x에 대하여

$$\dfrac{x+3}{4x^3+3x+2} < f(x) < \dfrac{x+3}{4x^3+2x+1}$$

을 만족할 때, $\displaystyle\lim_{x \to \infty} 8(x^2+1)f(x)$의 값은? [3점]

① 2   ② 4   ③ 6
④ 8   ⑤ 10

34

함수 $f(x)$가 모든 양수 x에 대하여

$$5x+3 \leq xf(x) < \dfrac{5x^2-2x+3}{x}$$

을 만족시킬 때, 극한값 $\displaystyle\lim_{x \to \infty} f(x)$를 구하시오. [3점]

36

함수 $f(x)$가 모든 양의 실수 x에 대하여

$$4x+5 < f(x) < 4x+9$$

를 만족시킬 때, $\displaystyle\lim_{x \to \infty} \dfrac{f(x)}{2x+1}$의 값을 구하시오. [3점]

기출유형 10 함수의 극한의 활용

그림과 같이 두 함수 $y=3\sqrt{x}$, $y=\sqrt{x}$의 그래프와 직선 $x=k$ 가 만나는 점을 각각 A, B 라 하고, 직선 $x=k$ 가 x축과 만나는 점을 C라 하자. $\lim\limits_{k\to 0+}\dfrac{\overline{OA}-\overline{AC}}{\overline{OB}-\overline{BC}}$의 값은? (단, $k>0$ 이고, O는 원점이다.) [3점]

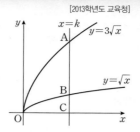

[2013학년도 교육청]

 Act ❶
구하는 선분의 길이를 식으로 나타낸 후 함수의 극한의 성질을 이용하여 극한값을 구한다.

① $\dfrac{1}{5}$ ② $\dfrac{1}{4}$ ③ $\dfrac{1}{3}$

④ $\dfrac{1}{2}$ ⑤ 1

해결의 실마리

함수의 극한의 활용 문제는 ⇨ 구하는 선분의 길이, 점의 좌표 등을 식으로 나타낸 후 함수의 극한의 성질을 이용하여 극한값을 구한다.

37

[2012학년도 수능]

그림과 같이 직선 $y=x+1$ 위에 두 점 A$(-1,\ 0)$과 P$(t,\ t+1)$ 이 있다. 점 P를 지나고 직선 $y=x+1$ 에 수직인 직선이 y축과 만나는 점을 Q라 할 때, $\lim\limits_{t\to\infty}\dfrac{\overline{AQ}^2}{\overline{AP}^2}$의 값은?

[3점]

① 1   ② $\dfrac{3}{2}$ ③ 2

④ $\dfrac{5}{2}$ ⑤ 3

38

[2018학년도 교육청]

직선 $y=\sqrt{2}x$ 위의 점 A$(t,\ \sqrt{2}t)$ $(t>0)$과 x 축 위의 점 B$(2t,\ 0)$이 있다. 선분 AB 의 중점을 C 라 하고, 점 C 를 지나고 선분 AB 에 수직인 직선이 직선 $x=2t$ 와 만나는 점을 D 라 하자. 선분 CD 의 길이를 $f(t)$ 라 할 때, $\lim\limits_{t\to 4}\dfrac{t^2-16}{f(t)-\sqrt{6}}=k$이다. $3k^2$의 값을 구하시오. [4점]

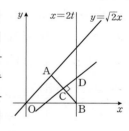

01

다음 중 옳지 <u>않은</u> 것은? [3점]

① $\lim\limits_{x \to 0} \dfrac{x^2}{|x|} = 0$　　② $\lim\limits_{x \to 0} \dfrac{|x|}{x^2} = \infty$　　③ $\lim\limits_{x \to 0} \dfrac{|x|}{x^3} = \infty$

④ $\lim\limits_{x \to \infty} \dfrac{x^2}{x+1} = \infty$　⑤ $\lim\limits_{x \to -\infty} \dfrac{x}{x^2+1} = 0$

02

닫힌구간 $[0,\ 3]$에서 함수
$y=f(x)$의 그래프가 그림과 같을

때, $\lim\limits_{x \to 2+} f(x-1) + \lim\limits_{x \to 1-} f(2x)$

의 값은? [3점]

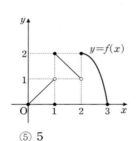

① 1　　　　② 2
③ 3　　　　④ 4　　　⑤ 5

03

두 함수 $f(x)$, $g(x)$에 대하여 $\lim\limits_{x \to \infty} f(x) = -\infty$,

$\lim\limits_{x \to \infty} \{f(x) - 3g(x)\} = 2$일 때, $\lim\limits_{x \to \infty} \dfrac{4f(x) + 6g(x)}{2f(x) - 3g(x)}$의 값

을 구하시오. [4점]

04

$\lim\limits_{x \to 1} \dfrac{x^2-1}{\sqrt{x+3}-2}$의 값은? [3점]

① 2　　　　　　② 4　　　　　　③ 6
④ 8　　　　　　⑤ 10

05

$\lim\limits_{x \to \infty} \dfrac{4x^2 - 3x + 2}{2x^2 + x + 5}$의 값은? [3점]

① 1　　　　　　② 2　　　　　　③ 3
④ 4　　　　　　⑤ 5

06

$\lim\limits_{x \to \infty} (\sqrt{ax^2 + 2x + 3} - \sqrt{x^2 + ax + 2}) = b$일 때, $a+b$의 값

은? (단, a, b는 상수이다.) [3점]

① $\dfrac{1}{2}$　　　　② $\dfrac{3}{2}$　　　　③ $\dfrac{5}{2}$
④ $\dfrac{7}{2}$　　　　⑤ $\dfrac{9}{2}$

07

$\lim\limits_{x \to -1} \dfrac{x^2+ax+b}{x^3+1}=2$일 때, $a+b$의 값은? (단, a, b는 상수이다.) [3점]

① 10   ② 13   ③ 14
④ 15   ⑤ 16

08

$\lim\limits_{x \to 1} \dfrac{a\sqrt{x}+b}{x-1}=1$일 때, 상수 a, b의 곱 ab의 값은? [3점]

① -5 ② -4 ③ -3
④ -2 ⑤ -1

09

삼차함수 $f(x)$가 $\lim\limits_{x \to 0} \dfrac{f(x)}{x}=5$, $\lim\limits_{x \to \frac{1}{2}} \dfrac{f(x)}{2x-1}=8$을 만족시킬 때, $f(1)$의 값을 구하시오. [4점]

10

함수 $f(x)$가 모든 양수 x에 대하여

$$\dfrac{2-3x+5x^2}{x} < (x+1)f(x) \le 5x-2$$

를 만족시킬 때, $\lim\limits_{x \to \infty} f(x)$의 값을 구하시오. [3점]

 level up

11

다항함수 $f(x)$가 다음 조건을 만족시킬 때, $f(3)$의 값을 구하시오. [4점]

┤보기├
(가) $\lim\limits_{x \to \infty} \dfrac{x^2-2x+3}{(x+2)f(x)}=\dfrac{1}{3}$ (나) $\lim\limits_{x \to \frac{1}{3}} \dfrac{f(x)}{9x^2-1}=\dfrac{1}{2}$

12

그림과 같이 곡선 $y=\sqrt{x}$ 위에 원점이 아닌 점 $A(t, \sqrt{t})$가 있다. 선분 OA의 중점 M을 지나고 직선 OA와 수직인 직선이 x축과 만나는 점의 x좌표를 $f(t)$, y축과 만나는 점의 y좌표를 $g(t)$라

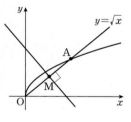

할 때, $\lim\limits_{t \to 0} \dfrac{\{g(t)\}^2}{2f(t)-1}=\dfrac{q}{p}$이다. $p+q$의 값을 구하시오. (단, p, q는 서로소인 자연수이다.) [4점]

기출 분석

 level Up

참 중요한학습 point

🖐 **기출 best**

best ❶ 함수의 연속과 불연속

best ❷ 함수가 연속일 조건

best ❸ 연속함수의 성질

구간에 따라 달리 정의된 함수가 실수 전체에서 연속이기 위한 조건, 연속함수의 성질을 이용한 미정계수의 결정과 함숫값 구하기, 두 함수의 곱 또는 몫으로 이루어진 함수가 실수 전체에서 연속이기 위한 조건을 묻는 문제가 출제된다.

• 두 함수의 곱 또는 몫으로 이루어진 함수가 연속일 조건

• 사잇값의 정리와 방정식의 실근

✓ **중요개념**

1. 함수의 연속

(1) 함수의 연속 : 함수 $f(x)$가 실수 a에 대하여 다음 조건을 모두 만족시킬 때, 함수 $f(x)$는 $x=a$에서 연속이라 한다.

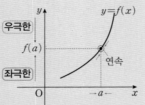

(i) 함수 $f(x)$는 $x=a$에서 정의되어 있다. ← 함숫값 존재

(ii) 극한값 $\lim\limits_{x \to a} f(x)$가 존재한다. ← $\lim\limits_{x \to a-} f(x) = \lim\limits_{x \to a+} f(x)$

(iii) $\lim\limits_{x \to a} f(x) = f(a)$ ← (극한값)=(함숫값)

(2) 함수의 불연속 : 함수 $f(x)$가 $x=a$에서 연속이 아닐 때, 함수 $f(x)$는 $x=a$에서 불연속이라 한다. 즉 함수 $f(x)$가 위의 세 조건 중에서 어느 하나라도 만족시키지 않으면 함수 $f(x)$는 $x=a$에서 불연속이다.

2. 연속함수의 성질

(1) 두 실수 a, $b(a<b)$에 대하여 집합 $\{x \mid a \leq x \leq b\}$, $\{x \mid a < x < b\}$, $\{x \mid a \leq x < b\}$, $\{x \mid a < x \leq b\}$를 구간이라 하고, 기호로 각각 $[a, b]$, (a, b), $[a, b)$, $(a, b]$와 같이 나타낸다. 이때 $[a, b]$를 닫힌구간, (a, b)를 열린구간, $[a, b)$, $(a, b]$를 반닫힌 구간 또는 반열린 구간이라 한다.

(2) 함수 $f(x)$가 어떤 구간에 속하는 모든 점에서 연속일 때, 함수 $f(x)$는 그 구간에서 연속 또는 그 구간에서 연속함수라 한다.

(3) 연속함수의 성질

두 함수 $f(x)$, $g(x)$가 $x=a$에서 연속이면 다음 함수도 $x=a$에서 연속이다.

① $cf(x)$ (단, c는 상수)

② $f(x)+g(x)$, $f(x)-g(x)$

③ $f(x)g(x)$

④ $\dfrac{f(x)}{g(x)}$ (단, $g(a) \neq 0$)

어떤 구간에서 두 함수 $f(x)$, $g(x)$가 연속이면 ①, ②, ③, ④의 함수도 모두 그 구간에서 연속이다.

3. 최대 · 최소 정리

함수 $f(x)$가 닫힌구간 $[a, b]$에서 연속이면 $f(x)$는 이 닫힌구간에서 반드시 최댓값과 최솟값을 갖는다.

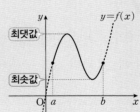

4. 사잇값의 정리

함수 $f(x)$가 닫힌구간 $[a, b]$에서 연속이고 $f(a) \neq f(b)$이면, $f(a)$와 $f(b)$ 사이의 임의의 실수 k에 대하여 $f(c)=k$인 c가 열린구간 (a, b)에 적어도 하나 존재한다.

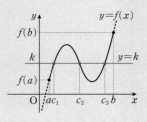

01 [2007학년도 수능 모의평가]

함수 $f(x)$가 $f(x)=\begin{cases}\dfrac{x^2}{2x-|x|} & (x\neq 0) \\ a & (x=0)\end{cases}$ 일 때, [보기]에서

옳은 것을 모두 고른 것은? (단, a는 실수이다.) [3점]

┤보기├
ㄱ. $f(-3)=1$이다.
ㄴ. $x>0$일 때, $f(x)=x$이다.
ㄷ. 함수 $f(x)$가 $x=0$에서 연속이 되도록 하는 a가 존재한다.

① ㄴ ② ㄷ ③ ㄱ, ㄴ
④ ㄱ, ㄷ ⑤ ㄴ, ㄷ

02 [2014학년도 수능 모의평가]

함수 $y=f(x)$의 그래프가 그림과 같다. [보기]에서 옳은 것만을 있는 대로 고른 것은? [3점]

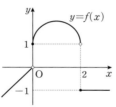

┤보기├

ㄱ. $\lim\limits_{x\to 0+} f(x)=1$

ㄴ. $\lim\limits_{x\to 2-} f(x)=-1$

ㄷ. 함수 $|f(x)|$는 $x=2$에서 연속이다.

① ㄱ ② ㄴ ③ ㄱ, ㄷ
④ ㄴ, ㄷ ⑤ ㄱ, ㄴ, ㄷ

03 [2017학년도 수능 모의평가]

실수 전체의 집합에서 연속인 함수 $f(x)$가
$$\lim_{x\to 2}\frac{(x^2-4)f(x)}{x-2}=12$$
를 만족시킬 때, $f(2)$의 값은? [3점]

① 1 ② 2 ③ 3
④ 4 ⑤ 5

04

닫힌구간 $[-1,\ 1]$에서 최댓값과 최솟값을 모두 갖는 함수를 [보기]에서 있는 대로 고른 것은? [3점]

┤보기├
ㄱ. $f(x)=2(x-1)^2-1$ ㄴ. $g(x)=\sqrt{x+1}$
ㄷ. $h(x)=\dfrac{1}{x}$

① ㄱ ② ㄴ ③ ㄱ, ㄴ
④ ㄴ, ㄷ ⑤ ㄱ, ㄴ, ㄷ

05

연속함수 $f(x)$에 대하여
$$f(-2)=1,\ f(0)=-1,\ f(1)=3,\ f(4)=-2$$
일 때, 방정식 $f(x)=0$은 열린구간 $(-2,\ 4)$에서 적어도 몇 개의 실근을 갖는지 구하시오. [3점]

[2020학년도 수능 모의평가]

함수 $f(x)$가 $x=2$에서 연속이고 $\lim\limits_{x \to 2-} f(x) = a+2$, $\lim\limits_{x \to 2+} f(x) = 3a-2$를 만족시킬 때, $a+f(2)$의 값을 구하시오. (단, a는 상수이다.) [3점]

Act ①
함수 $f(x)$가 $x=0$에서 연속이려면
$$\lim\limits_{x \to 0-} f(x) = \lim\limits_{x \to 0+} f(x) = f(0)$$
이어야 함을 이용한다.

해결의 실마리

(1) 함수 $f(x)$가 $x=a$에서 연속이다. ⇔ $\lim\limits_{x \to a-} f(x) = \lim\limits_{x \to a+} f(x) = f(a)$ ← (극한값)=(함숫값)

(2) ① 함수 $f(x)g(x)$가 $x=a$에서 연속이다. ⇔ $\lim\limits_{x \to a-} f(x)g(x) = \lim\limits_{x \to a+} f(x)g(x) = f(a)g(a)$

   ② 함수 $f(g(x))$가 $x=a$에서 연속이다. ⇔ $\lim\limits_{x \to a-} f(g(x)) = \lim\limits_{x \to a+} f(g(x)) = f(g(a))$

01
[2017학년도 교육청]

함수 $f(x) = \begin{cases} 2x+a \, (x<1) \\ x+13 \, (x \geq 1) \end{cases}$ 이 $x=1$에서 연속이 되도록 하는 상수 a의 값을 구하시오. [3점]

03
[2012학년도 수능 모의평가]

함수 $f(x) = x^2 - x + a$에 대하여 함수 $g(x)$를 $g(x) = \begin{cases} f(x+1) \, (x \leq 0) \\ f(x-1) \, (x>0) \end{cases}$ 이라 하자. 함수 $y = \{g(x)\}^2$이 $x=0$에서 연속일 때, 상수 a의 값은? [4점]

① -2 ② -1 ③ 0
④ 1 ⑤ 2

02
[2016학년도 교육청]

두 함수 $f(x) = \begin{cases} -x^2+a \, (x \leq 2) \\ x^2-4 \quad (x>2) \end{cases}$, $g(x) = \begin{cases} x-4 \quad (x \leq 2) \\ \dfrac{1}{x-2} (x>2) \end{cases}$ 에 대하여 함수 $f(x)g(x)$가 $x=2$에서 연속이 되도록 하는 상수 a의 값은? [4점]

① 1 ② 2 ③ 3
④ 4 ⑤ 5

04
[2018학년도 수능 모의평가]

실수 전체의 집합에서 정의된 두 함수 $f(x)$와 $g(x)$에 대하여

    $x<0$일 때, $f(x)+g(x) = x^2+4$
    $x>0$일 때, $f(x)-g(x) = x^2+2x+8$

이다. 함수 $f(x)$가 $x=0$에서 연속이고

$\lim\limits_{x \to 0-} g(x) - \lim\limits_{x \to 0+} g(x) = 6$일 때, $f(0)$의 값은? [4점]

① -3 ② -1 ③ 0
④ 1 ⑤ 3

기출유형 02 함수의 그래프와 연속

함수 $y=f(x)$의 그래프가 그림과 같을 때, 옳은 것만을 [보기]에서 있는 대로 고른 것은? [4점]

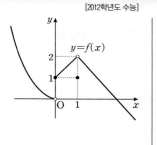

Act①
좌극한, 우극한, 함숫값을 비교하여 [보기]의 참, 거짓을 판단한다.

┤보기├
ㄱ. $\lim\limits_{x\to 0+} f(x)=1$ ㄴ. $\lim\limits_{x\to 1} f(x)=f(1)$

ㄷ. 함수 $(x-1)f(x)$는 $x=1$에서 연속이다.

① ㄱ   ② ㄱ, ㄴ   ③ ㄱ, ㄷ   ④ ㄴ, ㄷ   ⑤ ㄱ, ㄴ, ㄷ

해결의 실마리

(1) 함수 $y=f(x)$의 그래프가 ① 끊어지지 않고 이어져 있으면 ⇨ 연속 ② 끊어져 있으면 ⇨ 불연속

(2) 두 함수 $f(x)$, $g(x)$에 대하여 합성함수 $f(g(x))$가 $x=a$에서 연속이면 ⇨ $\lim\limits_{x\to a-} f(g(x))=\lim\limits_{x\to a+} f(g(x))=f(g(a))$

05

함수 $f(x)=\begin{cases} 1 & (1<x<3) \\ 3-|x-2| & (x\leq 1,\ x\geq 3) \end{cases}$ 에 대하여 함수 $y=f(x)$의 그래프는 그림과 같다. 최고차항의 계수가 1인 이차함수 $g(x)$에 대하여 함수 $f(x)g(x)$가 실수 전체의 집합에서 연속일 때, $g(2)$의 값은? [4점]

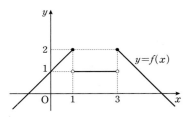

① -1 ② -2 ③ -3
④ -4 ⑤ -5

06

닫힌구간 $[-1,\ 1]$에서 정의된 함수 $y=f(x)$의 그래프가 그림과 같다. 닫힌구간 $[-1,\ 1]$에서 두 함수 $g(x)$, $h(x)$가
$g(x)=f(x)+|f(x)|$,
$h(x)=f(x)+f(-x)$일 때, [보기]에서 옳은 것만을 있는 대로 고른 것은? [4점]

┤보기├
ㄱ. $\lim\limits_{x\to 0} g(x)=0$

ㄴ. 함수 $|h(x)|$는 $x=0$에서 연속이다.

ㄷ. 함수 $g(x)|h(x)|$는 $x=0$에서 연속이다.

① ㄱ   ② ㄷ   ③ ㄱ, ㄴ
④ ㄴ, ㄷ   ⑤ ㄱ, ㄴ, ㄷ

[2019학년도 교육청]

함수 $f(x)=\begin{cases} x+1 & (x<2) \\ x^2-4x+a & (x\geq2) \end{cases}$ 가 실수 전체의 집합에서 연속일 때, 상수 a의 값은? [3점]

① 1   ② 3   ③ 5   ④ 7   ⑤ 9

Act ①

함수 $f(x)$가 실수 전체의 집합에서 연속이면 $x=2$에서도 연속이어야 함을 이용한다.

해결의 실마리

(1) 두 함수 $g(x)$, $h(x)$가 연속함수일 때

함수 $f(x)=\begin{cases} g(x) & (x\geq a) \\ h(x) & (x<a) \end{cases}$ 가 모든 실수 x에서 연속이면

$\Rightarrow \lim\limits_{x\to a-} h(x)=\lim\limits_{x\to a+} g(x)=g(a)$, 즉 $\lim\limits_{x\to a-} h(x)=g(a)$

(2) 분수 꼴의 함수에서 $x\to a$일 때

① (분모)$\to$ 0이고 극한값이 존재하면 (분자)$\to$ 0이다.   ② (분자)$\to$ 0이고 0이 아닌 극한값이 존재하면 (분모)$\to$ 0이다.

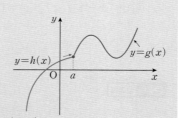

---

07   [2018학년도 교육청]

함수 $\begin{cases} 2x^2+ax+1 & (x<1) \\ 7 & (x=1) \\ -3x+b & (x>1) \end{cases}$ 이 실수 전체의 집합에서 연속일 때, $a+b$의 값은? (단, a와 b는 상수이다.) [3점]

① 11   ② 12   ③ 13
④ 14   ⑤ 15

---

09   [2018학년도 수능 모의평가]

함수 $f(x)=\begin{cases} \dfrac{x^2-5x+a}{x-3} & (x\neq3) \\ b & (x=3) \end{cases}$ 이 실수 전체의 집합에서 연속일 때, $a+b$의 값은? (단, a와 b는 상수이다.) [4점]

① 1   ② 3   ③ 5
④ 7   ⑤ 9

---

08   [2018학년도 교육청]

함수 $f(x)=\begin{cases} x+2 & (x\leq a) \\ x^2-4 & (x>a) \end{cases}$ 에 대하여 함수 $|f(x)|$가 실수 전체의 집합에서 연속이 되도록 하는 모든 실수 a의 값의 합은? [4점]

① -3 ② -2 ③ -1
④ 1   ⑤ 2

---

10   [2018학년도 교육청]

함수 $f(x)=\begin{cases} \dfrac{x^2+ax-10}{x-2} & (x\neq2) \\ b & (x=2) \end{cases}$ 가 실수 전체의 집합에서 연속일 때, 두 상수 a, b에 대하여 $a+b$의 값을 구하시오. [4점]

기출유형 04 연속함수의 성질

두 함수 $f(x)$, $g(x)$에 대하여 [보기]에서 옳은 것만을 있는 대로 고른 것은? [4점]

Act①
연속함수의 성질을 이용하여
[보기]의 참, 거짓을 판단한다.

| 보기 |
ㄱ. 두 함수 $f(x)$, $g(x)$가 모두 불연속이면 함수 $f(x)+g(x)$도 불연속이다.
ㄴ. 두 함수 $f(x)$, $g(x)$가 모두 불연속이면 함수 $f(x)g(x)$도 불연속이다.
ㄷ. 두 함수 $f(x)$, $f(x)g(x)$가 모두 연속이면 함수 $g(x)$도 연속이다.
ㄹ. 두 함수 $f(x)$, $f(x)+g(x)$가 모두 연속이면 함수 $g(x)$도 연속이다.

① ㄴ 　② ㄹ 　③ ㄱ, ㄴ 　④ ㄷ, ㄹ 　⑤ ㄱ, ㄴ, ㄹ

해결의 실마리

두 함수 $f(x)$, $g(x)$가 $x=a$에서 연속이면

⇨ $cf(x)$ (c는 상수), $f(x)+g(x)$, $f(x)-g(x)$, $f(x)g(x)$, $\dfrac{f(x)}{g(x)}$ $(g(a)\neq0)$도 $x=a$에서 연속이다.

11
[2013학년도 수능 모의평가]

함수 $f(x)=\begin{cases} x & (|x|\geq1) \\ -x & (|x|<1) \end{cases}$ 에 대하여, 옳은 것만을 [보기]에서 있는 대로 고른 것은? [4점]

| 보기 |
ㄱ. 함수 $f(x)$가 불연속인 점은 2개이다.
ㄴ. 함수 $(x-1)f(x)$는 $x=1$에서 연속이다.
ㄷ. 함수 $\{f(x)\}^2$은 실수 전체의 집합에서 연속이다.

① ㄱ 　② ㄴ 　③ ㄱ, ㄴ
④ ㄱ, ㄷ 　⑤ ㄱ, ㄴ, ㄷ

12
[2013학년도 교육청]

실수 t에 대하여 열린구간 $(t-1,\ t+1)$에서 함수 $f(x)=\begin{cases} 1 & (x\neq0) \\ 2 & (x=0) \end{cases}$ 의 불연속인 점의 개수를 $g(t)$라 하자. 옳은 것만을 [보기]에서 있는 대로 고른 것은? [4점]

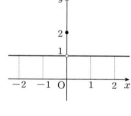

| 보기 |
ㄱ. $g(0)=1$
ㄴ. $\lim\limits_{x\to-1-}g(x)+\lim\limits_{x\to-1+}g(x)=2$
ㄷ. 함수 $\dfrac{g(x)}{f(x)}$는 $x=0$에서 연속이다.

① ㄱ 　② ㄱ, ㄴ 　③ ㄱ, ㄷ
④ ㄴ, ㄷ 　⑤ ㄱ, ㄴ, ㄷ

닫힌구간 $[0, 2]$에서 함수 $f(x) = -x^2 - 4x + 3$의 최댓값을 M, 최솟값을 m이라 할 때, $M - m$의 값은? [3점]

Act①
함수 $f(x)$의 그래프를 그린 후 주어진 구간에서 최댓값과 최솟값을 구한다.

① 8   ② 9   ③ 10   ④ 11   ⑤ 12

해결의 실마리

함수 $f(x)$가 닫힌구간 $[a, b]$에서 연속이면 ⇨ $f(x)$는 이 구간에서 반드시 최댓값, 최솟값을 갖는다.

13

닫힌구간 $[0, 3]$에서 함수 $f(x) = x^2 - 2x - 3$의 최댓값을 M, 최솟값을 m이라 할 때, $M + m$의 값은? [3점]

① -5 ② -4 ③ -3
④ -2 ⑤ -1

15

닫힌구간 $[-2, 6]$에서 함수 $f(x) = \sqrt{x+3}$의 최댓값을 M, 최솟값을 m이라 할 때, $M + m$의 값을 구하시오. [3점]

14

닫힌구간 $[1, 3]$에서 함수 $f(x) = \dfrac{15}{x+2}$의 최댓값을 M, 최솟값을 m이라 할 때, $M + m$의 값을 구하시오. [3점]

16

닫힌구간 $[-3, 1]$에서 함수 $f(x) = |x| + 1$의 최댓값을 M, 최솟값을 m이라 할 때, $M + m$의 값을 구하시오. [3점]

기출유형 **06** 사잇값의 정리와 방정식의 실근

방정식 $3x^3-5x^2+1=0$의 실근이 속하는 구간을 [보기]에서 있는 대로 고른 것은? [3점]

┌─ **│보기│** ─────────────────────────────────────┐
ㄱ. $(-2, -1)$ ㄴ. $(-1, 0)$ ㄷ. $(0, 1)$ ㄹ. $(1, 2)$
└──┘

① ㄱ   ② ㄱ, ㄴ   ③ ㄱ, ㄷ   ④ ㄴ, ㄹ   ⑤ ㄴ, ㄷ, ㄹ

Act❶
연속함수 $f(x)$에 대하여 $f(a)f(b)<0$이면 방정식 $f(x)=0$은 열린구간 (a, b)에서 적어도 하나의 실근을 갖는다.

해결의 실마리

닫힌구간 $[a, b]$에서 연속인 함수 $f(x)$에 대하여 $f(a)f(b)<0$이면
⇨ 방정식 $f(x)=0$은 열린구간 (a, b)에서 적어도 하나의 실근을 갖는다.

17

실수 전체에서 연속인 함수 $f(x)$에 대하여 $f(0)=1$, $f(1)=-5$, $f(2)=0$, $f(3)=-2$, $f(4)=-2$일 때, 열린구간 $(0, 4)$에서 방정식 $f(x)+\dfrac{4}{x}=0$은 적어도 n개의 실근을 가진다. 이때 n의 값을 구하시오. [3점]

19

[2016학년도 교육청]

함수 $f(x)=x^2-8x+a$에 대하여 함수 $g(x)$를
$$g(x)=\begin{cases}2x+5a & (x\geq a) \\ f(x+4) & (x<a)\end{cases}$$
라 할 때, 다음 조건을 만족시키는 모든 실수 a의 값의 곱을 구하시오. [4점]

┌─ **│보기│** ─────────────────────────────────────┐
(가) 방정식 $f(x)=0$은 열린구간 $(0, 2)$에서 적어도
　　 하나의 실근을 갖는다.
(나) 함수 $f(x)g(x)$는 $x=a$에서 연속이다.
└──┘

18

방정식 $x^3-3x+a=0$이 -1과 1 사이에서 적어도 하나의 실근을 갖도록 하는 정수 a의 개수를 구하시오. [3점]

01

함수 $f(x) = \begin{cases} \dfrac{\sqrt{x^2+1}-a}{x-2} & (x \neq 2) \\ b & (x=2) \end{cases}$ 가 $x=2$에서 연속일 때, a^2b^2의 값은? (단, a, b는 상수이다.) [3점]

① 1   ② 2   ③ 3

④ 4   ⑤ 5

02

열린구간 $(0, 4)$에서 정의된 함수 $f(x)$의 그래프가 그림과 같다. 함수 $f(x)$의 극한값이 존재하지 않는 점의 개수를 a, 불연속점의 개수를 b라 할 때, $a+b$의 값은? (단, a, b는 상수이다.) [3점]

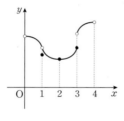

① 1   ② 2   ③ 3

④ 4   ⑤ 5

03

함수 $f(x) = \begin{cases} \dfrac{x^2+ax+b}{x+2} & (x \neq -2) \\ 5 & (x=-2) \end{cases}$ 가 모든 실수 x에 대하여 연속일 때, 상수 a, b의 합 $a+b$의 값은? [4점]

① 20   ② 21   ③ 22

④ 23   ⑤ 24

04

구간 $[-4, 6]$에서 연속인 함수 $f(x)$가 $x \neq 1$일 때 $f(x) = \dfrac{\sqrt{4+x}-\sqrt{6-x}}{x-1}$이다. $f(1)$의 값은? [3점]

① $\dfrac{\sqrt{5}}{5}$ ② $\dfrac{3}{4}$ ③ $\dfrac{\sqrt{3}}{4}$

④ $\dfrac{\sqrt{2}}{3}$ ⑤ $\dfrac{1}{3}$

05

두 함수 $f(x) = x^2+ax+b$, $g(x) = \begin{cases} 3 & (x \leq 1) \\ \sqrt{x-1} & (x>1) \end{cases}$ 에 대하여 함수 $\dfrac{f(x)}{g(x)}$가 양의 실수 전체의 집합에서 연속일 때, $b-a$의 값을 구하시오. (단, a, b는 상수이다.) [4점]

06

모든 실수 x에서 연속인 함수 $f(x)$에 대하여 $(x+2)f(x) = ax^2-bx$, $f(-2)=2$일 때, 상수 a, b의 합 $a+b$의 값을 구하시오. [4점]

07

함수 $f(x)=\begin{cases} 2x-1\ (x\leq 1) \\ -x\ \ \ (x>1) \end{cases}$ 에 대하여 함수 $f(x)g(x)$가 $x=1$에서 연속이 되도록 하는 함수 $g(x)$만을 [보기]에서 있는 대로 고른 것은? [4점]

┤보기├
ㄱ. $g(x)=x^2+x-2$ ㄴ. $g(x)=x+1$

ㄷ. $g(x)=\begin{cases} x\ \ (x\leq 1) \\ -x\ (x>1) \end{cases}$

① ㄱ   ② ㄴ   ③ ㄱ, ㄷ
④ ㄴ, ㄷ   ⑤ ㄱ, ㄴ, ㄷ

08

닫힌구간 $[1,\ a]\ (1<a<5)$에서 함수 $f(x)=\dfrac{1}{x^2-2x-15}$의

최댓값과 최솟값의 차가 $\dfrac{1}{48}$일 때, 상수 a의 값은? [4점]

① 2   ② 3   ③ 4
④ 5   ⑤ 6

09

다음 중 방정식 $x^3+2x-13=0$의 실근이 존재하는 구간은? [3점]

① $(0,\ 1)$ ② $(1,\ 2)$ ③ $(2,\ 3)$
④ $(3,\ 4)$ ⑤ $(4,\ 5)$

10

연속함수 $f(x)$에 대하여 $f(1)=5$, $f(2)=2$, $f(3)=-3$, $f(4)=10$일 때, 구간 $(1,\ 4)$에서 방정식 $f(x)=2x$는 적어도 n개의 실근을 갖는다. n의 최댓값을 구하시오. [3점]

1단계 level up

11

$f(x)=\begin{cases} -3x+4\ (x<0) \\ -3x+3\ (x\geq 0) \end{cases}$, $g(x)=\begin{cases} 3x\ \ \ \ \ (x<a) \\ 3x-1\ (x\geq a) \end{cases}$ 에 대하여 함수 $f(x)g(x)$가 실수 전체의 집합에서 연속이 되도록 하는 상수 a의 값은? [4점]

① -2 ② -1 ③ 0
④ 1   ⑤ 2

12

함수 $f(x)$가 닫힌구간 $[0,\ 1]$에서 연속이고
$$f(0)=2,\ f(1)=0$$
일 때, 실근이 열린구간 $(0,\ 1)$에 반드시 존재하는 방정식만을 [보기]에서 있는 대로 고른 것은? [4점]

┤보기├
ㄱ. $f(x)+2x=0$ ㄴ. $f(x)-x^2=0$

ㄷ. $f(x)-\dfrac{1}{x+1}=0$

① ㄱ   ② ㄴ   ③ ㄷ
④ ㄱ, ㄴ   ⑤ ㄴ, ㄷ

참 중요한학습 **point**

 기출 **best**

best **1** 미분계수를 이용한 극한값의
계산

best **2** 미분가능성과 연속성

 기출 분석

미분계수의 정의를 이용한 극한값의 계산 문제, 미분가능성과 연속성에 대한 이해 문제가 출제된다. 미분계수의 정의를 숙지해 두어야 하며, 한 점에서의 미분가능성은 그 점에서 연속인지, 미분계수가 존재하는지 두 가지만 따지면 어렵지 않게 풀 수 있다.

level **up**

· 미분계수의 정의를 이용한 극한값의 계산

· 두 함수의 곱으로 이루어진 함수의 미분가능성

중요개념

1. 평균변화율

(1) 함수 $y=f(x)$에서 x의 값이 a에서 b까지 변할 때의 평균변화율은 다음과 같다.

$$\frac{\Delta y}{\Delta x}=\frac{f(b)-f(a)}{b-a}$$
$$=\frac{f(a+\Delta x)-f(a)}{\Delta x}$$

(2) 평균변화율은 두 점 $A(a, f(a))$, $B(b, f(b))$를 지나는 직선 AB의 기울기와 같다.

2. 미분계수

(1) 함수 $y=f(x)$의 $x=a$에서의 순간변화율 또는 미분계수는 다음과 같다.

$$f'(a)=\lim_{\Delta x \to 0}\frac{\Delta y}{\Delta x}=\lim_{\Delta x \to 0}\frac{f(a+\Delta x)-f(a)}{\Delta x}$$
$$=\lim_{x \to a}\frac{f(x)-f(a)}{x-a}$$

참고 Δx 대신 h를 사용하여 $f'(a)=\lim_{h \to 0}\frac{f(a+h)-f(a)}{h}$로 나타내기도 한다.

예 함수 $f(x)=x^2$의 $x=3$에서의 미분계수 구하기

[방법 1] $f'(3)=\lim_{h \to 0}\frac{f(3+h)-f(3)}{h}=\lim_{h \to 0}\frac{(3+h)^2-3^2}{h}$
$=\lim_{h \to 0}\frac{h^2+6h}{h}=\lim_{h \to 0}(h+6)=6$

[방법 2] $f'(3)=\lim_{x \to 3}\frac{f(x)-f(3)}{x-3}=\lim_{x \to 3}\frac{x^2-3^2}{x-3}$
$=\lim_{x \to 3}\frac{(x+3)(x-3)}{x-3}=\lim_{x \to 3}(x+3)=6$

(2) 함수 $y=f(x)$의 $x=a$에서의 미분계수 $f'(a)$가 존재할 때, 함수 $y=f(x)$는 $x=a$에서 미분가능하다고 한다.

3. 미분계수의 기하적 의미

함수 $y=f(x)$가 $x=a$에서 미분가능할 때, $x=a$에서의 미분계수 $f'(a)$는 곡선 $y=f(x)$ 위의 점 $P(a, f(a))$에서의 접선의 기울기이다.

4. 미분가능성과 연속성

(1) 함수 $y=f(x)$가 $x=a$에서 미분가능하면 $f(x)$는 $x=a$에서 연속이다.

참고 1. 함수 $y=f(x)$가 $x=a$에서 미분가능하면
$$\lim_{h \to 0-}\frac{f(a+h)-f(a)}{h}=\lim_{h \to 0+}\frac{f(a+h)-f(a)}{h}$$이다.

2. 함수 $f(x)$가 $x=a$에서 미분가능하다는 것을 증명하려면 $x=a$에서 연속이고 미분계수가 존재함을 보여야 한다.

(2) 일반적으로 위의 역은 성립하지 않는다. 즉 함수 $y=f(x)$가 $x=a$에서 연속이라고 해서 반드시 $x=a$에서 미분가능한 것은 아니다.

예 $f(x)=|x|$는 $x=0$에서

$\lim_{x \to 0}f(x)=f(0)$이므로 연속이지만

$\lim_{h \to 0-}\frac{f(0+h)-f(0)}{h}$

$=\lim_{h \to 0-}\frac{|h|}{h}=\frac{-h}{h}=-1$,

$\lim_{h \to 0+}\frac{f(0+h)-f(0)}{h}=\lim_{h \to 0+}\frac{|h|}{h}=\frac{h}{h}=1$로

$\lim_{h \to 0}\frac{f(0+h)-f(0)}{h}$이 존재하지 않으므로 함수 $f(x)$는 $x=0$에서 미분가능하지 않다.

01

함수 $f(x)=ax^2-x+5$에서 x의 값이 0에서 3까지 변할 때의 평균변화율이 5일 때, 상수 a의 값을 구하시오. [3점]

02

[2018학년도 교육청]

다항함수 $f(x)$가 $\lim\limits_{h\to 0}\dfrac{f(2+h)-f(2)}{3h}=5$를 만족시킬 때, $f'(2)$의 값은? [3점]

① 9   ② 12   ③ 15
④ 18   ⑤ 21

03

다항함수 $f(x)$에 대하여 곡선 $y=f(x)$ 위의 점 $(3,\ 0)$에서의 접선의 기울기가 4일 때, $\lim\limits_{h\to 0}\dfrac{f(3+2h)}{h}$의 값은? [3점]

① 2   ② 4   ③ 6
④ 8   ⑤ 10

04

곡선 $y=f(x)$ 위의 점 $(1,\ f(1))$에서의 접선의 기울기가 a이다. $\lim\limits_{x\to 1}\dfrac{f(x^3)-f(1)}{x-1}=6$일 때, 상수 a의 값은? [3점]

①· 1   ② 2   ③ 3
④ 4   ⑤ 5

05

$x=0$에서 미분가능한 함수만을 [보기]에서 있는 대로 고른 것은? [3점]

┤보기├

ㄱ. $f(x)=x|x|$ ㄴ. $f(x)=\dfrac{|x|}{x}$

ㄷ. $f(x)=x^2|x|$

① ㄱ   ② ㄷ   ③ ㄱ, ㄴ
④ ㄱ, ㄷ   ⑤ ㄱ, ㄴ, ㄷ

06

[2018학년도 수능 모의평가 9월]

함수 $y=f(x)$의 그래프가 그림과 같을 때, 열린구간 $(-1,\ 5)$에서 함수 $f(x)$가 불연속인 점은 a개, 미분가능하지 않은 점은 b개이다. 이때 $a+b$의 값은? [3점]

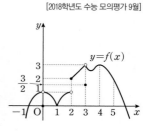

① 3   ② 4   ③ 5
④ 6   ⑤ 7

기출유형 01 평균변화율과 미분계수

함수 $f(x)=x^2+ax+3$에서 x의 값이 1에서 4까지 변할 때의 평균변화율이 8일 때, 상수 a의 값을 구하시오. [3점]

Act ❶
함수 $f(x)$에서 x의 값이 a에서 b까지 변할 때의 평균변화율은 $\frac{\Delta y}{\Delta x}=\frac{f(b)-f(a)}{b-a}$임을 이용한다.

해결의 실마리

(1) 함수 $f(x)$에서 x의 값이 a에서 b까지 변할 때의 평균변화율 $\Rightarrow \frac{\Delta y}{\Delta x}=\frac{f(b)-f(a)}{b-a}$

(2) 함수 $f(x)$의 $x=a$에서의 미분계수 $\Rightarrow f'(a)=\lim_{h\to 0}\frac{f(a+h)-f(a)}{h}=\lim_{x\to a}\frac{f(x)-f(a)}{x-a}$

01

함수 $f(x)$가 $f(x+1)-f(1)=x^3+4x^2+2x$를 만족시킬 때, $f'(1)$의 값은? [3점]

① 1 　　　　② 2 　　　　③ 3

④ 4 　　　　⑤ 5

03

함수 $f(x)=x^3-ax$에서 x의 값이 0에서 2까지 변할 때의 평균변화율이 3일 때, $f'(1)$의 값을 구하시오. (단, a는 상수이다.) [3점]

02

함수 $f(x)$가 $f(x+2)-f(2)=x^3-2x^2+3x$를 만족시킬 때, $f'(2)$의 값을 구하시오. [3점]

04

함수 $f(x)=x^2+x$에서 x의 값이 1에서 3까지 변할 때의 평균변화율과 $x=a$에서의 미분계수가 같을 때, 상수 a의 값은? [3점]

① 1 　　　　② 2 　　　　③ 3

④ 4 　　　　⑤ 5

기출유형 02 **미분계수를 이용한 극한값의 계산**

다항함수 $f(x)$에 대하여 $f'(1)=3$일 때, $\displaystyle\lim_{h\to0}\frac{f(1+h)-f(1-h)}{h}$의 값을 구하시오. [3점]

Act ❶

$\displaystyle\lim_{\star\to0}\frac{f(a+\star)-f(a)}{\star}$와 같이

★이 모두 같아지도록 변형하면 그 값은 $f'(a)$임을 이용한다.

해결의 실마리

(1) 미분계수를 이용하여 극한값을 계산할 때, 분모의 항이 1개이면

⇨ $\displaystyle\lim_{\star\to0}\frac{f(a+\star)-f(a)}{\star}=f'(a)$와 같이 ★이 모두 같아지도록 변형한다.

(2) 미분계수를 이용하여 극한값을 계산할 때, 분모의 항이 2개이면

⇨ $\displaystyle\lim_{\blacktriangle\to\star}\frac{f(\blacktriangle)-f(\star)}{\blacktriangle-\star}=f'(\star)$과 같이 ▲는 ▲끼리, ★은 ★끼리 각각 같아지도록 변형한다.

05

미분가능한 두 함수 $f(x)$, $g(x)$에 대하여

$f'(1)=4$, $g(0)=0$, $\displaystyle\lim_{h\to0}\frac{f(1+3h)-f(1)-g(h)}{h}=0$

이 성립할 때, $g'(0)$의 값을 구하시오. [3점]

07

다항함수 $f(x)$에 대하여 $f(4)=3$, $f'(4)=1$일 때,

$\displaystyle\lim_{x\to2}\frac{f(x^2)-3}{x-2}$의 값을 구하시오. [3점]

06

다항함수 $f(x)$에 대하여 $f'(1)=3$일 때,

$\displaystyle\lim_{x\to1}\frac{f(x)-f(1)}{x^2-1}$의 값은? [3점]

① $\dfrac{1}{2}$ ② 1 ③ $\dfrac{3}{2}$

④ 2 ⑤ $\dfrac{5}{2}$

08

[2013학년도 교육청]

다항함수 $f(x)$에 대하여 $\displaystyle\lim_{x\to2}\frac{f(x)-1}{x-2}=2$일 때,

$\displaystyle\lim_{h\to0}\frac{f(2+h)-f(2-h)}{h}$의 값은? [3점]

① -2 ② -1 ③ 1

④ 2 ⑤ 4

다항함수 $f(x)$에 대하여 곡선 $y=f(x)$ 위의 점 $(2, 0)$에서의 접선의 기울기가 3일 때,

$\lim\limits_{h \to 0} \dfrac{f(2+3h)}{h}$의 값은? [3점]

① 6   ② 7   ③ 6   ④ 9   ⑤ 10

Act①

점 $(2, 0)$에서의 접선의 기울기가 $f'(2)=3$임을 이용한다.

해결의 실마리

곡선 $y=f(x)$ 위의 점 $(a, f(a))$에서의 접선의 기울기

⇨ $x=a$에서의 미분계수 $f'(a)$

09

곡선 $y=3x^2-1$ 위의 점 $(1, 2)$에서의 접선의 기울기를 구하시오. [3점]

10

[2014학년도 교육청]

삼차함수 $f(x)$에 대하여 곡선 $y=f(x)$ 위의 점 $(1, f(1))$에서의 접선과 직선 $y=-\dfrac{1}{3}x+2$가 서로 수직

일 때, $\lim\limits_{n \to \infty} n\left\{f\left(1+\dfrac{1}{2n}\right)-f\left(1-\dfrac{1}{3n}\right)\right\}$의 값은? [3점]

① $\dfrac{5}{6}$ ② 1 ③ $\dfrac{5}{4}$

④ $\dfrac{5}{3}$ ⑤ $\dfrac{5}{2}$

11

그림은 미분가능한 함수 $y=f(x)$와 $y=x$의 그래프이다. $0<a<b$일 때, [보기]에서 옳은 것만을 있는 대로 고른 것은? [3점]

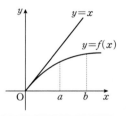

│보기│

ㄱ. $\dfrac{f(a)}{a} < \dfrac{f(b)}{b}$ ㄴ. $f(b)-f(a)>b-a$

ㄷ. $f'(a)>f'(b)$

① ㄱ   ② ㄴ   ③ ㄷ

④ ㄱ, ㄴ   ⑤ ㄴ, ㄷ

기출유형 04 미분가능성과 연속성

[2018학년도 교육청]

함수 $f(x)=\begin{cases} x^3-ax+2 & (x\leq 2) \\ 5x-2a & (x>2) \end{cases}$ 가 $x=2$ 에서 미분가능할 때, 상수 a의 값은? [3점]

① 3　　　　② 4　　　　③ 5　　　　④ 6　　　　⑤ 7

Act①

$x=a$에서 함수 $f(x)$의 미분가능성을 따질 때는 $x=a$에서 연속인지, 미분계수가 존재하는지를 확인한다.

해결의 실마리

(1) 함수 $f(x)$가 $x=a$에서 미분가능하면 다음 두 조건을 모두 만족한다.

(ⅰ) $x=a$에서 연속이다. 즉 $x=a$에서의 좌극한, 우극한, 함숫값이 모두 같다. ← $\lim_{x\to a} f(x)=f(a)$

(ⅱ) $x=a$에서의 미분계수 $\lim_{h\to 0} \dfrac{f(a+h)-f(a)}{h}$의 값이 존재한다.

(2) 함수 $y=f(x)$의 그래프 위의 점이 미분가능하지 않은 경우는 다음과 같다.

① $x=a$에서 불연속인 경우　　　② $x=a$에서 연속이지만 그래프가 뾰족하게 꺾이는 경우

12

[2017학년도 수능 모의평가]

함수 $f(x)=\begin{cases} ax^2+1 & (x<1) \\ x^4+a & (x\geq 1) \end{cases}$ 이 $x=1$에서 미분가능할 때, 상수 a의 값을 구하시오. [3점]

13

[2018학년도 수능 모의평가]

함수 $f(x)=\begin{cases} x^2+ax+b & (x\leq -2) \\ 2x & (x>-2) \end{cases}$ 가 실수 전체의 집합에서 미분가능할 때, $a+b$ 의 값은? (단, a와 b 는 상수이다.) [4점]

① 6　　　　② 7　　　　③ 8
④ 9　　　　⑤ 10

14

[2013학년도 교육청]

두 함수 $f(x)=|x|$, $g(x)=\begin{cases} 2x+1 & (x\geq 0) \\ -x-1 & (x<0) \end{cases}$ 에 대하여 $x=0$에서 미분가능한 함수만을 [보기]에서 있는 대로 고른 것은? [4점]

│보기│

ㄱ. $xf(x)$　　　　　　ㄴ. $f(x)g(x)$

ㄷ. $|f(x)-g(x)|$

① ㄱ　　　　② ㄷ　　　　③ ㄱ, ㄴ
④ ㄴ, ㄷ　　　　⑤ ㄱ, ㄴ, ㄷ

01

다항함수 $f(x)$에 대하여 $f'(1)=-1$일 때,
$\lim\limits_{h \to 0} \dfrac{f(1-2h)-f(1)}{h}$의 값을 구하시오. [3점]

04

다항함수 $f(x)$에 대하여 $\lim\limits_{x \to 1} \dfrac{f(x)-2}{x^3-1}=3$일 때,
$f(1)+f'(1)$의 값은? [3점]

① 3   ② 5   ③ 7
④ 9   ⑤ 11

02

$f(1)=3$, $f'(1)=-1$을 만족하는 다항함수 $f(x)$에 대하여 $\lim\limits_{x \to 1} \dfrac{x^2 f(1)-f(x)}{x-1}$의 값은? [3점]

① -3 ② -1 ③ 3
④ 5   ⑤ 7

05

다항함수 $f(x)$에 대하여
$$\lim\limits_{x \to 2} \dfrac{f(x+1)-8}{x^2-4}=5$$
일 때, $f(3)+f'(3)$의 값을 구하시오. [3점]

03

다항함수 $f(x)$에 대하여 $f(3)=0$일 때,
$\lim\limits_{h \to 0} \dfrac{2h}{f(3-h)}=8$이 성립한다. 이때 $f'(3)$의 값은? [3점]

① -16 ② -4 ③ $-\dfrac{1}{4}$
④ $\dfrac{1}{4}$ ⑤ 16

06

함수 $f(x)$의 그래프는 y축에 대하여 대칭이고,
$f'(2)=-3$, $f'(4)=6$일 때, $\lim\limits_{x \to -2} \dfrac{f(x^2)-f(4)}{f(x)-f(-2)}$의 값은? [4점]

① -8 ② -4 ③ $-\dfrac{1}{4}$
④ $\dfrac{1}{4}$ ⑤ 8

07

다항함수 $f(x)$에 대하여 $f'(2)=3$일 때,

$\lim\limits_{n\to\infty} n\left\{f\left(2+\dfrac{3}{n}\right)-f\left(2-\dfrac{5}{n}\right)\right\}$의 값은? [3점]

① 15   ② 18   ③ 21

④ 24   ⑤ 27

08

함수 $y=x^2+3x-1$의 그래프 위의 점 $(1, 3)$에서의 접선의 기울기는? [3점]

① -3 ② -1 ③ 1

④ 3   ⑤ 5

09

그림은 함수 $y=f(x)$의 그래프를 나타낸 것이다. 그래프 위의 두 점 P, Q의 x좌표를 각각 a, b라 할 때, $A=f'(b)$, $B=\dfrac{f(b)}{b}$,

$C=\dfrac{f(b)-f(a)}{b-a}$의 크기가 큰 것부터 차례대로 나열한 것은? [3점]

① A, B, C ② A, C, B ③ B, A, C

④ B, C, A ⑤ C, A, B

10

함수 $f(x)=\begin{cases} x^3+ax & (x<1) \\ bx^2+x+1 & (x\geq1) \end{cases}$이 $x=1$에서 미분가능할 때, $f(-2)+f(2)$의 값은? (단, a, b는 상수이다.) [4점]

① -2 ② -1 ③ 0

④ 1   ⑤ 2

level up

11

다항함수 $f(x)$가 다음 조건을 모두 만족시킬 때, $\lim\limits_{x\to-1}\dfrac{f(x)+f(1)}{x^2-1}$의 값은? [4점]

> (가) $f(-x)=-f(x)$
>
> (나) $\lim\limits_{h\to0}\dfrac{f(-1+2h)+f(1)}{3h}=6$

① $-\dfrac{9}{2}$ ② $-\dfrac{7}{2}$ ③ $-\dfrac{5}{2}$

④ $-\dfrac{3}{2}$ ⑤ $-\dfrac{1}{2}$

12

함수 $f(x)=|x-1|$일 때, $x=1$에서 미분가능한 함수만을 [보기]에서 있는 대로 고른 것은? [4점]

> **┤보기├**
> ㄱ. $xf(x)$ ㄴ. $(x-1)f(x)$
> ㄷ. $(x^2+x-2)f(x)$

① ㄴ   ② ㄷ   ③ ㄱ, ㄷ

④ ㄴ, ㄷ   ⑤ ㄱ, ㄴ, ㄷ

04 도함수

🖐 기출 best

best ❶ 도함수를 이용한 미분계수의 계산

best ❷ 미분계수와 미분법을 이용한 극한값의 계산

best ❸ 구간에 따라 정의된 함수의 미분가능성

📊 기출 분석

도함수를 이용하여 미분계수를 구하는 계산 문제, 미분법을 이용한 극한값의 계산 문제, 구간에 따라 달리 정의된 함수의 미분가능성 문제가 매년 빠지지 않고 출제된다. 미분가능성 문제에서 좌미분계수와 우미분계수는 미분법을 이용하여 간단히 계산할 수 있다.

level up

· 미분계수와 미분법을 이용한 극한값의 계산

· 관계식이 주어질 때 도함수 구하기

🔺 중요개념

1. 도함수의 정의

미분가능한 함수 $y=f(x)$의 정의역의 각 원소 x에 미분계수 $f'(x)$를 대응시켜 만든 새로운 함수를 함수 $y=f(x)$의 도함수라 하며, 이것을 기호로

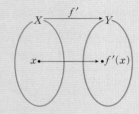

$$f'(x),\ y',\ \frac{dy}{dx},\ \frac{d}{dx}f(x)$$

와 같이 나타낸다.

$$f'(x)=\lim_{\Delta x\to 0}\frac{f(x+\Delta x)-f(x)}{\Delta x}$$
$$=\lim_{h\to 0}\frac{f(x+h)-f(x)}{h}$$

참고 함수 $f(x)$의 $x=a$에서의 미분계수 $f'(a)$는 도함수 $f'(x)$의 $x=a$에서의 함숫값이다.

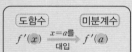

2. 함수 $f(x)=x^n$과 상수함수의 도함수

(1) $f(x)=x^n$ (n은 2 이상의 양의 정수)의 도함수는
$$f'(x)=nx^{n-1}$$

(2) $f(x)=x$의 도함수는 $f'(x)=1$

(3) $f(x)=c$ (c는 상수)의 도함수는 $f'(x)=0$

3. 함수의 실수배, 합, 차, 곱의 미분법

(1) 함수의 실수배, 합, 차의 미분법

두 함수 $f(x)$, $g(x)$가 미분가능할 때

① $\{cf(x)\}'=cf'(x)$ (단, c는 상수)

② $\{f(x)+g(x)\}'=f'(x)+g'(x)$

③ $\{f(x)-g(x)\}'=f'(x)-g'(x)$

(2) 함수의 곱의 미분법

두 함수 $f(x)$, $g(x)$가 미분가능할 때

① $\{f(x)g(x)\}'=f'(x)g(x)+f(x)g'(x)$

② $[\{f(x)\}^n]'=n\{f(x)\}^{n-1}f'(x)$

4. 구간에 따라 정의된 함수의 미분가능성

다항함수 $f(x)$, $g(x)$에 대하여 함수

$$h(x)=\begin{cases} f(x)\ (x\geq a) \\ g(x)\ (x<a) \end{cases}$$ 가 $x=a$에서 미분가능하면 다음 두 조건을 만족한다.

① 함수 $h(x)$는 $x=a$에서 연속이다. ← $\lim\limits_{x\to a-}g(x)=f(a)$

② $x=a$에서의 함수 $h(x)$의 미분계수가 존재한다.

← $\lim\limits_{x\to a-}\dfrac{g(x)-g(a)}{x-a}=\lim\limits_{x\to a+}\dfrac{f(x)-f(a)}{x-a}$

참고 ② 대신 두 함수 $f(x)$, $g(x)$의 도함수를 각각 구하여 $f'(a)=g'(a)$인지 확인해도 된다.

01
[2019학년도 수능]

함수 $f(x)=x^4-3x^2+8$에 대하여 $f'(2)$의 값을 구하시오. [3점]

04
[2014학년도 수능]

함수 $f(x)=2x^2+ax$에 대하여 $\lim\limits_{h \to 0}\dfrac{f(1+h)-f(1)}{h}=6$일 때, 상수 a의 값은? [3점]

① -4 ② -2 ③ 0

④ 2 ⑤ 4

02
[2014학년도 수능 모의평가]

함수 $f(x)=7x^3-ax+3$에 대하여 $f'(1)=2$를 만족시키는 상수 a의 값을 구하시오. [3점]

05
[2018학년도 수능 모의평가]

함수 $f(x)=\begin{cases} x^2+ax+b & (x \le -2) \\ 2x & (x > -2) \end{cases}$ 가 실수 전체의 집합에서 미분가능할 때, $a+b$의 값은? (단, a와 b는 상수이다.) [4점]

① 6 ② 7 ③ 8

④ 9 ⑤ 10

03
[2010학년도 수능]

함수 $f(x)=(x^2+1)(x^2+x-2)$에 대하여 $f'(2)$의 값을 구하시오. [3점]

06

미분가능한 함수 $f(x)$가 모든 실수 x, y에 대하여 $f(x+y)=f(x)+f(y)-2xy$를 만족시키고 $f'(0)=5$일 때, $f'(1)$의 값은? [3점]

① 1 ② 2 ③ 3

④ 4 ⑤ 5

[2019학년도 수능 모의평가]

함수 $f(x)=x^3+5x^2+1$ 에 대하여 $f'(1)$의 값을 구하시오. [3점]

Act ❶
$f'(a)$의 값을 구할 때는 도함수 $f'(x)$를 구한 다음 $x=a$를 대입한다.

해결의 실마리

(1) 다항함수 $f(x)$의 $x=a$에서의 미분계수 $f'(a)$의 값을 구할 때는
 ⇨ $f(x)$의 도함수 $f'(x)$를 구한 다음 $x=a$를 대입한다.
(2) $(x)'=1$, $(x^n)'=nx^{n-1}(n\geq 2)$
(3) 곱의 미분법
 $\{f(x)g(x)\}'=f'(x)g(x)+f(x)g'(x)$, $[\{f(x)\}^n]'=n\{f(x)\}^{n-1}f'(x)$

01

[2018학년도 수능]

함수 $f(x)=2x^3+x+1$에 대하여 $f'(1)$의 값을 구하시오.
[3점]

03

[2012학년도 수능 모의평가]

함수 $f(x)=(x^3+5)(x^2-1)$에 대하여 $f'(1)$의 값을 구하시오. [3점]

02

[2017학년도 수능 모의평가]

함수 $f(x)=x^3-2x-2$에 대하여 $f'(3)$의 값을 구하시오.
[3점]

04

함수 $f(x)=(ax^3+1)(ax+1)$에 대하여 $f'(1)=24$일 때, 양수 a의 값은? [3점]

① 2 　　　　② 4 　　　　③ 6
④ 8 　　　　⑤ 10

기출유형 02 **미분계수와 미분법을 이용한 극한값의 계산**

[2014학년도 수능 모의평가]

함수 $f(x)=x^3-x$에 대하여 $\lim\limits_{h \to 0}\dfrac{f(1+3h)-f(1)}{2h}$의 값은? [3점]

Act ❶
미분계수의 정의를 이용할 수 있도록 식을 변형한다.

① 2   ② $\dfrac{5}{2}$ ③ 3   ④ $\dfrac{7}{2}$ ⑤ 4

해결의 실마리

① 주어진 식을 $f'(a)$가 포함된 식으로 변형한다. ← $f'(a)=\lim\limits_{h \to 0}\dfrac{f(a+h)-f(a)}{h}=\lim\limits_{x \to a}\dfrac{f(x)-f(a)}{x-a}$

② $f(x)$의 도함수 $f'(x)$를 구한 후 $f'(x)$에 $x=a$를 대입하여 $f'(a)$의 값을 구한다.

③ $f'(a)$의 값을 ①에 대입하여 주어진 식의 값을 구한다.

05

[2013학년도 수능 모의평가]

함수 $f(x)=x^3+4x-2$에 대하여 $\lim\limits_{h \to 0}\dfrac{f(1+3h)-f(1)}{h}$의 값을 구하시오. [4점]

07

[2013학년도 수능]

함수 $f(x)=x^3+9x+2$에 대하여 $\lim\limits_{x \to 1}\dfrac{f(x)-f(1)}{x-1}$의 값을 구하시오. [3점]

06

[2015학년도 교육청]

함수 $f(x)=2x^2+5x$에 대하여 $\lim\limits_{h \to 0}\dfrac{f(4+h)-f(4)}{3h}$의 값은? [3점]

① 1   ② 3   ③ 5
④ 7   ⑤ 9

08

[2011학년도 교육청]

함수 $f(x)=3x^2+2x-1$에 대하여 $\lim\limits_{x \to 1}\dfrac{f(x)-f(2x-1)}{x-1}$의 값은? [3점]

① -8 ② -4 ③ 0
④ 4   ⑤ 8

함수 $f(x)=\begin{cases} ax^2 & (x \geq 2) \\ (x-1)^2+b & (x<2) \end{cases}$ 가 $x=2$에서 미분가능할 때, $\dfrac{b}{a}$의 값을 구하시오. (단, a, b는 상수이다.) [3점]

> **Act❶**
> $x=a$에서 함수 $f(x)$의 미분가능성을 따질 때는 $x=a$에서 연속인지, 미분계수가 존재하는지를 확인한다.

해결의 실마리

다항함수 $f(x)$, $g(x)$에 대하여 함수 $h(x)=\begin{cases} f(x) & (x \geq a) \\ g(x) & (x<a) \end{cases}$ 가 $x=a$에서 미분가능하면 다음 두 조건을 만족한다.

① 함수 $h(x)$는 $x=a$에서 연속이다. $\leftarrow \lim\limits_{x \to a-} g(x)=f(a)$

② $x=a$에서의 함수 $h(x)$의 미분계수가 존재한다. $\leftarrow \lim\limits_{x \to a-} \dfrac{g(x)-g(a)}{x-a}=\lim\limits_{x \to a+} \dfrac{f(x)-f(a)}{x-a}$

09

함수 $f(x)=\begin{cases} ax^2-bx+1 & (x \geq 1) \\ x^3+1 & (x<1) \end{cases}$ 이 $x=1$에서 미분가능할 때, $a-b$의 값은? (단, a, b는 상수이다.) [3점]

① 1   ② 2   ③ 3

④ 4   ⑤ 5

11

[2012학년도 교육청]

함수 $f(x)=\begin{cases} -x+1 & (x<0) \\ a(x-1)^2+b & (x \geq 0) \end{cases}$ 가 실수 전체의 집합에서 미분가능할 때, $f(1)$의 값은? (단, a, b는 상수이다.) [3점]

① $\dfrac{1}{4}$ ② $\dfrac{1}{2}$ ③ 1

④ $\dfrac{3}{2}$ ⑤ 2

10

[2005학년도 수능 모의평가]

함수 $f(x)=\begin{cases} x^3+ax^2+bx & (x \geq 1) \\ 2x^2+1 & (x<1) \end{cases}$ 가 모든 실수 x에서 미분가능하도록 상수 a, b를 정할 때, ab의 값은? [3점]

① -5 ② -3 ③ -1

④ 0   ⑤ 1

12

함수 $f(x)=\begin{cases} x^2 & (x<2) \\ a(x-4)^2+b & (x \geq 2) \end{cases}$ 가 $x=2$에서 미분가능할 때, $f(3)$의 값은? (단, a, b는 상수이다.) [3점]

① 3   ② 4   ③ 5

④ 6   ⑤ 7

기출유형 04 관계식이 주어질 때 도함수 구하기

미분가능한 함수 $f(x)$가 모든 실수 x, y에 대하여
$$f(x+y)=f(x)+f(y)+xy$$
를 만족시키고 $f'(0)=3$일 때, $f'(1)$의 값은? [3점]

① 1　　　　② 2　　　　③ 3　　　　④ 4　　　　⑤ 5

Act ①
먼저 주어진 식의 양변에 $x=0$, $y=0$을 대입하여 $f(0)$의 값을 구한 후 도함수의 정의를 이용하여 $f'(x)$를 구한다.

해결의 실마리

x, y에 대한 관계식이 주어질 때

① 주어진 관계식의 x, y에 적당한 수를 대입하여 $f(0)$의 값을 구한다.

② 주어진 관계식을 $f'(x)=\lim\limits_{h\to 0}\dfrac{f(x+h)-f(x)}{h}$에 대입하여 $f'(x)$를 구한다.

13

미분가능한 함수 $f(x)$가 모든 실수 x, y에 대하여
$$f(x+y)=f(x)+f(y)+2xy$$
를 만족시키고 $f'(0)=3$일 때, $f'(4)$의 값은? [3점]

① 3　　　　② 5　　　　③ 7
④ 9　　　　⑤ 11

15

미분가능한 함수 $f(x)$가 모든 실수 x, y에 대하여
$$f(x+y)=f(x)+f(y)+axy$$
를 만족시키고 $f'(x)=3x-2$일 때, 상수 a의 값은? [3점]

① 1　　　　② 2　　　　③ 3
④ 4　　　　⑤ 5

14

항상 양의 값을 갖는 미분가능한 함수 $f(x)$가 임의의 두 실수 x, y에 대하여
$$f(x+y)=f(x)f(y)$$
를 만족시킨다. $f'(0)=5$일 때, $\dfrac{f'(x)}{f(x)}$의 값은? [3점]

① 2　　　　② 3　　　　③ 4
④ 5　　　　⑤ 6

16

미분가능한 함수 $f(x)$가 모든 실수 x, y에 대하여 다음 두 조건을 만족시킬 때, $f'(0)$의 값을 구하시오. [4점]

┤보기├
(가) $f(x+y)=f(x)+f(y)+3xy-4$

(나) $\lim\limits_{x\to 2}\dfrac{f(x)}{x-2}=10$

01

함수 $f(x)=x^4+2x^2+x$에 대하여 $f'(1)$의 값을 구하시오. [3점]

02

함수 $f(x)=2x^3+ax+1$에 대하여 $f'(1)=4$를 만족시키는 상수 a의 값은? [3점]

① -2 ② -1 ③ 0
④ 1 ⑤ 2

03

함수 $f(x)=(x^2+1)(x^3-x+1)$에 대하여 $f'(1)$의 값을 구하시오. [3점]

04

함수 $f(x)=(4x-3)(3x-2)(-2x+a)$에 대하여 $f'(1)=-2$일 때, 상수 a의 값은? [3점]

① 1 ② 2 ③ 3
④ 4 ⑤ 5

05

함수 $f(x)=x^2+4x+1$에 대하여 $\lim\limits_{h \to 0}\dfrac{f(1+h)-f(1)}{h}$의 값을 구하시오. [3점]

06

다항함수 $f(x)$가 $\lim\limits_{x \to 1}\dfrac{f(x)-5}{x-1}=2$를 만족시킨다.
$g(x)=x^3f(x)$라 할 때, $g'(1)$의 값을 구하시오. [4점]

07

함수 $f(x)=x^4+ax^2+b$가 $\lim\limits_{x \to 2}\dfrac{f(x)}{x-2}=12$를 만족시킬 때, 두 상수 a, b에 대하여 a^2+b^2의 값을 구하시오. [4점]

08

다항함수 $f(x)$, $g(x)$가
$$\lim_{x \to 4}\frac{f(x-1)-4}{x-4}=2, \quad \lim_{x \to 3}\frac{g(x)}{x-3}=12$$
를 만족시키고 함수 $h(x)=f(x)g(x)$라 할 때, $h'(3)$의 값을 구하시오. [4점]

09

함수 $f(x)=\begin{cases} x^2+4x & (x<0) \\ ax & (0\le x<2) \\ -x^2+bx+c & (x\ge 2) \end{cases}$ 가 모든 실수 x에 대하여 미분가능할 때, $f(3)-f(1)$의 값은? (단, a, b, c는 상수이다.) [3점]

① 3   ② 5   ③ 7
④ 9   ⑤ 11

10

미분가능한 함수 $f(x)$가 임의의 실수 x, y에 대하여
$$f(x+y)=f(x)+f(y)$$
를 만족하고 $f'(0)=-3$일 때, $f'(10)$의 값은? [3점]

① -5 ② -4 ③ -3
④ -2 ⑤ -1

 level up

11

최고차항의 계수가 1이고 $f(1)=0$인 삼차함수 $f(x)$가 $\lim\limits_{x \to 2}\dfrac{f(x)}{(x-2)\{f'(x)\}^2}=\dfrac{1}{5}$을 만족시킬 때, $f(3)$의 값은? [4점]

① 6   ② 8   ③ 10
④ 12   ⑤ 14

12

다항함수 $f(x)$가 다음 두 조건을 모두 만족할 때, $f'(3)$의 값을 구하시오. [4점]

(가) 모든 실수 x에 대하여 $\{f'(x)\}^2=4f(x)+1$
(나) $f(-1)=f(2)=2$

중요개념

1. 접선의 방정식

(1) 함수 $f(x)$가 $x=a$에서 미분가능할 때, 곡선 $y=f(x)$ 위의 점 $(a, f(a))$에서의 접선의 기울기는 $x=a$에서의 미분계수 $f'(a)$와 같다.

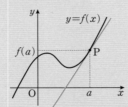

(2) 함수 $f(x)$가 $x=a$에서 미분가능할 때, 곡선 $y=f(x)$ 위의 점 $(a, f(a))$에서의 접선의 방정식은

$$y-f(a)=f'(a)(x-a)$$

2. 접선의 방정식 구하는 방법

(1) 접점의 좌표 (a, b)가 주어진 경우

① 접선의 기울기 $f'(a)$를 구한다.

② 접선의 방정식은 ⇨ $y-b=f'(a)(x-a)$

(2) 기울기 m이 주어진 경우

① 접점의 좌표를 $(a, f(a))$로 놓는다.

② $f'(a)=m$에서 접점의 좌표 $(a, f(a))$를 구한다.

③ 접선의 방정식은 ⇨ $y-f(a)=m(x-a)$

(3) 곡선 밖의 한 점의 좌표 (x_1, y_1)이 주어진 경우

① 접점의 좌표를 $(a, f(a))$로 놓는다.

② $y-f(a)=f'(a)(x-a)$에 점 (x_1, y_1)의 좌표를 대입하여 a의 값을 구한다.

③ 접선의 방정식은 ⇨ a의 값을 $y-f(a)=f'(a)(x-a)$에 대입한다.

3. 평균값 정리

(1) 롤의 정리

함수 $f(x)$가 닫힌구간 $[a, b]$에서 연속이고 열린구간 (a, b)에서 미분가능할 때, $f(a)=f(b)$이면 $f'(c)=0$인 c가 열린구간 (a, b)에 적어도 하나 존재한다.

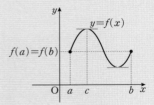

(2) 평균값 정리

함수 $f(x)$가 닫힌구간 $[a, b]$에서 연속이고 열린구간 (a, b)에서 미분가능할 때,

$$\frac{f(b)-f(a)}{b-a}=f'(c)$$

인 c가 열린구간 (a, b)에 적어도 하나 존재한다.

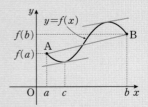

참고 평균값 정리에서 $f(a)=f(b)$인 경우가 롤의 정리이다.

01
[2007학년도 수능]

사차함수 $f(x)=x^4-4x^3+6x^2+4$의 그래프 위의 점 (a, b)에서의 접선의 기울기가 4일 때, a^2+b^2의 값을 구하시오. [3점]

04
[2012학년도 수능 모의평가]

점 $(0, -4)$에서 곡선 $y=x^3-2$에 그은 접선이 x축과 만나는 점의 좌표를 $(a, 0)$이라 할 때, a의 값은? [4점]

① $\dfrac{7}{6}$ ② $\dfrac{4}{3}$ ③ $\dfrac{3}{2}$

④ $\dfrac{5}{3}$ ⑤ $\dfrac{11}{6}$

02
[2015학년도 수능 모의평가]

곡선 $y=-x^3+2x$ 위의 점 $(1, 1)$에서의 접선이 점 $(-10, a)$를 지날 때, a의 값을 구하시오. [4점]

05

두 함수 $f(x)=x^3+ax$, $g(x)=bx^2+c$의 그래프가 점 $(1, 2)$에서 공통인 접선을 가질 때, 상수 a, b, c에 대하여 $a+b+c$의 값은? [3점]

① 2 ② 3 ③ 4

④ 5 ⑤ 6

03

곡선 $y=x^2-4x+3$에 접하고 직선 $y=2x+5$에 평행한 직선의 y절편은? [3점]

① -6 ② -5 ③ -4

④ -3 ⑤ -2

06

함수 $f(x)=x^2-4x+3$에 대하여 닫힌구간 $[1, 4]$에서 평균값 정리를 만족시키는 상수 c의 값은? [3점]

① $\dfrac{1}{2}$ ② 1 ③ $\dfrac{3}{2}$

④ 2 ⑤ $\dfrac{5}{2}$

곡선 $f(x)=3x^3+ax+b$ 위의 점 $(1, 2)$에서의 접선의 기울기가 7일 때, 상수 a, b에 대하여 $b-a$의 값은? [3점]

Act ❶
$f'(1)=7$, $f(1)=2$임을 이용하여 a, b의 값을 구한다.

① 1　　　　② 2　　　　③ 3　　　　④ 4　　　　⑤ 5

해결의 실마리

곡선 $y=f(x)$ 위의 점 (a, b)에서의 접선의 기울기가 m이면
$\Rightarrow f'(a)=m$, $f(a)=b$

01

곡선 $f(x)=x^4-4x^3+6x^2-5$ 위의 점 (a, b)에서의 접선의 기울기가 8일 때, $a+b$의 값을 구하시오. [3점]

02

곡선 $f(x)=x^3+ax+b$ 위의 점 $(2, 1)$에서의 접선과 수직인 직선의 기울기가 $-\dfrac{1}{8}$이다. 상수 a, b에 대하여 a^2+b^2의 값은? [3점]

① 15　　　　② 17　　　　③ 19
④ 21　　　　⑤ 23

03

[2014학년도 수능 모의평가]

다항함수 $f(x)$에 대하여 곡선 $y=f(x)$ 위의 점 $(2, 1)$에서의 접선의 기울기가 2이다. $g(x)=x^3f(x)$일 때, $g'(2)$의 값을 구하시오. [4점]

04

[2018학년도 교육청]

최고차항의 계수가 1 이고 $f(0)=2$ 인 삼차함수 $f(x)$ 가 $\displaystyle\lim_{x \to 1}\dfrac{f(x)-x^2}{x-1}=-2$를 만족시킨다. 곡선 $y=f(x)$ 위의 점 $(3, f(3))$에서의 접선의 기울기를 구하시오. [4점]

기출유형 02 **곡선 위의 점에서의 접선의 방정식**

곡선 $y=-x^3+4x$ 위의 점 $(1, 3)$에서의 접선의 방정식이 $y=ax+b$이다. $10a+b$의 값을 구하시오. (단, a, b는 상수이다.) [3점]

Act ①

$y=f(x)$ 위의 점 (a, b)에서의 접선의 방정식은 $y-b=f'(a)(x-a)$임을 이용한다.

해결의 실마리

곡선 $y=f(x)$ 위의 점 (a, b)에서의 접선의 방정식
① 접선의 기울기 $f'(a)$를 구한다.
② 접선의 방정식은 ⇨ $y-b=f'(a)(x-a)$

05

곡선 $y=x^3+2$ 위의 점 $P(a, -6)$에서의 접선의 방정식을 $y=mx+n$이라 할 때, 세 수 a, m, n의 합을 구하시오. [3점]

07

곡선 $y=x^3-5x$ 위의 점 $A(1, -4)$에서의 접선이 점 A가 아닌 점 B에서 곡선과 만난다. 선분 AB의 길이는? [4점]

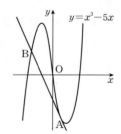

① $\sqrt{30}$ ② $\sqrt{35}$
③ $2\sqrt{10}$ ④ $3\sqrt{5}$
⑤ $5\sqrt{2}$

06

다항함수 $f(x)$에 대하여 $\lim\limits_{x \to 2} \dfrac{f(x)-5}{x-2}=3$일 때, 곡선 $y=f(x)$ 위의 점 $(2, f(2))$에서의 접선의 방정식을 $y=mx+n$이라 한다. 이때 상수 m, n에 대하여 $m+n$의 값은? [3점]

① 2   ② 3   ③ 4
④ 5   ⑤ 6

08

곡선 $y=x^3+2x+7$ 위의 점 $P(-1, 4)$에서의 접선이 점 P가 아닌 점 (a, b)에서 곡선과 만난다. $a+b$의 값을 구하시오. [4점]

[2020학년도 수능 모의평가]

곡선 $y = x^3 - 3x^2 + 2x - 3$과 직선 $y = 2x + k$가 서로 다른 두 점에서만 만나도록 하는 모든 실수 k의 값의 곱을 구하시오. [4점]

Act ❶
$y = 2x + k$는
$y = x^3 - 3x^2 + 2x - 3$의 접선임을 이용한다.

해결의 실마리

곡선 $y = f(x)$에 접하고 기울기가 m인 직선의 방정식
① 접점의 좌표를 $(a, f(a))$로 놓는다.　② $f'(a) = m$에서 접점의 좌표 $(a, f(a))$를 구한다.　③ 접선의 방정식은 ⇨ $y - f(a) = m(x - a)$

09

[2014학년도 수능 모의평가]

곡선 $y = x^3 - 3x^2 + x + 1$ 위의 서로 다른 두 점 A, B에서의 접선이 서로 평행하다. 점 A의 x좌표가 3일 때, 점 B에서의 접선의 y절편의 값은? [4점]

① 5　　　　② 6　　　　③ 7
④ 8　　　　⑤ 9

11

[2015학년도 수능 모의평가]

곡선 $y = \dfrac{1}{3}x^3 + \dfrac{11}{3}\ (x > 0)$ 위를 움직이는 점 P와 직선 $x - y - 10 = 0$ 사이의 거리를 최소가 되게 하는 곡선 위의 점 P의 좌표를 (a, b)라 할 때, $a + b$의 값을 구하시오. [4점]

10

[2013학년도 수능 모의평가]

닫힌구간 $[0, 2]$에서 정의된 함수 $f(x) = ax(x - 2)^2 \left(a > \dfrac{1}{2}\right)$에 대하여 곡선 $y = f(x)$와 직선 $y = x$의 교점 중 원점 O가 아닌 점을 A라 하자. 점 P가 원점으로부터 점 A까지 곡선 $y = f(x)$ 위를 움직일 때, 삼각형 OAP의 넓이가 최대가 되는 점 P의 x좌표가 $\dfrac{1}{2}$이다. 상수 a의 값은? [4점]

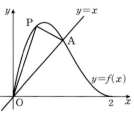

① $\dfrac{5}{4}$　　　② $\dfrac{4}{3}$　　　③ $\dfrac{17}{12}$
④ $\dfrac{3}{2}$　　　⑤ $\dfrac{19}{12}$

12

곡선 $y = x^2 - 2x + 5$와 직선 $y = 2x - 1$ 사이의 거리의 최솟값은? [4점]

① $\dfrac{\sqrt{5}}{5}$　　　② $\dfrac{2\sqrt{5}}{5}$　　　③ $\dfrac{3\sqrt{5}}{5}$
④ $\dfrac{4\sqrt{5}}{5}$　　　⑤ $\sqrt{5}$

기출유형 **04** 곡선 밖의 한 점에서 그은 접선의 방정식

점 $(0, 2)$에서 곡선 $y=x^3$에 그은 접선이 점 $(2, k)$를 지날 대, 상수 k의 값은? [3점]

① 5 　　　　② 6 　　　　③ 7 　　　　④ 8 　　　　⑤ 9

Act①

접점의 좌표를 (t, t^3)이라 놓고 접선이 점 $(0, 2)$를 지남을 이용하여 t의 값을 구한다.

해결의 실마리

곡선 $y=f(x)$ 밖의 한 점 (x_1, y_1)에서 곡선에 그은 접선의 방정식
① 접점의 좌표를 $(a, f(a))$로 놓는다.
② $y-f(a)=f'(a)(x-a)$에 점 (x_1, y_1)의 좌표를 대입하여 a의 값을 구한다.
③ 접선의 방정식은 ⇨ a의 값을 $y-f(a)=f'(a)(x-a)$에 대입한다.

13

원점 O에서 곡선 $y=x^3+2x+2$에 그은 접선의 접점을 P라 할 때, $\overline{\mathrm{OP}}$의 길이는? [3점]

① $\sqrt{23}$ 　　　② $2\sqrt{6}$ 　　　③ 5
④ $\sqrt{26}$ 　　　⑤ $3\sqrt{3}$

15

점 $(2, -12)$에서 곡선 $y=2x^2-x$에 그은 두 접선의 기울기의 합을 구하시오. [3점]

14

점 $(1, -1)$에서 곡선 $y=x^2-3x+2$에 그은 접선의 y절편을 k라 할 때, 모든 실수 k의 값의 곱은? [3점]

① -6 　　　② -5 　　　③ -4
④ -3 　　　⑤ -2

16

[2016학년도 교육청]

함수 $f(x)=x^3-ax$에 대하여 점 $(0, 16)$에서 곡선 $y=f(x)$에 그은 접선의 기울기가 8일 때, $f(a)$의 값을 구하시오. (단, a는 상수이다.) [4점]

두 곡선 $f(x)=x^3+ax$, $g(x)=bx^2-4$가 $x=1$인 점에서 같은 직선에 접하도록 하는 두 상수 a, b에 대하여 $a+b$의 값은? [3점]

① -10　　　② -9　　　③ -8　　　④ -7　　　⑤ -6

Act ❶
두 곡선 $y=f(x)$, $y=g(x)$가 $x=t$에서 공통인 접선을 가지면 $f(t)=g(t)$, $f'(t)=g'(t)$임을 이용한다.

해결의 실마리

(1) 한 점에서 접할 때

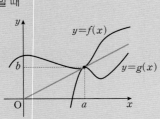

⇨ 접점에서의 함숫값과 접선의 기울기가 같으므로
$$f(a)=g(a)=b, \ f'(a)=g'(a)$$

(2) 접점이 서로 다를 때

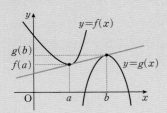

⇨ 두 접점에서의 접선이 일치함을 이용한다. 즉 두 접선의 방정식의 기울기와 y절편이 같다.

17

두 곡선 $f(x)=x^3+ax+b$, $y=-x^2+bx$가 $x=1$에서 서로 접할 때, 상수 a, b에 대하여 $a+b$의 값은? [3점]

① -2　　　② -1　　　③ 0
④ 1　　　　⑤ 2

18

두 곡선 $f(x)=x^3+ax$, $g(x)=bx^2+c$이 점 $(1, 2)$에서 공통인 접선을 가질 때, 상수 a, b, c에 대하여 abc의 값은? [3점]

① -4　　　② -2　　　③ 0
④ 2　　　　⑤ 4

19

[2015학년도 교육청]

두 함수 $f(x)=x^2$과 $g(x)=-(x-3)^2+k \ (k>0)$에 대하여 곡선 $y=f(x)$ 위의 점 $P(1, 1)$에서의 접선을 l이라 하자. 직선 l에 곡선 $y=g(x)$가 접할 때의 접점을 Q, 곡선 $y=g(x)$와 x축이 만나는 두 점을 각각 R, S라 할 때, 삼각형 QRS의 넓이는? [4점]

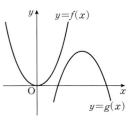

① 4　　　② $\dfrac{9}{2}$　　　③ 5
④ $\dfrac{11}{2}$　　　⑤ 6

기출유형 06 평균값 정리

함수 $f(x)=x^3-12x$에 대하여 닫힌구간 $[0, 2]$에서 평균값 정리를 만족하는 상수 c의 값은? [3점]

① $\dfrac{\sqrt{2}}{2}$　　② $\dfrac{2\sqrt{3}}{3}$　　③ $\dfrac{4\sqrt{5}}{3}$　　④ $\dfrac{5\sqrt{6}}{6}$　　⑤ $\dfrac{6\sqrt{7}}{7}$

Act ①
$\dfrac{f(2)-f(0)}{2-0}=f'(c)$인
c $(0<c<2)$를 찾는다.

해결의 실마리

(1) 닫힌구간 $[a, b]$에서 롤의 정리를 만족시키는 상수 c의 값은 ⇨ $f'(c)=0$인 c $(a<c<b)$를 찾는다.

(2) 닫힌구간 $[a, b]$에서 평균값 정리를 만족시키는 상수 c의 값은 ⇨ $\dfrac{f(b)-f(a)}{b-a}=f'(c)$인 c $(a<c<b)$를 찾는다.

(3) 평균값 정리에서 $f(a)=f(b)$인 경우가 롤의 정리이다.

20

함수 $f(x)=x^2$에 대하여 닫힌구간 $[0, 2]$에서 평균값 정리를 만족하는 상수 c의 값을 구하시오. [3점]

21

함수 $f(x)=x^3+x^2$에 대하여 닫힌구간 $[-1, 0]$에서 롤의 정리를 만족시키는 상수 c의 값은? [3점]

① $-\dfrac{2}{3}$　　② $-\dfrac{1}{3}$　　③ 0

④ $\dfrac{1}{3}$　　⑤ $\dfrac{2}{3}$

22

함수 $f(x)=x^3-kx^2+2x$는 닫힌구간 $[0, 3]$에서 평균값 정리를 만족시키는 상수 2가 존재하고, 닫힌구간 $[1, 2]$에서 롤의 정리를 만족시키는 c가 존재한다. $k+c$의 값은? (단, k는 상수) [3점]

① $1+\dfrac{\sqrt{3}}{3}$　　② $2+\dfrac{\sqrt{3}}{3}$　　③ $3+\dfrac{\sqrt{3}}{3}$

④ $4+\dfrac{\sqrt{3}}{3}$　　⑤ $5+\dfrac{\sqrt{3}}{3}$

23

함수 $f(x)=x^2-2x-1$에 대하여 닫힌구간 $[0, a]$에서 평균값 정리를 만족시키는 상수 c의 값이 2일 때 a의 값을 구하시오. (단, $a>0$) [3점]

01

곡선 $y=x^3+ax+b$ 위의 점 $(1, 5)$에서의 접선과 수직인 직선의 기울기가 $-\dfrac{1}{6}$이다. 두 상수 a, b에 대하여 $a+b$의 값을 구하시오. [4점]

02

삼차함수

$$f(x)=-x^3+3x^2+2x$$

에 대하여 곡선 $y=f(x)$ 위의 원점 O에서의 접선과 곡선 $y=f(x)$의 교점 중 원점 O가 아닌 점을 A라 하자. 점 P가 곡선 $y=f(x)$ 위에서 원점과 점 A 사이를 움직일 때, 삼각형 OAP의 넓이가 최대가 되는 점 P의 x좌표는? [4점]

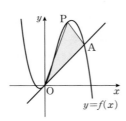

① 1   ② 2   ③ 3
④ 4   ⑤ 5

03

곡선 $y=(x^2-x)(x-3)$ 위의 점 $(2, -2)$에서의 접선의 방정식이 $y=mx+n$일 때, $m-n$의 값은? [3점]

① -3 ② -1 ③ 0
④ 1 ⑤ 3

04

곡선 $y=x^3+ax+b$ 위의 점 $(1, 0)$에서의 접선의 방정식이 $y=-x+1$일 때, 상수 a, b에 대하여 $b-a$의 값을 구하시오. [3점]

05

곡선 $y=x^3+2$ 위의 점 $P(a, -6)$에서의 접선의 방정식이 $y=mx+n$일 때, $a+m+n$의 값은? [3점]

① 24   ② 25   ③ 26
④ 27   ⑤ 28

06

곡선 $y=f(x)$ 위의 점 $(2, 1)$에서의 접선의 방정식이 $y=4x-7$일 때, 곡선 $y=(x^2-x)f(x)$ 위의 $x=2$인 점에서의 접선의 y절편은? [3점]

① -20 ② -18 ③ -16
④ -14 ⑤ -12

07

점 $(2, -2)$를 지나고 곡선 $y=x^3-2x^2-x+2$에 접하는 직선의 개수를 a, 모든 접점을 x좌표의 합을 b라 할 때, $a+b$의 값을 구하시오. [4점]

08

곡선 $y=ax^3+bx^2+cx+d$는 점 $(0, 2)$에서 직선 $y=x+2$에 접하고, 점 $(2, 3)$에서 직선 $3x+y-9=0$에 접한다고 한다. 네 상수 a, b, c, d의 합 $a+b+c+d$의 값은? [4점]

① $\dfrac{7}{2}$ ② $\dfrac{9}{2}$ ③ $\dfrac{11}{2}$

④ $\dfrac{13}{2}$ ⑤ $\dfrac{15}{2}$

09

함수 $f(x)=3x-x^2$에 대하여 닫힌구간 $[1, 2]$에서 롤의 정리를 만족시키는 상수 c의 값은? [3점]

① 1 ② $\dfrac{3}{2}$ ③ 2

④ $\dfrac{5}{2}$ ⑤ 3

10

함수 $f(x)=\dfrac{1}{3}x^3-x^2+1$에 대하여 닫힌구간 $[0, 3]$에서 평균값 정리를 만족시키는 상수 c의 개수를 구하시오. [3점]

 level up

11

최고차항의 계수가 1인 삼차함수 $f(x)$에 대하여 곡선 $y=f(x)$ 위의 점 $(2, 4)$에서의 접선이 점 $(-1, 1)$에서 이 곡선과 만날 때, $f'(1)$의 값은? [4점]

① -2 ② -1 ③ 0

④ 1 ⑤ 2

12

함수 $y=f(x)$의 그래프 위의 $x=2$인 점에서의 접선의 방정식은 $y=x+4$이고, 함수 $y=g(x)$의 그래프 위의 $x=2$인 점에서의 접선의 방정식은 $y=-x+4$이다. 이때 함수 $h(x)=f(x)g(x)$의 그래프 위의 $x=2$인 점에서의 접선의 y절편을 구하시오. [4점]

참 중요한학습 point

 기출 best

best **1** 함수의 극댓값, 극솟값

best **2** 미분계수와 극값

best **3** 함수의 최댓값과 최솟값

 기출 분석

극댓값, 극솟값 문제는 매년 빠지지 않고 출제되며, 제한된 구간에서의 최댓값 또는 최솟값 문제도 출제된다. 함수의 증감표 또는 그 래프의 개형에서 극대, 극소를 판정하고 제한된 구간에서 최댓값 또는 최솟값을 구할 수 있어야 한다.

 level up

• 삼차, 사차함수가 극값을 가질 조건

• 최댓값과 최솟값의 활용

중요개념

1. 함수의 증가, 감소

(1) 함수의 증가, 감소

함수 $f(x)$가 어떤 구간에 속하는 임의의 두 실수 x_1, x_2에 대하여

① $x_1 < x_2$일 때 $f(x_1) < f(x_2)$이면 $f(x)$는 이 구간에서 증가한다고 한다.

② $x_1 < x_2$일 때 $f(x_1) > f(x_2)$이면 $f(x)$는 이 구간에서 감소한다고 한다.

(2) 함수의 증가, 감소의 판정

함수 $f(x)$가 어떤 구간에서 미분가능하고 이 구간의 모든 x에 대하여

① $f'(x) > 0$이면 $f(x)$는 이 구간에서 증가한다.

② $f'(x) < 0$이면 $f(x)$는 이 구간에서 감소한다.

(3) 함수가 증가, 감소하기 위한 조건

함수 $f(x)$가 어떤 구간에서 미분가능하고 그 구간에서

① $f(x)$가 증가하면 그 구간의 모든 x에 대하여 $f'(x) \geq 0$

② $f(x)$가 감소하면 그 구간의 모든 x에 대하여 $f'(x) \leq 0$

2. 함수의 극대, 극소

함수 $f(x)$가 실수 a를 포함하는 어떤 열린구간에 속하는 모든 x에 대하여

(1) $f(x) \leq f(a)$이면 함수 $f(x)$는 $x = a$에서 극대라 하고, $f(a)$를 극댓값이라 한다.

(2) $f(x) \geq f(a)$이면 함수 $f(x)$는 $x = a$에서 극소라 하고, $f(a)$를 극솟값이라 한다.

이때 극댓값과 극솟값을 통틀어 극값이라 한다.

3. 함수의 극대, 극소의 판정

(1) 극값과 미분계수 : 함수 $f(x)$가 $x = a$에서 미분가능하고 $x = a$에서 극값을 가지면 $f'(a) = 0$이다.

(2) 함수의 극대, 극소의 판정

함수 $f(x)$가 미분가능하고 $f'(a) = 0$일 때, $x = a$의 좌우에서 $f'(x)$의 부호가

① 양($+$)에서 음($-$)으로 바뀌면 $f(x)$는 $x = a$에서 극대이고 극댓값 $f(a)$를 갖는다.

② 음($-$)에서 양($+$)으로 바뀌면 $f(x)$는 $x = a$에서 극소이고 극솟값 $f(a)$를 갖는다.

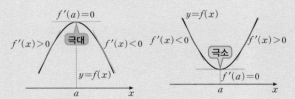

4. 함수의 최대, 최소

함수 $f(x)$가 닫힌구간 $[a, b]$에서 연속일 때, 최댓값과 최솟값은 다음 순서로 구한다.

(i) 주어진 구간에서 $f(x)$의 극댓값과 극솟값을 구한다.

(ii) 주어진 구간의 양 끝에서의 함숫값 $f(a)$, $f(b)$를 구한다.

(iii) (i), (ii)에서 구한 극댓값, 극솟값, $f(a)$, $f(b)$ 중에서 가장 큰 값이 최댓값이고, 가장 작은 값이 최솟값이다.

01

함수 $f(x)=x^3-3ax^2+ax$가 실수 전체의 집합에서 증가하기 위한 실수 a의 최댓값은? [3점]

① $\dfrac{1}{3}$ ② $\dfrac{2}{3}$ ③ 1

④ $\dfrac{4}{3}$ ⑤ $\dfrac{5}{3}$

02

[2019학년도 수능]

함수 $f(x)=x^3-3x+a$의 극댓값이 7일 때, 상수 a의 값은? [3점]

① 1 ② 2 ③ 3

④ 4 ⑤ 5

03

[2019학년도 수능 모의평가]

함수 $f(x)=x^3-ax+6$이 $x=1$에서 극소일 때, 상수 a의 값은? [3점]

① 1 ② 2 ③ 3

④ 4 ⑤ 5

04

삼차함수 $f(x)=ax^3-3x^2+ax+1$이 극값을 갖도록 하는 정수 a의 개수는? [3점]

① 2 ② 3 ③ 4

④ 5 ⑤ 6

05

[2018학년도 수능 모의평가]

닫힌구간 $[-1,\ 3]$에서 함수 $f(x)=x^3-3x+5$의 최솟값은? [3점]

① 1 ② 2 ③ 3

④ 4 ⑤ 5

06

[2016학년도 교육청]

닫힌구간 $[0,\ 5]$에서 정의된 함수 $f(x)=x^3-9x^2+15x+a$의 최솟값이 -15일 때, 최댓값은? (단, a는 상수이다.) [4점]

① 15 ② 16 ③ 17

④ 18 ⑤ 19

기출유형 01 함수의 증가, 감소

함수 $f(x)=-3x^3+ax^2+ax+5$가 실수 전체의 집합에서 감소하기 위한 실수 a의 최댓값을 M, 최솟값을 m이라 할 때, $M+m$의 값은? [3점]

① -11　② -9　③ -7　④ -5　⑤ -3

Act①
함수 $f(x)$가 실수 전체의 집합에서 감소하면 $f'(x) \le 0$임을 이용한다.

해결의 실마리

함수 $f(x)$가 어떤 구간에서 미분가능하고 그 구간에서

① $f(x)$가 증가하면 그 구간의 모든 x에 대하여 $f'(x) \ge 0$

② $f(x)$가 감소하면 그 구간의 모든 x에 대하여 $f'(x) \le 0$

01

함수 $f(x)=4x^3+3ax^2+3x+2$가 실수 전체의 집합에서 증가하기 위한 실수 a의 최댓값을 M, 최솟값을 m이라 할 때, $M+m$의 값은? [3점]

① -2　② -1　③ 0
④ 1　⑤ 2

02

함수 $f(x)=-x^3-3x^2+3ax-1$이 열린구간 $(1, 3)$에서 증가하도록 하는 실수 a의 최솟값을 구하시오. [4점]

03

함수 $f(x)=2x^3-6x^2+3ax+1$이 열린구간 $(2, 4)$에 속하는 임의의 두 실수 x_1, x_2에 대하여 $x_1<x_2$이면 $f(x_1)>f(x_2)$가 성립하도록 하는 실수 a의 최댓값은? [4점]

① -19　② -18　③ -17
④ -16　⑤ -15

04

[2016학년도 수능 모의평가]

함수 $f(x)=\dfrac{1}{3}x^3-9x+3$이 열린구간 $(-a, a)$에서 감소할 때, 양수 a의 최댓값을 구하시오. [4점]

기출유형 02 함수의 극대, 극소 (1)

[2008학년도 수능]

함수 $f(x)=x^3-12x$가 $x=a$에서 극댓값 b를 가질 때, $a+b$의 값을 구하시오. [3점]

Act ❶

$f'(x)=0$인 x의 값을 기준으로 $f'(x)$의 부호의 변화를 조사한다.

해결의 실마리

(1) 미분가능한 함수 $f(x)$의 극값은 다음과 같은 순서로 구한다.

| $f'(x)$를 구한다. | ⇨ | $f'(x)=0$을 만족시키는 x의 값을 구한다. | ⇨ | 구한 x의 값의 좌우에서 $f'(x)$의 부호를 조사하여 극대, 극소를 판단한다. | ⇨ | 극값을 구한다. |

(2) 극대, 극소의 판단

$f'(x)=0$을 만족하는 $x=a$의 좌우에서 $f'(x)$의 부호가 $\begin{cases} \text{양}(+)\text{에서 음}(-)\text{으로 변하면} \Rightarrow f(a)\text{는 극대} \\ \text{음}(-)\text{에서 양}(+)\text{으로 변하면} \Rightarrow f(a)\text{는 극소} \end{cases}$

05

[2014학년도 수능 예비시행]

함수 $f(x)=x^3-9x^2+24x+5$의 극댓값을 구하시오. [3점]

07

[2012학년도 수능]

함수 $f(x)=(x-1)^2(x-4)+a$의 극솟값이 10일 때, 상수 a의 값을 구하시오. [3점]

06

함수 $f(x)=x^3-6x^2+9x+1$이 $x=a$에서 극솟값 m을 가질 때, $a+m$의 값은? [3점]

① 4   ② 6   ③ 8
④ 10   ⑤ 12

08

함수 $f(x)=x^3-6x^2+9x+1$의 그래프에서 극대인 점과 극소인 점을 각각 A, B라 하자. 선분 AB의 중점의 좌표를 (a, b)라 할 때, $a+b$의 값을 구하시오. [3점]

함수 $y=f(x)$의 도함수 $f'(x)$가 $f'(x)=x^2-1$이다. 함수
$g(x)=f(x)-kx$ 가 $x=-3$에서 극값을 가질 때, 상수 k의 값은? [3점]

① 4   ② 5   ③ 6

④ 7   ⑤ 8

[2016학년도 수능 모의평가]

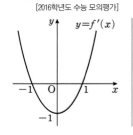

Act ❶
함수 $g(x)$가 $x=-3$에서 극값을 가지므로 $g'(-3)=0$임을 이용한다.

해결의 실마리

(1) 미분가능한 함수 $f(x)$가 $x=\alpha$에서 극값 β를 가지면 $\Rightarrow f'(\alpha)=0$, $f(\alpha)=\beta$

(2) 삼차함수 $f(x)$가 $x=\alpha$, $x=\beta$에서 극값을 가지면 $\Rightarrow \alpha$, β는 이차방정식 $f'(x)=0$의 두 근이다.

09

[2019학년도 수능 모의평가]

함수 $f(x)=x^3-ax+6$이 $x=1$에서 극소일 때, 상수 a의
값은? [3점]

① 1   ② 3   ③ 5

④ 7   ⑤ 9

11

두 다항함수 $f(x)$, $g(x)$가 모든 실수 x에 대하여
$g(x)=(x^3+4)f(x)$를 만족한다. $g(x)$가 $x=0$에서 극댓
값 32을 가질 때, $f(0)-f'(0)$의 값은? [3점]

① 4   ② 5   ③ 6

④ 7   ⑤ 8

10

함수 $f(x)=x^3-5x^2+ax-b$가 $x=1$에서 극값 2를 가질
때, 두 상수 a, b에 대하여 ab의 값은? [3점]

① -5 ② -2 ③ 7

④ 12   ⑤ 21

12

[2015학년도 수능]

두 다항함수 $f(x)$와 $g(x)$가 모든 실수 x에 대하여
$$g(x)=(x^3+2)f(x)$$
를 만족시킨다. $g(x)$가 $x=1$에서 극솟값 24를 가질 때,
$f(1)-f'(1)$의 값을 구하시오. [4점]

기출유형 04　삼차함수가 극값을 가질 조건

삼차함수 $f(x)=-x^3+6x^2+ax-1$이 극값을 갖지 않도록 하는 실수 a의 값의 범위는? [3점]

① $a\leq-12$　　② $a\leq-6$　　③ $-6\leq a\leq6$　　④ $a\geq6$　　⑤ $a\geq12$

Act ①
삼차함수 $f(x)$가 극값을 갖지 않으려면 $f'(x)=0$이 서로 다른 두 실근을 갖지 않아야 한다.

해결의 실마리

삼차함수 $f(x)$에 대하여

(1) $f(x)$가 극값을 가진다. ⇨ $f'(x)=0$이 서로 다른 두 실근을 가진다.

(2) $f(x)$가 극값을 갖지 않는다. ⇨ $f'(x)=0$이 중근 또는 허근을 가진다.

$f'(x)=0$이 서로 다른 두 실근을 가질 때	$f'(x)=0$이 중근을 가질 때	$f'(x)=0$이 허근을 가질 때

13

함수 $f(x)=x^3+ax^2+3x+1$이 극값을 갖도록 하는 실수 a의 범위가 $a<\alpha$ 또는 $a>\beta$일 때, $\alpha+2\beta$의 값을 구하시오.

[3점]

15

함수 $f(x)=x^3+ax^2-3ax+2$는 극값을 갖지 않도록 하는 정수 a의 개수를 구하시오. [3점]

14

함수 $f(x)=\dfrac{1}{3}x^3+ax^2+x+2$가 극값을 갖도록 하는 양의 정수 a의 최솟값을 구하시오. [3점]

16

함수 $f(x)=x^3+3(b-2)x^2-3(a^2-1)x+1$이 극값을 갖지 않을 때, 정수 a, b의 순서쌍 (a,b)의 개수는? [3점]

① 5　　　　② 6　　　　③ 7
④ 8　　　　⑤ 9

다음 중 함수 $f(x) = \frac{1}{4}x^4 - x^3 + ax^2 + 3$이 극댓값을 갖도록 하는 실수 a의 값이 될 수 있는 것은?

[3점]

① 1   ② 3   ③ 5   ④ 7   ⑤ 9

Act ❶

사차항의 계수가 양수인 사차함수 $f(x)$가 극댓값을 가지려면 삼차방정식 $f'(x) = 0$은 서로 다른 세 실근을 가져야 함을 이용한다.

해결의 실마리

사차항의 계수가 양수인 사차함수 $f(x)$에 대하여

(1) $f(x)$가 극댓값과 극솟값을 모두 가진다. ⇨ 삼차방정식 $f'(x) = 0$이 서로 다른 세 실근을 가진다.

(2) $f(x)$가 극댓값을 갖지 않는다. ⇨ 삼차방정식 $f'(x) = 0$이 서로 다른 세 실근을 가지지 않는 경우로, 다음과 같이 한 실근과 중근, 삼중근, 한 실근과 두 허근을 가지는 경우이다.

$f'(x) = 0$이 서로 다른 세 실근을 가질 때	$f'(x) = 0$이 서로 다른 두 실근을 가질 때	$f'(x) = 0$이 삼중근을 가질 때	$f'(x) = 0$이 하나의 실근과 두 허근을 가질 때

17

다음 중 함수 $f(x) = -x^4 - 4x^3 + ax^2 + 1$이 극솟값을 갖도록 하는 실수 a의 값이 될 수 있는 것은? [3점]

① -16 ② -12 ③ -8

④ -4 ⑤ 0

18

함수 $f(x) = x^4 + \frac{2}{3}x^3 + ax^2 - 4a$가 극댓값을 갖지 않도록 하는 양의 정수 a의 최솟값은? [3점]

① 1   ② 2   ③ 3

④ 4   ⑤ 5

기출유형 06 함수의 최댓값과 최솟값

닫힌구간 $[1, 4]$에서 함수 $f(x)=ax^4-4ax^3+b$의 최댓값이 3, 최솟값이 -6일 때, 두 상수 a, b에 대하여 ab의 값은? (단, $a>0$) [3점]

Act ①
닫힌구간 $[1, 4]$에서 $f(x)$의 극값, $f(1)$, $f(4)$를 비교한다.

① 1　　　　② 2　　　　③ 3　　　　④ 4　　　　⑤ 5

해결의 실마리

함수 $f(x)$가 닫힌구간 $[a, b]$에서 연속일 때, 최댓값과 최솟값은 다음 순서로 구한다.

(i) 주어진 구간에서 $f(x)$의 극댓값과 극솟값을 구한다.

(ii) 주어진 구간의 양 끝에서의 함숫값 $f(a)$, $f(b)$를 구한다.

(i), (ii)에서 구한 극댓값, 극솟값, $f(a)$, $f(b)$ 중에서 가장 큰 값이 최댓값이고, 가장 작은 값이 최솟값이다.

19

[2013학년도 수능 모의평가]

닫힌구간 $[1, 4]$에서 함수 $f(x)=x^3-3x^2+a$의 최댓값을 M, 최솟값을 m이라 하자. $M+m=20$일 때, 상수 a의 값은? [3점]

① 1　　　　② 2　　　　③ 3

④ 4　　　　⑤ 5

20

[2017학년도 수능 모의평가]

양수 a에 대하여 함수 $f(x)=x^3+ax^2-a^2x+2$ 가 닫힌구간 $[-a, a]$에서 최댓값 M, 최솟값 $\dfrac{14}{27}$를 갖는다. $a+M$의 값을 구하시오. [4점]

21

[2012학년도 수능 모의평가]

그림과 같이 한 변의 길이가 1인 정사각형 ABCD의 두 대각선의 교점의 좌표는 $(0, 1)$이고, 한 변의 길이가 1인 정사각형 EFGH의 두 대각선의 교점은 곡선 $y=x^2$ 위에 있다. 두 정사각형의 내부의 공통부분의 넓이의 최댓값은? (단, 정사각형의 모든 변은 x축 또는 y축에 평행하다.) [4점]

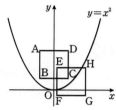

① $\dfrac{4}{27}$　　　② $\dfrac{1}{6}$　　　③ $\dfrac{5}{27}$

④ $\dfrac{11}{54}$　　　⑤ $\dfrac{2}{9}$

VERY IMPORTANT TEST

01

구간 $(-\infty, \infty)$에서 함수 $f(x)=x^3+ax^2+ax$는 증가하고, 함수 $g(x)=-x^3+(a+1)x^2-(a+1)x$는 감소한다. 실수 a의 최댓값을 M, 최솟값을 m이라 할 때, $M+m$의 값을 구하시오. [4점]

02

함수 $f(x)=x^3+kx^2+(k^2-6)x$가 열린구간 $(-1, 1)$에서 감소하기 위한 실수 k의 최댓값을 M, 최솟값을 m이라 할 때, $M-m$의 값은? [3점]

① 1   ② 2   ③ 3

④ 4   ⑤ 5

03

삼차함수 $f(x)=kx^3-3x^2+3kx-1$이 임의의 실수 x_1, x_2에 대하여 $x_1<x_2$이면 $f(x_1)<f(x_2)$일 때, 실수 k의 최솟값을 구하시오. [4점]

04

함수 $f(x)=2x^3-9x^2+12x+a$의 극댓값이 7일 때, 상수 a의 값을 구하시오. [3점]

05

함수 $f(x)=x^3+3ax^2-9a^2x-11$의 극댓값과 극솟값의 절댓값이 같을 때, 양수 a의 값은? [3점]

① 1   ② 2   ③ 3

④ 4   ⑤ 5

06

함수 $f(x)=\dfrac{1}{3}x^3-x^2-3x$는 $x=a$에서 극솟값 b를 가진다. 함수 $y=f(x)$의 그래프 위의 점 $(1, f(1))$에서 접하는 직선을 l이라 할 때, 점 (a, b)에서 직선 l까지의 거리가 d이다. $153d^2$의 값을 구하시오. [4점]

07

구간 $[0, 3]$에서 함수 $f(x)=2x^3-9x^2+12x-1$의 최댓값을 M, 최솟값을 m이라 할 때, $M-m$의 값은? [3점]

① 1   ② 3   ③ 5

④ 7   ⑤ 9

08

함수 $f(x)=3x^4-4x^3+6x^2-12x+a$의 최솟값이 -5일 때, 상수 a의 값은? [3점]

① -2 ② -1 ③ 0

④ 1   ⑤ 2

09

함수 $f(x)=2x^3-6x^2+a$가 닫힌구간 $[1, 3]$에서 최댓값 4를 가질 때, 이 구간에서 함수 $f(x)$의 최솟값은? (단, a는 상수이다.) [3점]

① -4 ② -2 ③ 0

④ 2   ⑤ 4

10

$0 \le x \le 2$에서 $f(x)=\dfrac{x^4}{4}-\dfrac{x^2}{2}+k$의 최솟값이 $\dfrac{3}{4}$일 때, $f(x)$는 $x=\alpha$에서 최댓값 β를 가진다. 이때 $\alpha\beta$의 값은? (단, k는 상수이다.) [3점]

① 2   ② 4   ③ 6

④ 8   ⑤ 10

level up

11

함수 $f(x)=x^3-3ax^2+3(a^2-1)x$의 극댓값이 4이고 $f(-2)>0$일 때, $f(1)$의 값은? (단, a는 상수이다.) [4점]

① 1   ② 2   ③ 3

④ 4   ⑤ 5

12

곡선 $y=x^2$ 위를 움직이는 점 P와 원 $(x-3)^2+y^2=1$ 위를 움직이는 점 Q가 있다. 선분 PQ의 길이의 최솟값은? [4점]

① $\sqrt{5}-1$ ② $\sqrt{5}$ ③ $\sqrt{5}+1$

④ $\sqrt{5}+2$ ⑤ $2\sqrt{5}$

참 중요한 학습 point

 기출 best

best **1** 방정식의 실근의 개수

best **2** 부등식이 항상 성립할 조건

best **3** 속도와 가속도

 기출 분석

함수의 그래프와 방정식의 실근의 개수, 부등식이 항상 성립할 조건, 속도와 가속도에 대한 문제가 출제된다. 도함수의 활용에서 가장 어렵게 출제될 수 있는 부분이지만 기본 개념만 정확히 알고 대비하면 충분히 고득점이 가능하다.

level up

• 속도 또는 위치 그래프의 해석

중요개념

1. 함수의 그래프와 방정식의 실근

(1) 방정식 $f(x)=0$의 실근은 함수 $y=f(x)$의 그래프와 x축의 교점의 x좌표와 같다.

(2) 방정식 $f(x)=g(x)$의 실근은 두 함수 $y=f(x)$, $y=g(x)$의 그래프의 교점의 x좌표와 같고, 함수 $y=f(x)-g(x)$의 그래프와 x축의 교점의 x좌표와도 같다.

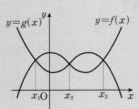

2. 삼차함수 $f(x)$의 극댓값, 극솟값의 곱의 부호와 삼차방정식 $f(x)=0$의 실근의 개수

(1) (극댓값)×(극솟값)<0 ⇨ 서로 다른 세 실근

(2) (극댓값)×(극솟값)=0 ⇨ 서로 다른 두 실근
    (중근과 다른 한 실근)

(3) (극댓값)×(극솟값)>0 ⇨ 하나의 실근

3. 함수의 그래프와 부등식의 증명

(1) 어떤 구간에서 부등식 $f(x)≥0$이 성립하는 것을 증명할 때는
    ⇨ 그 구간에서 $(f(x)$의 최솟값$)≥0$임을 보인다.

(2) 어떤 구간에서 부등식 $f(x)≥g(x)$가 성립하는 것을 증명할 때는
    ⇨ $h(x)=f(x)-g(x)$로 놓고 주어진 구간에서 $(h(x)$의 최솟값$)≥0$임을 보인다.

(3) 모든 실수 x에 대하여 부등식 $f(x)≥0$이 성립하는 것을 증명할 때는
    ⇨ $(f(x)$의 최솟값$)≥0$임을 보인다.

4. 수직선 위를 움직이는 점의 속도와 가속도

수직선 위를 움직이는 점 P의 시각 t에서의 위치 x가 $x=f(t)$일 때, 시각 t에서 점 P의 속도 v와 가속도 a는

(1) $v=\dfrac{dx}{dt}=f'(t)$ ← 위치의 순간변화율

(2) $a=\dfrac{dv}{dt}$ ← 속도의 순간변화율

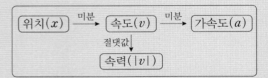

5. 시각에 대한 길이, 넓이, 부피의 변화율

어떤 물체의 시각 t에서의 길이를 l, 넓이를 S, 부피를 V라 할 때, 시간이 Δt만큼 경과한 후 길이, 넓이 부피가 각각 Δl, ΔS, ΔV만큼 변했다고 하면 시각 t에서의

(1) 길이 l의 변화율은 $\displaystyle\lim_{\Delta t \to 0}\dfrac{\Delta l}{\Delta t}=\dfrac{dl}{dt}$

(2) 넓이 S의 변화율은 $\displaystyle\lim_{\Delta t \to 0}\dfrac{\Delta S}{\Delta t}=\dfrac{dS}{dt}$

(3) 부피 V의 변화율은 $\displaystyle\lim_{\Delta t \to 0}\dfrac{\Delta V}{\Delta t}=\dfrac{dV}{dt}$

01

[2019학년도 수능 모의평가]

방정식 $x^3-3x^2-9x-k=0$의 서로 다른 실근의 개수가 3이 되도록 하는 정수 k의 최댓값은? [4점]

① 2   ② 4   ③ 6

④ 8   ⑤ 10

02

방정식 $x^3-3x+k=0$이 서로 다른 세 실근을 갖도록 하는 실수 k의 값의 범위는 $a<k<b$이다. 이때 상수 a, b에 대하여 $b-a$의 값은? [3점]

① 1   ② 2   ③ 3

④ 4   ⑤ 5

03

[2016학년도 수능 모의평가]

두 함수 $f(x)=3x^3-x^2-3x$, $g(x)=x^3-4x^2+9x+a$에 대하여 방정식 $f(x)=g(x)$가 서로 다른 두 개의 양의 실근과 한 개의 음의 실근을 갖도록 하는 모든 정수 a의 개수는? [4점]

① 6   ② 7   ③ 8

④ 9   ⑤ 10

04

$-1\le x\le 1$일 때, 부등식 $4x^3+x^2+1<4x^2-k$가 항상 성립하도록 하는 정수 k의 최댓값은? [3점]

① -5 ② -4 ③ -3

④ -2 ⑤ -1

05

모든 실수 x에 대하여 $x^4-4x+k>0$이 성립하도록 하는 정수 k의 최솟값은? [3점]

① 1   ② 2   ③ 3

④ 4   ⑤ 5

06

[2019학년도 수능]

수직선 위를 움직이는 점 P의 시각 $t(t\ge 0)$에서의 위치 x가

$$x=-\frac{1}{3}t^3+3t^2+k \ (k는 \ 상수)$$

이다. 점 P의 가속도가 0일 때, 점 P의 위치는 40이다. k의 값을 구하시오. [4점]

기출유형 **01** 함수의 그래프와 방정식의 실근의 개수

방정식 $x^3 - 3x^2 - k = 0$이 서로 다른 세 실근을 갖도록 하는 정수 k의 개수를 구하시오. [3점]

Act ①
$f(x) = k$로 변형한 후 $y = f(x)$의 그래프와 직선 $y = k$의 교점의 개수가 3이 되는 정수 k를 구한다.

해결의 실마리
방정식 $f(x) = k$의 서로 다른 실근의 개수는 ⇨ 함수 $y = f(x)$의 그래프와 직선 $y = k$의 교점의 개수와 같다.

01

[2003학년도 수능]

x에 대한 삼차방정식 $x^3 - 6x^2 - n = 0$이 서로 다른 세 실근을 갖도록 하는 정수 n의 개수를 구하시오. [3점]

03

방정식 $x^3 - 6x^2 + 9x - k = 0$이 서로 다른 두 실근을 갖도록 하는 모든 실수 k의 값의 합은? [3점]

① 1   ② 2   ③ 3

④ 4   ⑤ 5

02

방정식 $2x^3 - 3x^2 - 12x + k = 0$이 서로 다른 세 실근을 갖도록 하는 실수 k의 값의 범위는 $a < k < b$이다. 이때 두 상수 a, b에 대하여 $b - a$의 값을 구하시오. [3점]

04

방정식 $x^4 - 4x^3 - 2x^2 + 12x - k = 0$이 서로 다른 두 실근을 갖도록 하는 실수 k의 최솟값은? [3점]

① -9 ② -4 ③ 1

④ 4   ⑤ 8

기출유형 02 **삼차방정식 $f(x)=0$의 실근의 개수**

방정식 $x^3-6x^2+9x-k=0$이 서로 다른 세 실근을 갖도록 하는 정수 k의 개수는? [3점]

① 1 ② 2 ③ 3 ④ 4 ⑤ 5

Act ①

삼차방정식이 서로 다른 세 실근을 가지려면 (극댓값)×(극솟값)<0이어야 함을 이용한다.

해결의 실마리

삼차함수 $f(x)$가 극댓값과 극솟값을 가지는 경우 ← 즉 이차방정식 $f'(x)=0$이 서로 다른 두 실근 α, β를 가지는 경우

⇨ 그래프를 그리지 않고 두 극값의 곱의 부호에 따라 삼차방정식의 실근의 개수를 판단할 수 있다.

(1) (극댓값)×(극솟값)<0 ⇨ 서로 다른 세 실근

(2) (극댓값)×(극솟값)=0 ⇨ 서로 다른 두 실근(중근과 다른 한 실근)

(3) (극댓값)×(극솟값)>0 ⇨ 하나의 실근

05

방정식 $2x^3-3x^2+k=0$이 오직 한 실근을 갖도록 하는 자연수 k의 최솟값은? [3점]

① 1 ② 2 ③ 3
④ 4 ⑤ 5

07 [2005학년도 수능 모의평가]

함수 $f(x)=2x^3-3x^2-12x-10$의 그래프를 y축의 방향으로 a만큼 평행이동시켰더니 함수 $y=g(x)$의 그래프가 되었다. 방정식 $g(x)=0$이 서로 다른 두 실근만을 갖도록 하는 모든 a의 값의 합을 구하시오. [3점]

06 [2000학년도 수능]

삼차함수 $y=x^3-3ax^2+4a$의 그래프가 x축에 접할 때, a의 값은? (단, $a>0$) [3점]

① $\dfrac{1}{4}$ ② $\dfrac{1}{3}$ ③ $\dfrac{1}{2}$
④ 1 ⑤ $\dfrac{4}{3}$

08 [2015학년도 수능]

함수 $f(x)=x(x+1)(x-4)$에 대하여 직선 $y=5x+k$와 함수 $y=f(x)$의 그래프가 서로 다른 두 점에서 만날 때, 양수 k의 값은? [4점]

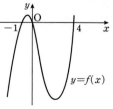

① 5 ② $\dfrac{11}{2}$
③ 6 ④ $\dfrac{13}{2}$ ⑤ 7

방정식 $x^3-3x^2-9x+k=0$이 서로 다른 두 개의 음의 실근과 한 개의 양의 실근을 갖도록 하는 정수 k의 개수는? [3점]

① 1 　　② 2 　　③ 3 　　④ 4 　　⑤ 5

> **Act ①**
> $f(x)=k$로 변형한 후 $y=f(x)$의 그래프와 직선 $y=k$의 교점의 부호를 생각하여 k의 범위를 정한다.

해결의 실마리

방정식 $f(x)=k$의 실근의 부호는 ⇨ $y=f(x)$의 그래프와 직선 $y=k$의 교점의 x좌표의 부호와 같다.

09

방정식 $x^3-3x-a+1=0$이 한 개의 음의 실근과 서로 다른 두 개의 양의 실근을 갖도록 하는 정수 a의 개수는? [3점]

① 1 　　② 2 　　③ 3
④ 4 　　⑤ 5

11

방정식 $x^3-x^2+a=2x^2+9x$가 오직 한 개의 양의 실근을 갖도록 하는 정수 a의 최댓값은? [3점]

① -6 　　② -3 　　③ 0
④ 3 　　⑤ 6

10

방정식 $8x^3-6x-a=0$이 두 개의 음의 실근과 한 개의 양의 실근을 갖도록 히는 정수 a의 개수를 구하시오. [3점]

12

두 함수 $f(x)=3x^4-12x^2+1$, $g(x)=-4x^3-1+a$에 대하여 방정식 $f(x)=g(x)$가 서로 다른 두 개의 양의 실근과 서로 다른 두 개의 음의 실근을 갖도록 하는 모든 정수 a의 합은? [4점]

① -2 　　② -1 　　③ 0
④ 1 　　⑤ 2

기출유형 **04** 주어진 구간에서 부등식이 항상 성립할 조건

$x > 0$일 때, 부등식 $2x^3 + 3x^2 \geq 12x + k$가 항상 성립하도록 하는 실수 k의 최댓값은? [3점]

① -9 ② -8 ③ -7 ④ -6 ⑤ -5

Act①

주어진 구간에서 $f(x) \geq 0$이 성립하려면 그 구간에서 $(f(x)$의 최솟값$) \geq 0$임을 이용한다.

해결의 실마리

(1) 어떤 구간에서 부등식 $f(x) \geq 0$이 성립하는 것을 증명할 때는 ⇨ 그 구간에서 $(f(x)$의 최솟값$) \geq 0$임을 보인다.

     참고 어떤 구간에서 $f(x)$의 최솟값이 a이면 그 구간에서 $f(x) \geq a$이다.

(2) 어떤 구간에서 부등식 $f(x) \geq g(x)$가 성립하는 것을 증명할 때는

     ⇨ $h(x) = f(x) - g(x)$로 놓고 주어진 구간에서 $(h(x)$의 최솟값$) \geq 0$임을 보인다.

13

두 함수 $f(x) = x^3 + x^2 - 2x$, $g(x) = x^2 + x + k$가 있다. 임의의 양수 x에 대하여 부등식 $f(x) \geq g(x)$가 성립하도록 하는 상수 k의 최댓값은? [3점]

① -5 ② -4 ③ -3

④ -2 ⑤ -1

15

[2020학년도 수능 모의평가]

두 함수 $f(x) = x^3 + 3x^2 - k$, $g(x) = 2x^2 + 3x - 10$에 대하여 부등식 $f(x) \geq 3g(x)$가 닫힌구간 $[-1, 4]$에서 항상 성립하도록 하는 실수 k의 최댓값을 구하시오. [4점]

14

[2006학년도 수능 모의평가]

두 함수 $f(x) = 5x^3 - 10x^2 + k$, $g(x) = 5x^2 + 2$가 있다. $\{x \mid 0 < x < 3\}$에서 부등식 $f(x) \geq g(x)$가 성립하도록 하는 상수 k의 최솟값을 구하시오. [4점]

16

$1 < x < 3$일 때, 부등식 $4x^3 + 3x^2 - 6x + k > 0$이 항상 성립하도록 하는 실수 k의 최솟값은? [3점]

① -5 ② -4 ③ -3

④ -2 ⑤ -1

모든 실수 x에 대하여 부등식 $x^4 - 4k^3x + 27 > 0$이 성립하기 위한 정수 k의 개수를 구하시오. [3점]

Act ①
$f(x) > 0$이 성립하려면 ($f(x)$의 최솟값) > 0임을 이용한다.

해결의 실마리

모든 실수 x에 대하여 부등식 $f(x) \geq 0$이 성립하려면
⇨ ($f(x)$의 최솟값) ≥ 0

17

모든 실수 x에 대하여 부등식 $-3x^4 + 6x^2 + k \leq 0$이 성립하도록 하는 정수 k의 최댓값은? [3점]

① -5 ② -4 ③ -3
④ -2 ⑤ -1

19

두 함수 $f(x) = x^4 + 3x^2 + 2x + 4a$, $g(x) = 3x^2 - 2x + a^2$에 대하여 곡선 $y = f(x)$가 곡선 $y = g(x)$보다 항상 위쪽에 있도록 하는 정수 a의 개수를 구하시오. [3점]

18

모든 실수 x에 대하여 부등식 $x^4 - 3x^2 - 4x > 3x^2 + 4x - k$가 성립하도록 하는 정수 k의 최솟값은? [3점]

① 21   ② 22   ③ 23
④ 24   ⑤ 25

20

두 함수 $f(x) = 3x^4 - 4x^3 + 16$, $g(x) = -2x^2 + 12x + k$가 있다. 임의의 두 실수 x_1, x_2에 대하여 $f(x_1) > g(x_2)$가 성립하도록 하는 정수 k의 최댓값은? [4점]

① -5 ② -4 ③ -3
④ -2 ⑤ -1

기출유형 06 속도와 가속도

[2020학년도 수능 모의평가]

수직선 위를 움직이는 점 P의 시각 $t(t>0)$에서의 위치 x가 $x=t^3-5t^2+6t$이다. $t=3$에서 점 P의 가속도를 구하시오. [3점]

Act❶

위치를 미분하면 속도, 속도를 미분하면 가속도임을 이용한다.

해결의 실마리

(1) 수직선 위를 움직이는 점 P의 시각 t에서의 위치 x가 $x=f(t)$일 때, 시각 t에서 점 P의 속도 v와 가속도 a는

$$\Rightarrow v=\frac{dx}{dt}=f'(t),\ a=\frac{dv}{dt}$$

(2) 점 P가 운동 방향을 바꾸는 시각 $t \Rightarrow v=f'(t)=0$임을 이용

21

[2020학년도 수능]

수직선 위를 움직이는 두 점 P, Q의 시각 t $(t \geq 0)$에서의 위치 x_1, x_2가 $x_1=t^3-2t^2+3t$, $x_2=t^2+12t$이다. 두 점 P, Q의 속도가 같아지는 순간 두 점 P, Q 사이의 거리를 구하시오. [4점]

23

[2019학년도 수능 모의평가]

수직선 위를 움직이는 점 P의 시각 $t(t \geq 0)$에서의 위치 x가 $x=t^3+at^2+bt$ (a, b는 상수)이다. 시각 $t=1$에서의 점 P가 운동 방향을 바꾸고, 시각 $t=2$에서의 점 P의 가속도는 0이다. $a+b$의 값은? [4점]

① 3 ② 4 ③ 5
④ 6 ⑤ 7

22

[2018학년도 수능 모의평가]

수직선 위를 움직이는 점 P의 시각 $t(t>0)$에서의 위치 x가 $x=t^3-12t+k$ (k는 상수)이다. 점 P의 운동 방향이 원점에서 바뀔 때, k의 값은? [4점]

① 10 ② 12 ③ 14
④ 16 ⑤ 18

24

[2019학년도 수능 모의평가]

수직선 위를 움직이는 점 P의 시각 $t(t \geq 0)$에서의 위치 x가 $x=t^3-5t^2+at+5$이다. 점 P가 움직이는 방향이 바뀌지 않도록 하는 자연수 a의 최솟값은? [4점]

① 9 ② 10 ③ 11
④ 12 ⑤ 13

다음은 원점을 출발하여 수직선 위를 움직이는 점 P의 시각 t에서의 속도 $v(t)$의 그래프이다. [보기]에서 옳은 것만을 있는 대로 고른 것은? [3점]

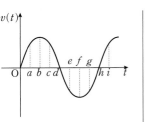

Act❶
수직선 위를 움직이는 점 P의 시각 t에서의 속도 $v(t)$의 그래프가 주어질 때, 가속도는 접선의 기울기 $v'(t)$이고 속도의 부호가 반대이면 운동 방향도 반대임을 이용하여 참, 거짓을 판단한다.

ㄱ. $t=g$일 때 가속도는 양의 값이다.
ㄴ. $0<t<i$에서 운동 방향을 2번 바꾼다.
ㄷ. $0<t<i$에서 $t=d$일 때 원점으로부터 가장 멀리 떨어진다.
ㄹ. $t=a$일 때와 $t=g$일 때 점 P의 운동 방향은 같다.

① ㄱ   ② ㄷ   ③ ㄴ, ㄹ   ④ ㄷ, ㄹ   ⑤ ㄱ, ㄴ, ㄷ

해결의 실마리

(1) 수직선 위를 움직이는 점 P의 시각 t에서의 속도 $v(t)$의 그래프에서
　① $t=a$일 때 점 P의 가속도 ⇨ $t=a$일 때 접선의 기울기 $v'(a)$
　② $v(t)$의 그래프가 t축과 $t=a$에서 만나고 $t=a$의 좌우에서 $v(t)$의 부호가 바뀌면 점 P는 $t=a$에서 운동 방향을 바꾼다.
(2) 수직선 위를 움직이는 점 P의 시각 t에서의 위치 $x(t)$의 그래프에서
　① $t=a$일 때 점 P의 속도 ⇨ $t=a$일 때 접선의 기울기 $x'(a)$
　② $x(t)$의 절댓값이 클수록 원점에서 멀리 떨어진 곳에 위치한다.

25

다음은 수직선 위를 움직이는 점 P의 시간 t에서의 위치 $x(t)$를 나타낸 그래프이다. [보기]에서 옳은 것만을 있는 대로 고른 것은?
[3점]

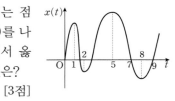

┤보기├
ㄱ. $t=5$에서 점 P는 방향을 바꿨다.
ㄴ. 점 P가 운동 방향을 바꾼 것은 2번이다.
ㄷ. 열린구간 $(2, 5)$에서 점 P의 운동 방향이 바뀌었다.

① ㄱ   ② ㄷ   ③ ㄱ, ㄴ
④ ㄴ, ㄷ   ⑤ ㄱ, ㄴ, ㄷ

26

수직선 위를 움직이는 점 P의 시각 t에서의 위치를 $x=f(t)$라 할 때, $f(t)$는 t에 대한 삼차식이고 함수 $x=f(t)$의 그래프는 그림과 같다. 이때 점 P의 가속도가 0이 되는 시각은? [4점]

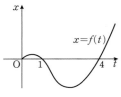

① $\dfrac{3}{2}$ ② $\dfrac{5}{3}$ ③ $\dfrac{7}{4}$

④ $\dfrac{9}{5}$ ⑤ $\dfrac{11}{6}$

기출유형 08 시각에 대한 길이, 넓이, 부피의 변화율

키가 1.8 m인 학생이 높이가 3 m인 가로등의 바로 아래에서 출발하여 일직선으로 1.4 m/s의 속도로 걸어갈 때, 그림자의 길이의 변화율은?

[4점]

① 1.5 m/s   ② 1.8 m/s   ③ 2.1 m/s

④ 2.4 m/s   ⑤ 2.7 m/s

Act ❶

그림자의 길이 l을 t에 대한 함수로 나타낸 후 그림자의 길이의 변화율은 $\dfrac{dl}{dt}$ 임을 이용한다.

해결의 실마리

어떤 물체의 시각 t에서의 길이를 l, 넓이를 S, 부피를 V라 할 때

(1) 길이 l의 변화율은 $\dfrac{dl}{dt}$ **(2)** 넓이 S의 변화율은 $\dfrac{dS}{dt}$ **(3)** 부피 V의 변화율은 $\dfrac{dV}{dt}$

27

호수 위에 돌을 던지면 동심원 모양의 파문이 생긴다. 가장 바깥쪽 원의 반지름의 길이가 0.5 m/s의 비율로 커질 때, 4초 후 가장 바깥쪽 원의 넓이의 변화율은? [3점]

① 0.5π m²/s   ② π m²/s   ③ 1.5π m²/s

④ 2π m²/s   ⑤ 2.5π m²/s

29

밑면의 반지름의 길이가 2 cm, 높이가 12 cm인 원기둥이 있다. 이 원기둥의 밑면의 반지름의 길이는 매초 2 cm씩 늘어나고, 높이는 매초 1 cm씩 줄어든다. 높이가 11 cm가 되었을 때, 원기둥의 부피의 변화율은? [3점]

① 120π cm³/s   ② 130π cm³/s   ③ 140π cm³/s

④ 150π cm³/s   ⑤ 160π cm³/s

28

한 변의 길이가 5 m인 정사각형의 각 변의 길이가 매초 0.2 m씩 늘어난다. 이 정사각형의 넓이가 49 m²가 되었을 때, 넓이의 변화율은? [3점]

① 1.2 m²/s   ② 1.6 m²/s   ③ 2 m²/s

④ 2.4 m²/s   ⑤ 2.8 m²/s

01

방정식 $x^3-3x^2-4-k=0$이 오직 한 실근을 갖도록 하는 상수 k의 값의 범위는 $k>a$, $k<b$이다. 이때 두 상수 a, b에 대하여 $a-b$의 값은? [3점]

① 1 ② 2 ③ 3
④ 4 ⑤ 5

02

그림은 삼차함수 $f(x)$의 도함수의 그래프와 이차함수 $g(x)$의 도함수의 그래프이다. 함수 $h(x)$를 $h(x)=f(x)-g(x)$라 하면 $f(0)=g(0)$일 때, [보기]에서 옳은 것만을 있는 대로 고른 것은?

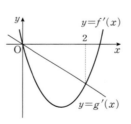

[4점]

┤보기├
ㄱ. $0<x<2$에서 함수 $h(x)$는 감소한다.

ㄴ. 함수 $h(x)$는 $x=2$에서 극솟값을 갖는다.

ㄷ. 방정식 $h(x)=0$은 서로 다른 세 실근을 갖는다.

① ㄱ ② ㄷ ③ ㄱ, ㄴ
④ ㄴ, ㄷ ⑤ ㄱ, ㄴ, ㄷ

03

함수 $f(x)=x^3-3x-1$에 대하여 방정식 $|f(x)|=a$의 서로 다른 실근의 개수가 4가 되도록 하는 자연수 a의 값을 구하시오. [4점]

04

$x \geq 0$일 때, 부등식 $x^3-2x^2-4x \geq k$를 만족시키는 실수 k의 최댓값은? [3점]

① -10 ② -8 ③ -6
④ -4 ⑤ -2

05

$x>1$일 때, 부등식 $x^3+9x+k>6x^2+6$이 항상 성립하도록 하는 자연수 k의 최솟값을 구하시오. [4점]

06

원점을 동시에 출발하여 수직선 위를 움직이는 두 점 P, Q의 시각 t일 때의 위치는 각각 $f(t)=2t^2-2t$, $g(t)=t^2-8t$이다. 두 점 P, Q가 서로 반대 방향으로 움직이는 시각 t의 범위는 $a<t<b$이다. 이때 두 상수 a, b에 대하여 ab의 값은? [4점]

① 1 ② 2 ③ 3
④ 4 ⑤ 5

07

원점을 출발하여 수직선 위를 움직이는 점 P의 시각 t에서의 위치 x가 $x=t^3-12t^2+36t$일 때, 점 P가 두 번째로 운동 방향을 바꾸는 시각을 구하시오. [4점]

08

원점을 출발하여 수직선 위를 움직이는 세 점 P, Q, R의 시각 t에서의 위치를 각각 x_P, x_Q, x_R라 하면

$$x_P=3t^3+2t^2$$
$$x_Q=t^3+t^2+2t$$
$$x_R=-t^3+t^2+4$$

이다. $t>0$에서 점 Q가 선분 PR의 중점이 되는 순간 점 Q의 속도를 구하시오. [4점]

09

원점을 출발하여 수직선 위를 움직이는 점 P의 t초에서의 위치 x가 $x=\frac{1}{3}t^3-4t^2+10t$일 때, $0\leq x\leq 5$에서 점 P의 최대 속력을 구하시오. [4점]

level up

10

원점을 출발하여 수직선 위를 움직이는 두 점 P, Q의 시각 $t(t>0)$에서의 위치 x_1, x_2가 각각 $x_1=2t^2-8t$, $x_2=\frac{1}{2}t^2-6t$일 때, [보기]에서 옳은 것만을 있는 대로 고른 것은? [4점]

| 보기 |

ㄱ. $t=2$일 때, 두 점 P, Q 사이의 거리는 2이다.

ㄴ. 원점을 출발한 후 두 점 P, Q의 속도가 같아지는 순간은 한 번 있다.

ㄷ. $3<t<5$일 때, 두 점 P, Q는 서로 반대 방향으로 움직인다.

① ㄷ ② ㄱ, ㄴ ③ ㄴ, ㄷ
④ ㄱ, ㄷ ⑤ ㄱ, ㄴ, ㄷ

08 부정적분

 기출 best

best 1 부정적분과 함숫값 구하기

best 2 도함수가 주어진 경우의 부정적분

best 3 함수와 그 부정적분의 관계식

 기출 분석

함수의 부정적분에서 주어진 조건을 이용하여 적분상수의 값을 정한 후 함숫값을 구하는 문제가 매년 출제된다. 부정적분의 계산과 적분상수를 정하는 문제, 함수와 그 부정적분의 관계식에 대한 문제를 충분히 연습해 두어야 한다.

 level up

· 함수의 극한과 부정적분

· 함수와 그 부정적분의 관계식

중요개념

1. 부정적분의 정의

(1) 함수 $f(x)$에 대하여 $F'(x)=f(x)$가 되는 함수 $F(x)$를 함수 $f(x)$의 부정적분이라 하고, 기호로 $\int f(x)dx$와 같이 나타낸다.

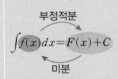

$$\int f(x)dx = F(x)+C$$

부정적분 ⟶ 미분

예 세 함수 x^2, x^2+1, x^2+2를 미분하면 모두 $2x$이므로 이들은 모두 $2x$의 부정적분이다. 이들 외에도 $2x$의 부정적분은 무수히 많이 있으며 모두 상수항만 다르다.

참고 $\int f(x)dx$는 '적분 $f(x)dx$' 또는 'integral $f(x)dx$'로 읽는다.

(2) 함수 $f(x)$의 한 부정적분을 $F(x)$라 하면 $f(x)$의 임의의 부정적분은 $\int f(x)dx = F(x)+C$와 같이 나타낼 수 있다. 이때 상수 C를 적분상수라 한다.

예 $(x^3)'=3x^2$이므로 $\int 3x^2 dx = x^3 + C$

2. 부정적분과 미분의 관계

(1) $\dfrac{d}{dx}\left\{\underbrace{\int f(x)dx}_{F(x)+C}\right\} = f(x)$

(2) $\int \left\{\underbrace{\dfrac{d}{dx}f(x)}_{f'(x)}\right\}dx = f(x)+C$ (단, C는 적분상수)

주의 $\dfrac{d}{dx}\left\{\int f(x)dx\right\} \neq \int \left\{\dfrac{d}{dx}f(x)\right\}dx$

3. 함수 $y=x^n$ (n은 양의 정수)과 함수 $y=1$의 부정적분

(1) 함수 $y=x^n$ (n은 양의 정수)의 부정적분은

$$\int x^n dx = \frac{1}{n+1}x^{n+1}+C$$

(2) 함수 $y=1$의 부정적분은

$$\int 1\,dx = x+C$$

참고 $\int 1dx$는 $\int dx$로 나타낼 수 있다.

4. 함수의 실수배, 합, 차의 부정적분

두 함수 $f(x)$, $g(x)$에 대하여

(1) $\int kf(x)dx = k\int f(x)dx$ (단, k는 0이 아닌 상수)

(2) $\int \{f(x)+g(x)\}dx = \int f(x)dx + \int g(x)dx$

(3) $\int \{f(x)-g(x)\}dx = \int f(x)dx - \int g(x)dx$

참고 합, 차의 성질은 세 개 이상의 함수에서도 성립한다.

01
[2016학년도 수능 모의평가]

함수 $f(x)$가

$$f(x)=\int\left(\frac{1}{2}x^3+2x+1\right)dx-\int\left(\frac{1}{2}x^3+x\right)dx$$

이고 $f(0)=1$일 때, $f(4)$의 값은? [3점]

① $\dfrac{23}{2}$　　　　② 12　　　　③ $\dfrac{25}{2}$

④ 13　　　　⑤ $\dfrac{27}{2}$

04
[2018학년도 교육청]

다항함수 $f(x)$의 한 부정적분 $F(x)$에 대하여

$$F(x)=xf(x)-2x^3-2x^2$$

이다. $f(0)=0$일 때, $f(1)$의 값은? [3점]

① 5　　　　② 6　　　　③ 7

④ 8　　　　⑤ 9

02
[2018학년도 교육청]

다항함수 $f(x)$의 도함수 $f'(x)$가 $f'(x)=3x^2-2x+7$이다. $f(1)=0$일 때, $f(2)$의 값은? [3점]

① 7　　　　② 8　　　　③ 9

④ 10　　　　⑤ 11

05

함수 $f(x)$의 도함수가 $f'(x)=6x^2-10x+4$이고 $f(x)$의 극솟값이 3일 때, $f(2)$의 값은? [3점]

① 5　　　　② 6　　　　③ 7

④ 8　　　　⑤ 9

03
[2015학년도 수능]

다항함수 $f(x)$의 도함수 $f'(x)$가 $f'(x)=6x^2+4$이다. 함수 $y=f(x)$의 그래프가 점 $(0,\ 6)$을 지날 때, $f(1)$의 값을 구하시오. [4점]

06
[

함수 $f(x)$의 도함수가 $f'(x)=3x^2-6x$이고 $f(x)$의 극솟값이 0일 때, $f(x)$의 극댓값을 구하시오. [3점]

유형따라잡기

함수 $f(x)$가

$$f(x)=\int (x+2)(x^2-2x+4)dx-\int (x-2)(x^2+2x+4)dx$$

이고 $f(0)=-10$일 때, $f(1)$의 값은? [3점]

① 3　　　　② 4　　　　③ 5　　　　④ 6　　　　⑤ 7

> **Act ❶**
> 부정적분의 합, 차의 성질,
> $\int x^n dx=\dfrac{1}{n+1}x^{n+1}+C$를 이
> 용하여 부정적분하고
> $f(0)=-10$을 대입하여 적분
> 상수 C의 값을 구한다.

해결의 실마리

(1) 함수 $f(x)$의 한 부정적분을 $F(x)$라 하면 $\int f(x)dx=F(x)+C$

(2) x^n과 1의 부정적분, 함수의 실수배, 합, 차의 부정적분

　① n이 양의 정수일 때 $\int x^n dx=\dfrac{1}{n+1}x^{n+1}+C$ 　　② $\int 1\,dx=x+C$

　③ $\int kf(x)dx=k\int f(x)dx$ (단, k는 0이 아닌 상수) 　④ $\int \{f(x)\pm g(x)\}dx=\int f(x)dx\pm\int g(x)dx$ (복호동순)

01

함수 $f(x)=\int (3x+5)(x-1)dx$에 대하여 $f(0)=2$일 때, $f(-1)$의 값은? [3점]

① 5　　　　② 6　　　　③ 7
④ 8　　　　⑤ 9

02

함수 $f(x)=\int (1+2x+3x^2+\cdots+8x^7)dx$에 대하여 $f(0)=1$일 때, $f(-1)$의 값은? [3점]

① -2　　　　② -1　　　　③ 0
④ 1　　　　⑤ 2

03

함수 $f(x)=\int\left(\dfrac{1}{3}x^3+3x+1\right)dx-\int\left(\dfrac{1}{3}x^3+2x\right)dx$에 대하여 $f(0)=1$일 때, $f(2)$의 값은? [3점]

① $\dfrac{7}{2}$　　　　② 4　　　　③ $\dfrac{9}{2}$
④ 5　　　　⑤ $\dfrac{11}{2}$

04

함수 $f(x)=\int (x-2)(x+2)(x^2+4)dx$에 대하여 $f(0)=\dfrac{4}{5}$일 때, $f(1)$의 값은? [3점]

① -15　　　　② -3　　　　③ 3
④ 5　　　　⑤ 15

기출유형 02 도함수가 주어진 경우의 부정적분

함수 $f(x)$의 도함수 $f'(x)$가 $f'(x) = -2x+1$이다. $f(0) = 3$일 때, $f(2)$의 값은? [3점]

① 1　　　　② 2　　　　③ 3　　　　④ 4　　　　⑤ 5

Act ①

$f(x) = \int f'(x)dx$를 이용하여 부정적분하고 $f(0) = 3$을 대입하여 적분상수 C의 값을 구한다.

해결의 실마리

함수 $f(x)$와 그 도함수 $f'(x)$에 대하여

$\Rightarrow f(x) = \int f'(x)\,dx$

05

함수 $f(x)$의 도함수 $f'(x)$가 $f'(x) = 4x-3$이다. $f(0) = 5$일 때, $f(2)$의 값은? [3점]

① 5　　　　② 7　　　　③ 9
④ 11　　　⑤ 13

06

함수 $f(x)$에 대하여 $f'(x) = 3x^2+2x-1$, $f(2) = 10$일 때, $f(1)$의 값을 구하시오. [3점]

07

함수 $f(x)$의 그래프 위의 임의의 점 $(x, f(x))$에서의 접선의 기울기가 $2x-3$이고 $f(0) = 3$일 때, $f(2)$의 값을 구하시오. [3점]

08

점 $(1, 3)$을 지나는 곡선 $y = f(x)$ 위의 임의의 점 $(x, f(x))$에서의 접선의 기울기가 $3x^2-4x$이다. 이 곡선이 점 $(2, k)$를 지날 때, 상수 k의 값을 구하시오. [3점]

다항함수 $f(x)$의 한 부정적분 $F(x)$에 대하여 $F(x)+\int xf(x)dx=x^3+2x^2+x$인 관계가 성립할 때, $f(1)$의 값은? [3점]

① 1   ② 2   ③ 3   ④ 4   ⑤ 5

Act ①

주어진 식의 양변을 x에 대하여 미분하여 $F'(x)=f(x)$,
$\frac{d}{dx}\left\{\int xf(x)dx\right\}=xf(x)$임을 이용하여 $f(x)$를 구한다.

해결의 실마리

(1) 부정적분과 미분의 관계

$\underbrace{① \frac{d}{dx}\left\{\int f(x)dx\right\}=f(x)}_{F(x)+C}$ $② \int\left\{\underbrace{\frac{d}{dx}f(x)}_{f'(x)}\right\}dx=f(x)+C$ (단, C는 적분상수)

(2) 함수 $f(x)$와 그 부정적분 $F(x)$ 사이의 관계식이 주어지면
➪ 양변을 x에 대하여 미분한 후 $F'(x)=f(x)$임을 이용한다.

09

두 함수 $f(x)$, $g(x)$에 대하여
$$\int g(x)dx=(x^2+x)f(x)+C \ (C는 \ 상수)$$
가 성립하고 $f(1)=4$, $f'(1)=-1$일 때, $g(1)$의 값을 구하시오. [3점]

10

함수 $f(x)$가
$$\int f(x)dx=xf(x)-2x^3+x^2+1$$
을 만족시키고 $f(1)=4$일 때, $f(0)$의 값은? [3점]

① 1   ② 2   ③ 3
④ 4   ⑤ 5

11

이차함수 $f(x)$와 그 부정적분 $F(x)$ 사이에
$$xf(x)-F(x)=2x^3-3x^2$$
인 관계가 성립하고 $f(0)=-1$일 때, 방정식 $f(x)=0$의 모든 근의 곱은? [3점]

① $-\frac{5}{3}$ ② -1 ③ $-\frac{1}{3}$
④ $\frac{1}{3}$ ⑤ 1

12

두 다항함수 $f(x)$, $g(x)$가
$$f(x)=\int xg(x)dx, \ \frac{d}{dx}\{f(x)-g(x)\}=3x^3+x$$
를 만족시킬 때, $g(1)$의 값은? [4점]

① 2   ② 4   ③ 6
④ 8   ⑤ 10

기출유형 **04** 극값이 주어진 경우의 부정적분

함수 $f(x)$의 도함수가 $f'(x)=3(x^2-1)$이고, $f(x)$의 극솟값이 2일 때, $f(x)$의 극댓값을 구하시오. [3점]

Act ①
극소인 점을 찾아 $f'(x)$의 부정적분에서 적분상수를 구한다.

해결의 실마리

함수 $f(x)$의 도함수와 극값이 주어지면
⇨ 극값을 갖는 점을 찾아 $f'(x)$의 부정적분에서 적분상수를 구한다.

13

최고차항의 계수가 2인 삼차함수 $f(x)$가
$f'(-2)=f'(1)=0$을 만족시킨다. $f(x)$의 극댓값이 10일 때, $f(x)$의 극솟값은? [3점]

① -19 ② -17 ③ -15
④ -13 ⑤ -11

15

함수 $f(x)$의 도함수가 $f'(x)=x(x-1)$일 때, 함수 $f(x)$의 극댓값과 극솟값의 차는? [3점]

① $\dfrac{1}{6}$ ② $\dfrac{1}{3}$ ③ $\dfrac{1}{2}$
④ $\dfrac{2}{3}$ ⑤ $\dfrac{5}{6}$

14

곡선 $y=f(x)$ 위의 임의의 점 $(x, f(x))$에서의 접선의 기울기가 $3x^2-12$이고 함수 $f(x)$의 극솟값이 3일 때, 함수 $f(x)$의 극댓값은? [3점]

① 31   ② 32   ③ 33
④ 34   ⑤ 35

16

함수 $f(x)$의 도함수 $y=f'(x)$의 그래프는 원점을 지나고 꼭짓점의 좌표가 $(1, 1)$인 포물선이다. $f(x)$의 극솟값이 $\dfrac{2}{3}$일 때, 함수 $f(x)$의 극댓값을 구하시오. [4점]

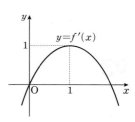

01

함수 $f(x)=\int \dfrac{1}{1+x}dx+\int \dfrac{x^3}{1+x}dx$에 대하여
$f(1)-f(-1)$의 값은? [3점]

① 0   ② $\dfrac{2}{3}$ ③ $\dfrac{4}{3}$

④ 2   ⑤ $\dfrac{8}{3}$

02

곡선 $y=f(x)$ 위의 점 $(x,\ f(x))$에서의 접선의 기울기가
$3x^2-2x+1$이다. 이 곡선이 두 점 $(1,\ 6)$, $(-2,\ k)$를
지날 때, 상수 k의 값은? [3점]

① -9 ② -7 ③ -5

④ -3 ⑤ -1

03

점 $(2,\ -1)$을 지나는 곡선 $y=f(x)$ 위의 임의의 점
$(x,\ f(x))$에서의 접선의 기울기가 $-3x^2+3$일 때, 함수
$f(x)$의 극댓값을 구하시오. [3점]

04

함수 $f(x)$의 도함수가 $f'(x)=\begin{cases} 2x+3\ (x>1) \\ k\ \ \ \ \ \ \ (x\le 1) \end{cases}$ 이고
$f(0)=2$, $f(2)=9$일 때, 함수 $f(x)$가 $x=1$에서 연속이
되기 위한 실수 k의 값은? [4점]

① -2 ② -1 ③ 0

④ 1   ⑤ 2

05

실수 전체의 집합에서 연속인 함수 $f(x)$에 대하여
$f'(x)=|x-1|-2x$이고 $f(0)=1$일 때, $f(2)$의 값은? [4점]

① -6 ② -5 ③ -4

④ -3 ⑤ -2

06

함수 $f(x)$의 도함수
$y=f'(x)$의 그래프가 그림
과 같고 $f(0)=3$일 때, $f(3)$
의 값은? [4점]

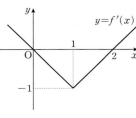

① $\dfrac{3}{2}$ ② 2

③ $\dfrac{5}{2}$ ④ 3   ⑤ 4

07

함수 $f(x)$가 등식 $\int f(x)dx = xf(x) - 2x^3 - x^2$을 만족시키고 $f(1) = 8$일 때, $f(-1)$의 값은? [3점]

① 2   ② 4   ③ 6

④ 8   ⑤ 10

08

다항함수 $g(x)$에 대하여 함수 $F(x)$를

$$F(x) = (x^2 + 2)\int g(x)dx$$

라 하자. $F'(0) = 6$일 때, $g(0)$의 값은? [3점]

① 1   ② 2   ③ 3

④ 4   ⑤ 5

09

함수 $f(x)$의 부정적분을 $F(x)$라 할 때, [보기]에서 옳은 것만을 있는 대로 고른 것은? (단, C는 적분상수) [3점]

┌─ 보기 ─┐

ㄱ. $\int \{2x + f(x)\}dx = x^2 + F(x) + C$

ㄴ. $\int 2xf(x)dx = x^2 F(x) + C$

ㄷ. $\int \{F(x) + xf(x)\}dx = xF(x) + C$

└──────┘

① ㄱ   ② ㄴ   ③ ㄱ, ㄷ

④ ㄴ, ㄷ   ⑤ ㄱ, ㄴ, ㄷ

10

함수 $f(x)$의 도함수가 $f'(x) = -x^2 - 2x$일 때, $f(x)$의 극댓값과 극솟값의 차는? [3점]

① $\dfrac{1}{3}$ ② $\dfrac{4}{3}$ ③ $\dfrac{7}{3}$

④ $\dfrac{10}{3}$ ⑤ $\dfrac{13}{3}$

①등급 level up

11

다음 조건을 모두 만족하는 다항함수 $f(x)$에 대하여 $f(2)$의 값을 구하시오. [4점]

┌──────────────────────────────┐
(가) $\displaystyle\lim_{x \to \infty} \frac{f'(x)}{x} = 2$ (나) $\displaystyle\lim_{x \to 1} \frac{f(x)}{x - 1} = 3$
└──────────────────────────────┘

12

두 다항함수 $f(x)$, $g(x)$에 대하여

$$\int \{-f(x) + 3g(x)\}dx = x + 2,$$

$$\int \{f(x) - 2g(x)\}dx = x^2 - 1$$

일 때, $f(1)$의 값은? [4점]

① 2   ② 4   ③ 6

④ 8   ⑤ 10

09 ▶ 정적분

참 중요한학습 point

 기출 best

best **1** 정적분의 계산

best **2** 적분 구간에 변수가 있는 정적분을 포함한 등식

best **3** 정적분으로 정의된 함수의 극한

 기출 분석

간단한 정적분의 계산 문제 또는 정적분의 성질을 이용하는 문제가 매년 출제된다. 최근에는 적분 구간에 변수가 있는 정적분을 포함한 등식에 대한 문제도 많이 출제되며, 절댓값 기호를 포함한 함수의 정적분, 정적분으로 정의된 함수의 극한 문제도 출제된다.

 level up

• 우함수와 기함수의 정적분

• 정적분으로 정의된 함수

✔ 중요개념

1. 정적분의 정의

(1) 닫힌구간 $[a,\ b]$에서 연속인 함수 $f(x)$의 한 부정적분을 $F(x)$라 할 때 $F(b)-F(a)$를 함수 $f(x)$의 a에서 b까지의 정적분이라 한다. 이 값은 적분상수 C와 관계없는 값이며, 기호로 $\displaystyle\int_a^b f(x)dx$와 같이 나타낸다.

즉 $\displaystyle\int_a^b f(x)dx=F(b)-F(a)$이고 우변을 기호 $\Big[F(x)\Big]_a^b$ 로도 나타낸다.

(2) a, b의 대소에 관계없이 정적분 $\displaystyle\int_a^b f(x)dx$에 대하여 다음 등식이 성립한다.

① $\displaystyle\int_a^a f(x)\,dx=0$ ② $\displaystyle\int_a^b f(x)dx=-\int_b^a f(x)dx$

2. 적분과 미분의 관계

함수 $f(t)$가 주어진 구간에서 연속일 때

(1) $\dfrac{d}{dx}\displaystyle\int_a^x f(t)dt=f(x)$ (단, a는 상수)

(2) $\dfrac{d}{dx}\displaystyle\int_x^{x+a} f(t)dt=f(x+a)-f(x)$ (단, a는 상수)

3. 정적분의 성질

(1) 두 함수 $f(x)$, $g(x)$가 닫힌구간 $[a,\ b]$에서 연속일 때

① $\displaystyle\int_a^b kf(x)dx=k\int_a^b f(x)dx$ (단, k는 상수)

② $\displaystyle\int_a^b \{f(x)+g(x)\}dx=\int_a^b f(x)dx+\int_a^b g(x)dx$

③ $\displaystyle\int_a^b \{f(x)-g(x)\}dx=\int_a^b f(x)dx-\int_a^b g(x)dx$

(2) 함수 $f(x)$가 임의의 세 실수 a, b, c를 포함하는 닫힌구간에서 연속일 때

$$\int_a^c f(x)dx+\int_c^b f(x)dx=\int_a^b f(x)dx$$ ◀ a, b, c의 대소에 관계없이 성립한다.

4. 여러 가지 함수의 정적분

(1) 절댓값 기호를 포함한 함수의 정적분

적분 구간에서 절댓값 기호 안의 식의 값이 양수인지, 음수인지 판단하여 구간을 나누어서 적분한다.

(2) 우함수와 기함수의 정적분

함수 $f(x)$가 닫힌구간 $[-a,\ a]$에서 연속일 때

① $f(-x)=f(x)$이면 함수 $f(x)$를 우함수라 하고

$$\int_{-a}^a f(x)dx=2\int_0^a f(x)dx$$

② $f(-x)=-f(x)$이면 함수 $f(x)$를 기함수라 하고

$$\int_{-a}^a f(x)dx=0$$

(3) 주기함수의 정적분

함수 $f(x)$가 $f(x+p)=f(x)$ (p는 0이 아닌 상수), 즉 주기함수일 때, ▸p의 값 중에서 최소인 양수가 함수 f의 주기이다.

한 주기에 해당하는 그래프가 반복해서 나타나므로 정적분의 값을 구할 때 계산하기 간단한 적분 구간을 선택하여 계산한다.

① $\displaystyle\int_a^b f(x)dx=\int_{a+np}^{b+np} f(x)dx$ (단, n은 정수)

② $\displaystyle\int_a^{a+p} f(x)dx=\int_b^{b+p} f(x)dx$ ◀ 한 주기의 정적분의 값은 항상 같다.

③ $\displaystyle\int_a^{a+np} f(x)dx=n\int_0^p f(x)dx$ (단, n은 정수)

01
[2018학년도 수능]

$\int_0^a (3x^2-4)dx=0$을 만족시키는 양수 a의 값은? [3점]

① 2   ② $\dfrac{9}{4}$ ③ $\dfrac{5}{2}$

④ $\dfrac{11}{4}$ ⑤ 3

04
[2013학년도 교육청]

함수 $f(x)$가 $f(x)=x^2-2x+\int_0^1 tf(t)dt$를 만족시킬 때, $f(3)$의 값은? [3점]

① $\dfrac{13}{6}$ ② $\dfrac{5}{2}$ ③ $\dfrac{17}{6}$

④ $\dfrac{19}{6}$ ⑤ $\dfrac{7}{2}$

02
[2019학년도 수능]

$\int_1^4 (x+|x-3|)dx$의 값을 구하시오. [3점]

05
[2018학년도 수능 모의평가]

함수 $f(x)=\int_1^x (t-2)(t-3)dt$에 대하여 $f'(4)$의 값은?

[3점]

① 1   ② 2   ③ 3

④ 4   ⑤ 5

03

연속함수 $f(x)$가 모든 실수 x에 대하여 다음 조건을 만족시킨다.

(가) $f(x+2)=f(x)$
(나) $0 \le x \le 2$일 때, $f(x)=-x^2+2x$

$\int_{-6}^6 f(x)dx$의 값은? [3점]

① 6   ② 8   ③ 10

④ 12   ⑤ 14

06
[2017학년도 교육청]

함수 $f(x)=\int_0^x (3t^2+5)dt$에 대하여 $\displaystyle\lim_{x \to 2}\dfrac{f(x)-f(2)}{x-2}$의 값을 구하시오. [3점]

$\int_0^1 (6x^2-2x)dx$의 값은? [3점]

① -2 ② -1 ③ 0 ④ 1 ⑤ 2

Act ❶

$f(x)$의 한 부정적분을 $F(x)$라 하면
$$\int_a^b f(x)dx = \Big[F(x)\Big]_a^b$$
$$= F(b)-F(a)$$
임을 이용한다.

해결의 실마리

닫힌구간 $[a, b]$에서 연속인 함수 $f(x)$의 한 부정적분을 $F(x)$라 하면
$$\int_a^b f(x)dx = \Big[F(x)\Big]_a^b = F(b)-F(a)$$

01
[2020학년도 수능 모의평가]

$\int_0^2 (3x^2+6x)dx$의 값은? [3점]

① 20   ② 22   ③ 24
④ 26   ⑤ 28

03

$\int_0^1 (3x^2+a)dx=8$일 때, 상수 a의 값은? [3점]

① 1   ② 3   ③ 5
④ 7   ⑤ 9

02
[2017학년도 수능 모의평가]

$\int_0^3 (x^2-4x+11)dx$의 값을 구하시오. [3점]

04
[2016학년도 교육청]

$\int_0^1 (ax^2+1)dx=4$일 때, 상수 a의 값은? [3점]

① 7   ② 9   ③ 11
④ 13   ⑤ 15

기출유형 02 정적분의 성질

$\int_0^3 (x+2)^2 dx - \int_0^3 (x^2+1) dx$의 값을 구하시오. [3점]

Act ①
적분 구간이 같은 두 정적분은 하나의 정적분으로 나타내어 계산한다.

해결의 실마리

(1) 함수 $f(x)$, $g(x)$가 닫힌구간 $[a, b]$에서 연속일 때

① $\int_a^b kf(x)dx = k\int_a^b f(x)dx$ (단, k는 상수)

② $\int_a^b \{f(x)+g(x)\}dx = \int_a^b f(x)dx + \int_a^b g(x)dx$ ③ $\int_a^b \{f(x)-g(x)\}dx = \int_a^b f(x)dx - \int_a^b g(x)dx$

(2) 함수 $f(x)$가 임의의 세 실수 a, b, c를 포함하는 닫힌구간에서 연속일 때

$\int_a^c f(x)dx + \int_c^b f(x)dx = \int_a^b f(x)dx$ ←a, b, c의 대소에 관계없이 성립한다.

05

$\int_{-1}^1 (4x^3+2)dx + \int_1^2 (4x^3+2)dx - \int_3^2 (4x^3+2)dx$의 값은? [3점]

① 82   ② 84   ③ 86
④ 88   ⑤ 90

07

[2012학년도 수능 모의평가]

모든 다항함수 $f(x)$에 대하여 옳은 것만을 [보기]에서 있는 대로 고른 것은? [4점]

┤ 보기 ├

ㄱ. $\int_0^3 f(x)\,dx = 3\int_0^1 f(x)\,dx$

ㄴ. $\int_0^1 f(x)\,dx = \int_0^2 f(x)\,dx + \int_2^1 f(x)\,dx$

ㄷ. $\int_0^1 \{f(x)\}^2\,dx = \left\{\int_0^1 f(x)dx\right\}^2$

① ㄴ   ② ㄷ   ③ ㄱ, ㄴ
④ ㄱ, ㄷ   ⑤ ㄴ, ㄷ

06

$\int_{-2}^1 (3t^2-4)dt + \int_2^1 (4-3x^2)dx$의 값을 구하시오. [3점]

$\int_1^4 (x+|x-2|)dx$의 값을 구하시오. [3점]

Act ①
절댓값 기호가 있으면 구간을
나누어 절댓값 기호를 없앤다.

해결의 실마리

(1) 구간에 따라 다르게 정의된 함수의 정적분은 구간을 나눈 후 $\int_a^b f(x)dx = \int_a^c f(x)dx + \int_c^b f(x)dx$를 이용한다.

(2) 절댓값 기호를 포함한 함수의 정적분은 절댓값 기호 안의 식의 값을 0으로 하는 x의 값을 경계로 피적분함수가 바뀌므로 반드시 구간을 나누어 정적분의 값을 구한다.

08

$\int_0^2 |x(x-1)|dx$의 값은? [3점]

① 1 　　　　② $\dfrac{5}{3}$ 　　　　③ $\dfrac{7}{3}$

④ 3 　　　　⑤ $\dfrac{11}{3}$

10

[2016학년도 수능]

이차함수 $f(x)$가 $f(0)=0$이고 다음 조건을 만족시킨다.

(가) $\int_0^2 |f(x)|dx = -\int_0^2 f(x)dx = 4$

(나) $\int_2^3 |f(x)|dx = \int_2^3 f(x)dx$

$f(5)$의 값을 구하시오. [4점]

09

$\int_{-2}^1 (2|x|+k)dx = 14$를 만족시키는 상수 k의 값을 구하시오. [3점]

기출유형 04 　우함수, 기함수의 정적분

실수 a에 대하여 $\int_{-a}^{a}(6x^2+5x)dx=\dfrac{1}{16}$일 때, $40a$의 값을 구하시오. [3점]

Act ①

아래끝과 위끝의 절댓값이 같고 부호가 다를 때, 피적분함수를 우함수와 기함수로 나누어 계산한다.

해결의 실마리

(1) 우함수 : $f(-x)=f(x)$이면 함수 $f(x)$를 우함수라 한다. ← $f(x)$는 짝수차항만으로 이루어진 함수로 y축에 대하여 대칭

　$f(x)$가 우함수일 때 ⇨ $\displaystyle\int_{-a}^{a}f(x)dx=2\int_{0}^{a}f(x)dx$

(2) 기함수 : $f(-x)=-f(x)$이면 함수 $f(x)$를 기함수라 한다. ← $f(x)$는 홀수차항만으로 이루어진 함수로 원점에 대하여 대칭

　$f(x)$가 기함수일 때 ⇨ $\displaystyle\int_{-a}^{a}f(x)dx=0$

11

실수 a에 대하여 $\int_{-a}^{a}(2x^5+3x^2)dx=16$일 때, a의 값은?

[3점]

① 2　　　　　② 3　　　　　③ 4

④ 5　　　　　⑤ 6

13

함수 $f(x)=x^3+1$에 대하여 $\int_{-2}^{2}f(x)\{f'(x)-1\}dx$의 값은? [3점]

① 4　　　　　② 6　　　　　③ 8

④ 10　　　　⑤ 12

12

일차함수 $f(x)=ax+b$에 대하여 $\int_{-1}^{1}xf(x)dx=2$,

$\int_{-1}^{1}x^2f(x)dx=-4$일 때 $a-b$의 값을 구하시오. (단, a, b는 상수이다.) [3점]

14

[2016학년도 수능]

두 다항함수 $f(x)$, $g(x)$가 모든 실수 x에 대하여 $f(-x)=-f(x)$, $g(-x)=g(x)$를 만족시킨다. 함수 $h(x)=f(x)g(x)$에 대하여 $\int_{-3}^{3}(x+5)h'(x)dx=10$일 때, $h(3)$의 값은? [4점]

① 1　　　　　② 2　　　　　③ 3

④ 4　　　　　⑤ 5

연속함수 $f(x)=-3x^2+3$ $(-1\leq x\leq 1)$이 모든 실수 x에 대하여 $f(x)=f(x+2)$를 만족시킬 때, 정적분 $\displaystyle\int_0^5 f(x)dx$의 값을 구하시오. [4점]

Act❶
$f(x)$는 주기가 2인 주기함수이고 한 주기의 그래프가 반복해서 나타나므로 계산하기 간단한 적분 구간을 선택하여 계산한다.

해결의 실마리

함수 $f(x)$가 $f(x+p)=f(x)$ (p는 0이 아닌 상수), 즉 주기함수일 때, 한 주기에 해당하는 그래프가 반복해서 나타나므로 정적분의 값을 구할 때 계산하기 간단한 적분 구간을 선택하여 계산한다.

① $\displaystyle\int_a^b f(x)dx=\int_{a+np}^{b+np} f(x)dx$ (단, n은 정수)

② $\displaystyle\int_a^{a+p} f(x)dx=\int_b^{b+p} f(x)dx$

③ $\displaystyle\int_a^{a+np} f(x)dx=n\int_0^p f(x)dx$ (단, n은 정수)

15

연속함수 $f(x)$는 $f(x)=x^2+1(-1\leq x\leq 1)$이 모든 실수 x에 대하여 $f(x+1)=f(x-1)$을 만족시킬 때, $\displaystyle\int_0^{30} f(x)dx$의 값을 구하시오. [4점]

17

연속함수 $f(x)$가 다음 두 조건을 모두 만족시킬 때, 정적분 $\displaystyle\int_{-128}^{128} f(x)dx$의 값을 구하시오. [4점]

(가) $f(x)=|2x|$ (단, $-1\leq x\leq 1$)
(나) 모든 실수 x에 대하여 $f(x+2)=f(x)$이다.

18

연속함수 $f(x)$가 모든 실수 x에 대하여 다음 세 조건을 모두 만족시킬 때, $\displaystyle\int_{-6}^{14} f(x)dx$의 값은? [4점]

(가) $f(-x)=f(x)$ (나) $f(x+2)=f(x)$
(다) $\displaystyle\int_{-1}^1 (x+4)f(x)dx=12$

① 24   ② 26   ③ 28
④ 30   ⑤ 32

16

연속함수 $f(x)$가 모든 실수 x에 대하여 다음 두 조건을 모두 만족시키고 $\displaystyle\int_0^2 f(x)dx=6$일 때, $\displaystyle\int_{-4}^{16} f(x)dx$의 값은? [4점]

(가) $f(-x)=f(x)$ (나) $f(x)=f(x+4)$

① 48   ② 52   ③ 56
④ 60   ⑤ 64

기출유형 06 적분 구간이 상수인 정적분을 포함한 등식

함수 $f(x)$가 $f(x)=4x^3+\int_0^2 f(t)dt$를 만족시킬 때, $f(2)$의 값은? [3점]

Act ❶
$\int_a^b f(t)dt=k$ (k는 상수)로 놓고 k의 값을 구한다.

① 12　　　② 14　　　③ 16　　　④ 18　　　⑤ 20

해결의 실마리

적분 구간이 상수이면 정적분은 상수가 된다.

$f(x)=g(x)+\int_a^b f(t)dt$ (a, b는 상수)와 같이 적분 구간이 상수인 정적분을 포함한 등식이 주어지면 다음 순서로 $f(x)$를 구한다.

① $\int_a^b f(t)dt=k$ (k는 상수) ……★로 놓으면 $f(x)=g(x)+k$이고, 이것을 ★에 대입하여 k의 값을 구한다.

② k의 값을 $f(x)=g(x)+k$에 대입하여 $f(x)$를 구한다.

19

함수 $f(x)$가 $f(x)=2x+1+\int_0^2 f(t)dt$를 만족시킬 때, $f(3)$의 값을 구하시오. [3점]

21

함수 $f(x)$가 $f(x)=3x^2+\int_0^2 (2x-1)f(t)dt$를 만족시킬 때, 정적분 $\int_0^2 f(x)dx$의 값은? [3점]

① -10　　　② -8　　　③ -6

④ -4　　　⑤ -2

20

함수 $f(x)$가 $f(x)=6x^2-2x+\int_0^2 f(t)dt$를 만족시킬 때, $f(2)$의 값을 구하시오. [3점]

22

[2006학년도 수능 모의평가]

이차함수 $f(x)$가

$$f(x)=\frac{12}{7}x^2-2x\int_1^2 f(t)dt+\left\{\int_1^2 f(t)dt\right\}^2$$

일 때, $10\int_1^2 f(x)dx$의 값을 구하시오. [3점]

[2019학년도 수능]

다항함수 $f(x)$가 모든 실수 x에 대하여 $\int_1^x \left\{ \frac{d}{dt} f(t) \right\} dt = x^3 + ax^2 - 2$를 만족시킬 때, $f'(a)$의 값은? (단, a는 상수이다.) [4점]

① 1   ② 2   ③ 3   ④ 4   ⑤ 5

Act ①
주어진 등식의 양변에 $x=1$을 대입하여 a의 값을 우선 구한 후 양변을 x에 대하여 미분한다.

해결의 실마리

적분 구간이 변수이면 정적분은 함수가 된다.

$\int_a^x f(t) dt = g(x)$ (a는 상수) $\cdots\cdots$★와 같이 적분 구간이 변수인 정적분을 포함한 등식이 주어지면 다음 성질을 이용하여 $f(x)$를 구한다.

(1) ★의 양변을 x에 대하여 미분하면 $\Rightarrow \dfrac{d}{dx} \int_a^x f(t) dt = g'(x)$이므로 $f(x) = g'(x)$

(2) ★의 양변에 $x=a$를 대입하면 $\Rightarrow \int_a^a f(t) dt = g(a)$이므로 $g(a) = 0$

23

함수 $f(x) = \int_0^x (4at - 3) dt$에 대하여 $f'(2) = 13$일 때, 상수 a의 값을 구하시오. [3점]

24

다항함수 $f(x)$가 모든 실수 x에 대하여
$$\int_0^x f(t) dt = x^3 - 5x$$
를 만족시킬 때, $f(5)$의 값을 구하시오. [4점]

25

[2015학년도 교육청]

다항함수 $f(x)$가 모든 실수 x에 대하여
$$\int_1^x f(t) dt = xf(x) - 3x^4 + 2x^2$$
을 만족시킬 때, $f(0)$의 값은? [4점]

① 1   ② 2   ③ 3
④ 4   ⑤ 5

26

[2014학년도 수능 모의평가]

다항함수 $f(x)$에 대하여
$$\int_0^x f(t) dt = x^3 - 2x^2 - 2x \int_0^1 f(t) dt$$
일 때, $f(0) = a$라 하자. $60a$의 값을 구하시오. [4점]

기출유형 **08** 정적분으로 정의된 함수의 극한

함수 $f(x)=x^3-3x+5$에 대하여 $\displaystyle\lim_{x\to1}\frac{1}{x-1}\int_1^x f(t)dt$의 값을 구하시오. [3점]

Act ①

$\displaystyle\lim_{x\to a}\frac{1}{x-a}\int_a^x f(t)dt=f(a)$
를 이용한다.

해결의 실마리

(1) $\displaystyle\lim_{x\to a}\frac{1}{x-a}\int_a^x f(t)dt=\lim_{x\to a}\frac{\Big[F(t)\Big]_a^x}{x-a}=\lim_{x\to a}\frac{F(x)-F(a)}{x-a}=F'(a)=f(a)$

(2) $\displaystyle\lim_{x\to 0}\frac{1}{x}\int_a^{x+a} f(t)dt=\lim_{x\to 0}\frac{\Big[F(t)\Big]_a^{x+a}}{x}=\lim_{x\to 0}\frac{F(x+a)-F(a)}{x}=F'(a)=f(a)$

27

함수 $f(x)=x^3+2x-1$에 대하여 $\displaystyle\lim_{x\to2}\frac{1}{x-2}\int_2^x f(t)dt$의 값을 구하시오. [3점]

29

함수 $f(x)=\displaystyle\int_1^x (2t-3)(t^2+1)dt$에 대하여

$\displaystyle\lim_{h\to0}\frac{f(1+3h)-f(1)}{h}$의 값은? [3점]

① -6 ② -3 ③ 0

④ 3 ⑤ 6

28

함수 $f(x)=x^2-3x+2$에 대하여 $\displaystyle\lim_{x\to0}\frac{1}{x}\int_3^{3+x} f(t)dt$의 값을 구하시오. [3점]

30

함수 $f(x)$가 $xf(x)=x^2+\displaystyle\int_1^x f(t)dt$를 만족시킬 때,

$\displaystyle\lim_{x\to2}\frac{f(x)-f(2)}{x-2}\times f(2)$의 값을 구하시오. [4점]

Very Important Test

01

삼차함수 $y=f(x)$의 그래프가 그림과 같을 때, $\int_0^2 f'(x)dx$의 값은? [3점]

① -2 ② -1

③ 0 ④ 1

⑤ 2

02

함수 $f(x)=(x-1)(x-a)^2$에 대하여
$$\int_2^x \left\{\frac{d}{dt}f(t)\right\}dt = \frac{d}{dx}\int_2^x f(t)dt$$
가 성립할 때, 상수 a의 값은? [3점]

① -2 ② -1 ③ 0

④ 1 ⑤ 2

03

함수 $f(x)$에 대하여
$$\int_1^0 f(x)dx=-1, \quad \int_0^1 \{f(x)\}^2dx=2$$
일 때, 정적분 $\int_0^1 \{1+f(x)\}^2dx$의 값은? [3점]

① 3 ② 4 ③ 5

④ 6 ⑤ 7

04

정적분 $\int_0^2 |x^2(x-1)|dx$의 값은? [3점]

① $\dfrac{3}{2}$ ② 2 ③ $\dfrac{5}{2}$

④ 3 ⑤ $\dfrac{7}{2}$

05

연속함수 $f(x)=\begin{cases} 3x^2-4x+a & (x\le 1) \\ 2x+3 & (x>1) \end{cases}$에 대하여

$\int_{-1}^3 f(x)dx=b$일 때, 상수 a, b의 합 $a+b$의 값을 구하시오. [4점]

06

다항함수 $f(x)$가 임의의 실수 x에 대하여
$$f(x)=9x^2+\int_0^1 (2x-3)f(t)dt$$
를 만족시킬 때, 정적분 $\int_0^1 f(x)dx$의 값은? [3점]

① 1 ② 2 ③ 3

④ 4 ⑤ 5

07

$f(x)=x^2-x+\int_0^2 f(t)dt$를 만족하는 함수 $f(x)$에 대하여 $f(1)$의 값은? [3점]

① -1 ② $-\dfrac{2}{3}$ ③ $-\dfrac{1}{3}$

④ 0 ⑤ 1

08

$\int_1^x f(t)dt=xf(x)-2x^3+3x^2+1$을 만족하는 다항함수 $f(x)$에 대하여 $f(2)$의 값은? [4점]

① -2 ② -1 ③ 0

④ 1 ⑤ 2

09

함수 $f(x)=\int_x^{x+1}(t^3-t)dt$의 극댓값을 M, 극솟값을 m이라 할 때, $M-m$의 값은? [3점]

① $\dfrac{1}{2}$ ② $\dfrac{3}{2}$ ③ $\dfrac{5}{2}$

④ $\dfrac{7}{2}$ ⑤ $\dfrac{9}{2}$

10

$\displaystyle\lim_{x\to 1}\dfrac{1}{x^2-1}\int_1^x |t-4|dt$의 값은? [3점]

① $\dfrac{1}{2}$ ② 1 ③ $\dfrac{3}{2}$

④ 2 ⑤ $\dfrac{5}{2}$

1등급 level up

11

연속함수 $f(x)$가 다음 두 조건을 만족한다.

> (가) $f(-x)=-f(x)$ (나) $\displaystyle\int_{-2}^1 f(x)dx=3$

이때 정적분 $\displaystyle\int_1^2 \{f(x)+1\}dx$의 값은? [4점]

① -2 ② -1 ③ 0

④ 1 ⑤ 2

12

삼차함수 $f(x)=x^3-3x+a$에 대하여 함수 $F(x)=\displaystyle\int_0^x f(t)dt$가 오직 하나의 극값을 갖도록 하는 양수 a의 최솟값을 구하시오. [4점]

기출 best

best **1** 곡선과 x축 사이의 넓이

best **2** 두 곡선 사이의 넓이

best **3** 물체가 움직인 거리

 기출 분석

곡선과 x축 사이의 넓이, 두 곡선 사이의 넓이, 물체의 위치와 위치의 변화량 문제, 물체가 움직인 거리에 대한 문제가 매년 출제된다. 기본적인 출제 패턴이 거의 유사하므로 충분한 연습이 필요하다.

level Up

• 두 곡선 사이의 넓이 응용

• 속도 그래프에서 위치의 변화량과 움직인 거리 해석

중요개념

1. 곡선과 x축 사이의 넓이

(1) 정적분과 넓이의 관계

함수 $f(x)$가 닫힌구간 $[a, b]$에서 연속이고 $f(x) \geq 0$일 때,

곡선 $y=f(x)$와 x축 및 두 직선 $x=a$, $x=b$로 둘러싸인

도형의 넓이 S는 $S=\int_a^b f(x)dx$

(2) 곡선과 x축 사이의 넓이

함수 $f(x)$가 닫힌구간

$[a, b]$에서 연속일 때, 곡선

$y=f(x)$와 x축 및 두 직선

$x=a$, $x=b$로 둘러싸인

도형의 넓이 S는

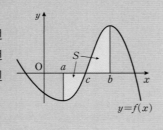

$$S=\int_a^b |f(x)|dx$$

참고 닫힌구간 $[a, b]$에서 $f(x)$의 값이 양수인 경우와 음수인 경우가 모두 나타나면 $f(x)$의 값이 양수인 구간과 음수인 구간을 나누어 적분한다.

2. 두 곡선 사이의 넓이

두 함수 $f(x)$, $g(x)$가 닫힌구간 $[a, b]$에서 연속일 때, 두 곡선 $y=f(x)$, $y=g(x)$와 두 직선 $x=a$, $x=b$로 둘러싸인 도형의 넓이 S는

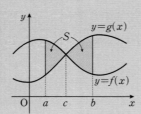

$$S=\int_a^b |f(x)-g(x)|dx$$

참고 닫힌구간 $[a, b]$에서 $f(x)$와 $g(x)$의 값의 대소가 바뀌면 $f(x)-g(x)$의 값이 양수인 구간과 음수인 구간을 나누어 적분한다.

3. 위치와 위치의 변화량

수직선 위를 움직이는 점 P의 시각 t에서의 속도가 $v(t)$이고, 시각 $t=a$에서의 위치를 x_0이라 할 때

(1) 시각 t에서 점 P의 위치 x는

$$x=x_0+\int_a^t v(t)dt$$

출발 위치 ┘ └ 위치의 변화량

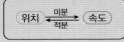

(2) 시각 $t=a$에서 $t=b$까지 점 P의 위치의 변화량은

$$\int_a^b v(t)dt$$

4. 움직인 거리

(1) 수직선 위를 움직이는 점 P의 시각 t에서의 속도가 $v(t)$일 때, 시각 $t=a$에서 $t=b$까지 점 P가 움직인 거리 s는

$$s=\int_a^b |v(t)|dt$$

참고 위치의 변화량과 움직인 거리

위치의 변화량은 단순히 처음 위치에서 마지막 위치로 변화한 양을 나타내지만, 움직인 거리는 양의 방향이든 음의 방향이든 움직인 거리의 총합을 의미한다.

(2) 속도 그래프에서 위치의 변화량과 움직인 거리 해석

① $t=a$에서 $t=b$까지의 위치의 변화량은 $\Rightarrow S_1-S_2$

② $t=a$에서 $t=b$까지의 움직인 거리는 $\Rightarrow S_1+S_2$

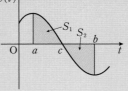

01
[2018학년도 수능 모의평가]

곡선 $y=6x^2-12x$와 x축으로 둘러싸인 부분의 넓이를 구하시오. [4점]

02
[2018학년도 수능]

곡선 $y=-2x^2+3x$와 직선 $y=x$로 둘러싸인 부분의 넓이가 $\dfrac{q}{p}$일 때, $p+q$의 값을 구하시오. (단, p와 q는 서로소인 자연수이다.) [4점]

03
[2010학년도 수능 모의평가]

두 곡선 $y=x^4-x^3$, $y=-x^4+x$로 둘러싸인 도형의 넓이가 곡선 $y=ax(1-x)$에 의하여 이등분될 때, 상수 a의 값은? (단, $0<a<1$) [3점]

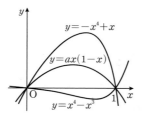

① $\dfrac{1}{4}$ ② $\dfrac{3}{8}$

③ $\dfrac{5}{8}$ ④ $\dfrac{3}{4}$

⑤ $\dfrac{7}{8}$

04
[2019학년도 수능 모의평가]

시각 $t=0$일 때 동시에 원점을 출발하여 수직선 위를 움직이는 두 점 P, Q의 시각 $t(t\geq0)$에서의 속도가 각각

$$v_1(t)=3t^2+t,\ v_2(t)=2t^2+3t$$

이다. 출발한 두 점 P, Q의 속도가 같아지는 순간 두 점 P, Q 사이의 거리를 a라 할 때, $9a$의 값을 구하시오. [4점]

05
[2017학년도 수능]

수직선 위를 움직이는 점 P의 시각 $t(t\geq0)$에서의 속도 $v(t)$가 $v(t)=-2t+4$이다. $t=0$부터 $t=4$까지 점 P가 움직인 거리는? [3점]

① 8   ② 9   ③ 10

④ 11   ⑤ 12

06
[2014학년도 수능 예비평가]

원점을 출발하여 수직선 위를 움직이는 점 P의 시각 $t(0\leq t\leq6)$에서의 속도 $v(t)$의 그래프가 그림과 같다. 점 P가 시각 $t=0$에서 시각 $t=6$까지 움직인 거리는? [3점]

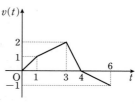

① $\dfrac{3}{2}$ ② $\dfrac{5}{2}$ ③ $\dfrac{7}{2}$

④ $\dfrac{9}{2}$ ⑤ $\dfrac{11}{2}$

기출유형 01 곡선과 x축 사이의 넓이

곡선 $y=3x^2-12x+9$와 x축으로 둘러싸인 부분의 넓이를 구하시오. [3점]

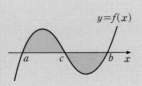

Act ①
곡선과 x축의 교점의 x좌표에서 적분 구간을 정한 후 $|f(x)|$의 정적분의 값을 구한다.

해결의 실마리

곡선 $y=f(x)$와 x축으로 둘러싸인 도형의 넓이 S는

$\Rightarrow S=\int_a^b |f(x)|dx=\underbrace{\int_a^c f(x)dx}_{x축 위쪽 넓이}+\underbrace{\int_c^b \{-f(x)\}dx}_{x축 아래쪽 넓이}$

01

곡선 $y=|x^2-4|$와 x축으로 둘러싸인 도형의 넓이는? [3점]

① $\dfrac{16}{3}$ ② $\dfrac{20}{3}$ ③ $\dfrac{26}{3}$

④ $\dfrac{32}{3}$ ⑤ $\dfrac{38}{3}$

02

[2016학년도 수능 모의평가]

함수 $y=f(x)$의 도함수 $f'(x)$가 $f'(x)=x^2-1$이다. $f(0)=0$일 때, 곡선 $y=f(x)$와 x축으로 둘러싸인 부분의 넓이는? [4점]

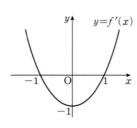

① $\dfrac{9}{8}$ ② $\dfrac{5}{4}$

③ $\dfrac{11}{8}$ ④ $\dfrac{3}{2}$

⑤ $\dfrac{13}{8}$

03

[2013학년도 교육청]

삼차함수 $f(x)$가 다음 두 조건을 만족시킨다.

> (가) $f'(x)=3x^2-4x-4$
> (나) 함수 $y=f(x)$의 그래프는 $(2, 0)$을 지난다.

이때 함수 $y=f(x)$의 그래프와 x축으로 둘러싸인 도형의 넓이는? [4점]

① $\dfrac{56}{3}$ ② $\dfrac{58}{3}$ ③ 20

④ $\dfrac{62}{3}$ ⑤ $\dfrac{64}{3}$

04

[2013학년도 수능]

최고차항의 계수가 1인 이차함수 $f(x)$가 $f(3)=0$이고, $\int_0^{2013} f(x)dx=\int_3^{2013} f(x)dx$를 만족시킨다. 곡선 $y=f(x)$와 x축으로 둘러싸인 부분의 넓이가 S일 때, $30S$의 값을 구하시오. [4점]

기출유형 **02** 두 곡선 사이의 넓이

두 곡선 $y=x^2-2x+4$, $y=-2x^2+10x-5$로 둘러싸인 도형의 넓이를 구하시오. [3점]

Act①
두 곡선의 교점의 x좌표에서 적분 구간을 정한 후 {(위쪽 그래프의 식)−(아래쪽 그래프의 식)}의 정적분의 값을 구한다.

해결의 실마리

두 곡선 $y=f(x)$, $y=g(x)$와 두 직선 $x=a$, $x=b$로 둘러싸인 도형의 넓이 S는

$$\Rightarrow S=\int_a^b |f(x)-g(x)|\,dx=\int_a^c \{f(x)-g(x)\}\,dx+\int_c^b \{g(x)-f(x)\}\,dx$$

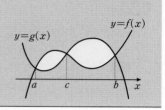

05

곡선 $y=x^2-x$와 직선 $y=2x$로 둘러싸인 도형의 넓이는?

[3점]

① $\dfrac{7}{2}$ ② $\dfrac{11}{3}$ ③ $\dfrac{9}{2}$

④ $\dfrac{14}{3}$ ⑤ $\dfrac{11}{2}$

06

[2014학년도 수능 모의평가]

그림은 두 곡선 $y=x^2$, $y=\dfrac{1}{4}x^2$과 꼭짓점의 좌표가 $O(0,\ 0)$, $A(n,\ 0)$, $B(n,\ n^2)$, $C(0,\ n^2)$인 직사각형 OABC를 나타낸 것이다. $n=4$ 일 때, 두 곡선 $y=x^2$, $y=\dfrac{1}{4}x^2$과 직선 AB 로 둘러싸인 부분의 넓이는? [3점]

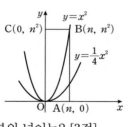

① 14 ② 16 ③ 18
④ 20 ⑤ 22

07

[2016학년도 수능]

자연수 n에 대하여 좌표가 $(0,\ 2n+1)$인 점을 P라 하고, 함수 $f(x)=nx^2$의 그래프 위의 점 중 y좌표가 1이고 제1사분면에 있는 점을 Q라 하자. $n=1$일 때, 선분 PQ와 곡선 $y=f(x)$ 및 y축으로 둘러싸인 부분의 넓이는? [3점]

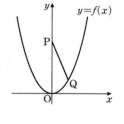

① $\dfrac{3}{2}$ ② $\dfrac{19}{12}$ ③ $\dfrac{5}{3}$

④ $\dfrac{7}{4}$ ⑤ $\dfrac{11}{6}$

08

[2020학년도 수능 모의평가]

함수 $f(x)=x^2-2x$에 대하여 두 곡선 $y=f(x)$, $y=-f(x-1)-1$로 둘러싸인 부분의 넓이는? [4점]

① $\dfrac{1}{6}$ ② $\dfrac{1}{4}$ ③ $\dfrac{1}{3}$

④ $\dfrac{5}{12}$ ⑤ $\dfrac{1}{2}$

곡선 $y=-x^2+6x$와 x축으로 둘러싸인 도형의 넓이와 곡선과 x축 및 직선 $x=k$로 둘러싸인 도형의 넓이가 같을 때, 상수 k의 값을 구하시오. (단, $k>6$) [3점]

Act❶
닫힌구간 $[a,\ b]$에서 x축 위, 아래에 있는 두 도형의 넓이가 같으면 $\int_a^b f(x)dx=0$임을 이용한다.

해결의 실마리

(1) 닫힌구간 $[a,\ b]$에서 $f(x),\ g(x)$가 만나서 생기는 두 도형의 넓이가 같으면 $\Rightarrow \int_a^b \{f(x)-g(x)\}dx=0$

참고 닫힌구간 $[a,\ b]$에서 x축 위, 아래에 있는 두 도형의 넓이가 같으면 $\Rightarrow \int_a^b f(x)dx=0$

(2) 넓이를 이등분할 때
오른쪽 그림에서 $y=f(x)$와 x축으로 둘러싸인 도형의 넓이 S를 $y=g(x)$가 이등분하면

$\Rightarrow \int_0^a \{f(x)-g(x)\}dx=\dfrac{1}{2}S$

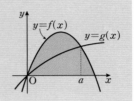

09

곡선 $y=x^3-(2+m)x^2+3mx$와 직선 $y=mx$로 둘러싸인 두 부분의 넓이가 서로 같을 때, 상수 m의 값은?

(단, $m>2$) [4점]

① 2 　　　② 3 　　　③ 4

④ 5 　　　⑤ 6

11

곡선 $y=-x^2+4x$와 x축으로 둘러싸인 도형의 넓이를 직선 $y=mx$가 이등분할 때, 상수 m에 대하여 $(4-m)^3$의 값은?

[3점]

① 24 　　　② 28 　　　③ 32

④ 36 　　　⑤ 40

10

그림과 같이 곡선 $y=x^2$과 직선 $y=kx$로 둘러싸인 부분의 넓이를 A, 곡선 $y=x^2$과 두 직선 $x=2$, $y=kx$로 둘러싸인 부분의 넓이를 B라 하자. $A=B$일 때, 상수 k의 값은? [4점]

① $\dfrac{2}{3}$ 　　　② 1

③ $\dfrac{4}{3}$ 　　　④ $\dfrac{5}{3}$ 　　　⑤ 2

12

[2019학년도 교육청]

함수 $f(x)=\dfrac{1}{2}x^3$의 그래프 위의 점 $\mathrm{P}(a,\ b)$에 대하여 곡선 $y=f(x)$와 x축 및 직선 $x=1$로 둘러싸인 부분의 넓이를 S_1, 곡선 $y=f(x)$와 두 직선 $x=1$, $y=b$로 둘러싸인 부분의 넓이를 S_2라 하자. $S_1=S_2$일 때, $30a$의 값을 구하시오. (단, $a>1$) [4점]

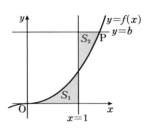

기출유형 04 **함수와 그 역함수의 그래프로 둘러싸인 도형의 넓이**

그림과 같이 함수 $y=f(x)$와 그 역함수 $y=g(x)$의 그래프가 두 점 $(0, 0)$과 $(3, 3)$에서 만난다. $\int_0^3 f(x)dx=3$일 때, 색칠한 부분의 넓이는? [3점]

① $\dfrac{3}{2}$　　② 2　　③ $\dfrac{5}{2}$

④ 3　　⑤ $\dfrac{7}{2}$

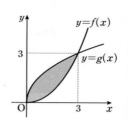

Act①
$f(x)$, $g(x)$의 그래프는 직선 $y=x$에 대하여 대칭임을 이용한다.

해결의 실마리

함수 $y=f(x)$의 그래프와 그 역함수 $y=f^{-1}(x)$의 그래프는 직선 $y=x$에 대하여 대칭이므로
⇨ $y=x$에 대하여 대칭이동하였을 때 넓이가 같은 도형을 찾는다.

13

함수 $f(x)=ax^2 (x\geq 0)$과 그 역함수 $g(x)$의 그래프로 둘러싸인 부분의 넓이가 6일 때, $\dfrac{1}{a^2}$의 값을 구하시오. (단, $a>0$인 상수이다.) [3점]

15

[2012학년도 교육청]

함수 $f(x)=x^3+x-1$의 역함수를 $g(x)$라 할 때, $\int_1^9 g(x)dx$의 값은? [3점]

① $\dfrac{47}{4}$　　② $\dfrac{49}{4}$

③ $\dfrac{51}{4}$　　④ $\dfrac{53}{4}$

⑤ $\dfrac{55}{4}$

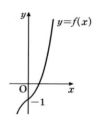

14

함수 $f(x)=\sqrt{ax}$의 그래프와 그 역함수 $y=f^{-1}(x)$의 그래프로 둘러싸인 도형의 넓이가 $\dfrac{16}{3}$일 때, 양수 a의 값을 구하시오. [3점]

원점을 동시에 출발하여 수직선 위를 움직이는 두 점 P, Q의 시각 $t(t \geq 0)$에서의 속도가 각각 $3t^2+4t-4$, $10t-4$이다. 두 점 P, Q가 출발 후 $t=a$에서 다시 만날 때, 상수 a의 값은? [4점]

Act ①
두 점 P, Q의 위치를 각각 x_P, x_Q라 하면 두 점이 다시 만날 때 $x_P=x_Q$임을 이용한다.

① 1   ② $\dfrac{3}{2}$ ③ 2   ④ $\dfrac{5}{2}$ ⑤ 3

해결의 실마리

수직선 위를 움직이는 점 P의 시각 t에서의 속도가 $v(t)$이고 시각 $t=a$에서의 위치가 x_0일 때

(1) 시각 t에서 점 P의 위치 x는 $\Rightarrow x=x_0+\displaystyle\int_a^t v(t)dt$

(2) 시각 $t=a$에서 $t=b$까지 점 P의 위치의 변화량은 $\Rightarrow \displaystyle\int_a^b v(t)dt$

16

원점을 출발하여 수직선 위를 움직이는 점 P의 시각 t에서의 속도가 $v(t)=3t^2-6t+4$일 때, $t=3$에서의 점 P의 위치는? [3점]

① 10   ② 11   ③ 12
④ 13   ⑤ 14

18

지상 35 m 높이에서 초속 30 m의 속도로 지면과 수직으로 쏘아 올린 로켓의 t초 후의 속도는
$$v(t)=30-10t \ (\text{m/s})$$
라 한다. 이 로켓이 도달하는 최고 높이는? [3점]

① 65 m   ② 70 m   ③ 75 m
④ 80 m   ⑤ 85 m

17

원점을 출발하여 수직선 위를 움직이는 점 P의 t초 후의 속도가 $v(t)=3t^2-8t-3$일 때, 점 P의 운동 방향이 바뀌는 시각에서의 점 P의 위치는? [3점]

① -18 ② -14 ③ 0
④ 14   ⑤ 28

19

시각 $t=0$ 일 때 동시에 원점을 출발하여 수직선 위를 움직이는 두 점 P, Q 의 시각 $t(t \geq 0)$에서의 속도가 각각
$$v_1(t)=6t^2+10t,\ v_2(t)=12t^2-8t$$
이다. 출발한 두 점 P, Q의 속도가 같아지는 순간 두 점 P, Q 사이의 거리를 구하시오. [4점]

기출유형 06 물체가 움직인 거리

원점을 출발하여 수직선 위를 움직이는 점 P의 시각 t에서의 속도가 $v(t)=4t-8$일 때, 점 P가 $t=0$에서 $t=3$까지 움직인 거리를 구하시오. [3점]

Act❶
이동 거리를 구할 때에는 속도 $v(t)$의 부호에 주의하여 적분한다.

해결의 실마리

수직선 위를 움직이는 점 P의 시각 t에서의 속도가 $v(t)$일 때, 시각 $t=a$에서 $t=b$까지 점 P가 움직인 거리 s는 ⇨ $s=\int_a^b |v(t)|\,dt$

20

수직선 위를 움직이는 점 P의 시각 $t(t\geq0)$에서의 속도 $v(t)$가 $v(t)=-2t+6$이다. $t=0$부터 $t=6$까지 점 P가 움직인 거리는? [3점]

① 10   ② 14   ③ 18
④ 22   ⑤ 26

22

수직선 위를 움직이는 점 P의 시각 $t(t\geq0)$에서의 위치 x가
$$x=2t^3+at^2 \ (a\text{는 상수})$$
이다. $t=2$에서 점 P의 속도가 0일 때, $t=0$에서 $t=2$까지 점 P가 움직인 거리는? [3점]

① $\dfrac{20}{8}$ ② 8   ③ $\dfrac{28}{3}$
④ $\dfrac{32}{3}$ ⑤ 12

21

직선으로 된 도로에서 매초 24 m의 속도로 달리는 자동차가 제동을 건 지 t초 후의 속도는 $v(t)=24-6t\text{(m/s)}$라 한다. 제동을 건 후 정지할 때까지 이 자동차가 달린 거리는? [3점]

① 40 m   ② 42 m   ③ 44 m
④ 46 m   ⑤ 48 m

23

지면에서 똑바로 쏘아 올린 물체의 t초 후의 속도가 $v(t)=40-10t$일 때, 이 물체가 최고 높이에 도달한 후 2초 동안 움직인 거리를 구하시오. [3점]

원점을 출발하여 수직선 위를 움직이는 두 점 P, Q의 t초 후의 속도를 각각 $f(t)$, $g(t)$라 할 때, 두 함수 $y=f(t)$, $y=g(t)$의 그래프는 그림과 같다. 두 점 P, Q가 원점을 동시에 출발하여 a초 후에 처음으로 다시 만날 때, a의 값을 구하시오. (단, $a>0$) [4점]

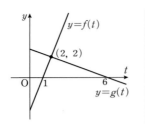

Act❶
원점에서 출발한 물체의 위치는 속도를 적분한 것임을 생각한다.

해결의 실마리

수직선 위를 움직이는 점 P의 시각 t에서의 속도 $v(t)$의 그래프가 그림과 같을 때

(1) 시각 $t=a$에서 $t=b$까지의 위치의 변화량은 ⇨ S_1-S_2

(2) 시각 $t=a$에서 $t=b$까지의 움직인 거리는 ⇨ S_1+S_2

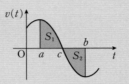

24

[2012학년도 수능 모의평가]

같은 높이의 지면에서 동시에 출발하여 지면과 수직인 방향으로 올라가는 두 물체 A, B가 있다. 그림은 시각 $t(0≤t≤c)$에서 물체 A의 속도 $f(t)$와 물체 B의 속도 $g(t)$를 나타낸 것이다.

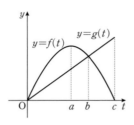

$\int_0^c f(t)dt=\int_0^c g(t)dt$이고 $0≤t≤c$일 때, 옳은 것만을 [보기]에서 있는 대로 고른 것은? [4점]

┤보기├
ㄱ. $t=a$일 때, 물체 A는 물체 B보다 높은 위치에 있다.
ㄴ. $t=b$일 때, 물체 A와 물체 B의 높이의 차가 최대이다.
ㄷ. $t=c$일 때, 물체 A와 물체 B는 같은 높이에 있다.

① ㄴ   ② ㄷ   ③ ㄱ, ㄴ
④ ㄱ, ㄷ   ⑤ ㄱ, ㄴ, ㄷ

25

수직선 위를 움직이는 점 P의 시각 $t(0≤t≤c)$에서의 속도 $v(t)$의 그래프가 그림과 같다. 점 P의 시각 t에서의 위치를 $x(t)$라 할 때, $x(0)=x(c)=1$, $x(b)=0$이다. [보기]에서 옳은 것만을 있는 대로 고른 것은? [4점]

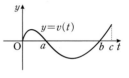

┤보기├
ㄱ. $\int_0^c v(t)dt=0$
ㄴ. $\int_0^a v(t)dt+\int_a^b v(t)dt=-1$
ㄷ. 점 P는 원점을 한 번 지난다.

① ㄱ   ② ㄱ, ㄴ   ③ ㄱ, ㄷ
④ ㄴ, ㄷ   ⑤ ㄱ, ㄴ, ㄷ

01

함수 $f(x) = \begin{cases} -3x^2+3 \ (-1 \leq x < 0) \\ -x+3 \ (0 \leq x \leq 3) \end{cases}$ 의 그래프와 x축으로 둘러싸인 부분의 넓이는? [3점]

① 6   ② $\dfrac{13}{2}$ ③ 7

④ $\dfrac{29}{4}$ ⑤ $\dfrac{15}{2}$

02

곡선 $y = -2x^2 + kx$와 x축으로 둘러싸인 부분의 넓이가 72일 때, 양수 k의 값은? [3점]

① 8   ② 9   ③ 10

④ 11   ⑤ 12

03

곡선 $y = x^2 - 4x + 2$와 직선 $y = x - 2$로 둘러싸인 부분의 넓이는? [3점]

① 3   ② $\dfrac{7}{2}$ ③ 4

④ $\dfrac{9}{2}$ ⑤ 5

04

양수 a에 대하여 곡선 $y = x(x+1)(x-a)$와 x축으로 둘러싸인 두 도형의 넓이가 서로 같을 때, a의 값을 구하시오. [3점]

05

그림과 같이 곡선 $y = x^2$과 직선 $y = 2x + 3$으로 둘러싸인 도형의 넓이를 직선 $x = k$가 이등분할 때, 상수 k의 값을 구하시오. [4점]

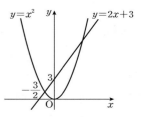

06

그림과 같이 곡선 $y = x^2 - 2x$와 x축 및 직선 $x = a$로 둘러싸인 두 도형의 넓이를 각각 S_1, S_2라 할 때, $S_1 = 2S_2$가 성립하기 위한 상수 a의 값은? (단, $a > 2$) [4점]

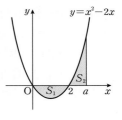

① $1 + \sqrt{2}$ ② $1 + \sqrt{3}$

③ $2 + \sqrt{2}$ ④ $2 + \sqrt{3}$

⑤ $3 + \sqrt{2}$

07

최고차항의 계수가 1인 삼차함수 $f(x)$가 다음 조건을 만족시킨다.

> (가) 모든 실수 x에 대하여 $f(-x)=-f(x)$이다.
> (나) $f(-1)=0$

곡선 $y=f(x)$와 직선 $y=3x$로 둘러싸인 부분의 넓이를 구하시오. [4점]

08

원점을 출발하여 수직선 위를 움직이는 점 P의 시각 t에서의 속도가 $v(t)=6-3t$ (m/s)일 때, 점 P가 출발한 후 원점에 다시 올 때까지 걸리는 시간은? [3점]

① 4   ② $\dfrac{9}{2}$ ③ 5

④ $\dfrac{11}{2}$ ⑤ 6

09

수직선 위를 움직이는 두 점 P, Q가 원점을 출발한 후 시각 t에서의 속도는 각각
$$v_1(t)=3t^2-4t+1, \quad v_2(t)=13-6t$$
이다. 두 점 P, Q가 원점을 출발한 후 다시 만나는 시각을 구하시오. [4점]

10

원점을 출발하여 수직선 위를 움직이는 점 P의 시각 t에서의 속도 $v(t)$의 그래프가 그림과 같을 때, 점 P가 원점을 출발할 때의 운동 방향과 반대 방향으로 움직인 거리는? [3점]

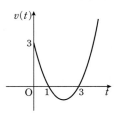

① $\dfrac{4}{3}$ ② $\dfrac{5}{4}$ ③ $\dfrac{6}{5}$

④ $\dfrac{7}{6}$ ⑤ $\dfrac{8}{7}$

11

직선 궤도를 20 m/s의 속도로 달리는 기차가 제동이 걸린 시점으로부터 t초 후의 속도 $v(t)$ m/s는 $v(t)=20-at$ $(0 \le t \le 5)$라 한다. 이 기차가 제동이 걸린 후 정지할 때까지 달린 거리가 50 m일 때, 상수 a의 값은? [3점]

① 1   ② 2   ③ 3

④ 4   ⑤ 5

12

원점을 출발하여 수직선 위를 움직이는 점 P의 시각 t에서의 속도가 $v(t)=3t^2-6t$이다. 점 P가 시각 $t=1$에서 $t=3$까지 움직인 거리는? [3점]

① 4   ② 5   ③ 6

④ 7   ⑤ 8

13

원점을 출발하여 수직선 위를 움직이는 점 P의 시각 t에서의 속도가 $v(t)=-t^2+at$이고, 점 P가 출발한 후 시각 $t=4$에서 처음으로 운동 방향이 바뀌었다. $t=0$에서 $t=6$까지 점 P가 움직인 거리는? (단, $a>0$) [3점]

① $\dfrac{8}{3}$ ② $\dfrac{16}{3}$ ③ $\dfrac{32}{3}$

④ $\dfrac{64}{3}$ ⑤ $\dfrac{128}{3}$

14

원점을 동시에 출발하여 수직선 위를 움직이는 두 점 P, Q의 시각 t $(t \geq 0)$에서의 속도가 각각 $f(t)=t^2-t$, $g(t)=-3t^2+6t$일 때, [보기]에서 옳은 것만을 있는 대로 고른 것은? [4점]

┌─ 보기 ├─
ㄱ. 점 P는 출발 후 운동 방향을 1번 바꾼다.
ㄴ. $t=2$에서 두 점 P, Q의 가속도를 각각 p, q라 할 때, $pq<0$이다.
ㄷ. $t=0$에서 $t=3$까지 점 Q가 움직인 거리는 8이다.
└────────┘

① ㄱ ② ㄷ ③ ㄱ, ㄷ
④ ㄴ, ㄷ ⑤ ㄱ, ㄴ, ㄷ

15

원점을 출발하여 수직선 위를 움직이는 점 P의 시각 t $(0 \leq t \leq 8)$에서의 속도 $v(t)$를 나타내는 그래프가 그림과 같다. 점 P가 출발한 후 처음으로 운동 방향을 바꾸는 시각을 a, 출발한 후 원점에서 가장 멀리 떨어져 있을 때의 위치를 b라 할 때, $a+b$의 값을 구하시오. [4점]

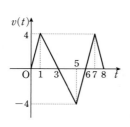

level up

16

곡선 $y=4-x^2$ 위의 한 점 $(t, 4-t^2)$에서의 접선과 곡선 $y=4-x^2$ 및 두 직선 $x=0$, $x=2$로 둘러싸인 부분의 넓이의 최솟값은? (단, $0<t<2$) [4점]

① $\dfrac{1}{2}$ ② $\dfrac{2}{3}$ ③ $\dfrac{3}{4}$

④ $\dfrac{4}{5}$ ⑤ $\dfrac{5}{6}$

17

원점을 출발하여 수직선 위를 움직이는 점 P의 시각 t에서의 속도 $v(t)$의 그래프가 그림과 같다. [보기]에서 옳은 것만을 있는 대로 고른 것은? [4점]

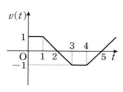

┌─ 보기 ├─
ㄱ. $t=3$일 때, 점 P의 위치는 1이다.
ㄴ. 점 P가 $t=0$에서 $t=3$까지 움직인 거리는 2이다.
ㄷ. 점 P의 좌표가 최소인 시각은 $t=5$이다.
└────────┘

① ㄱ ② ㄱ, ㄴ ③ ㄱ, ㄷ
④ ㄴ, ㄷ ⑤ ㄱ, ㄴ, ㄷ

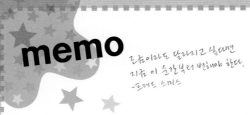

memo

조금이라도 달라지고 싶다면
지금 이 순간부터 변해야 한다.
－로렌드 스미스

당신이 친구들이 보고 싶으면
친구들이 당신에게 관심을 가지게 하려 하지 말고
당신이 먼저 친구들에게 관심을 가져라.
－데일 카네기

좋은 기회를 만나지 못한 사람은 아무도 없다.
다만 그것을 불잡지 못했을 뿐이다.
－앤드루 카네기

memo

근본이라도 달라지고 싶다면
지금 이 순간부터 변해야 한다.
-프레드 스미스

당신이 친구들이 보고 싶으면
친구들이 당신에게 관심을 가지게 하려 하지 말고
당신이 먼저 친구들에게 관심을 가져라.
- 데일 카네기

좋은 기회를 만나지 못한 사람은 아무도 없다.
다만 그것을 붙잡지 못했을 뿐이다.
- 앤드류 카네기

memo

조금이라도 달라지고 싶다면
지금 이 순간부터 변해야 한다.
—프레드 스머스

당신이 친구들이 보고 싶으면
친구들이 당신에게 관심을 가지게 하려 하지 말고
당신이 먼저 친구들에게 관심을 가져라.
— 데일 카네기

좋은 기회를 만나지 못한 사람은 아무도 없다.
다만 그것을 붙잡지 못했을 뿐이다.
— 앤드류 카네기

참 중요한 3·4점

정답과 해설

고등 수학 II

참 중요한 3·4점

정답과 해설

고등 **수학 II**

I 함수의 극한과 연속

01 함수의 극한

p. 7

01. ④　**02.** 30　**03.** 20　**04.** 3　**05.** ①
06. ②

01 $x \to -1-$일 때 $f(x) \to 2$이고 $x \to 1+$일 때 $f(x) \to 1$이
므로

$$\lim_{x \to -1-} f(x) - \lim_{x \to 1+} f(x) = 2 - 1 = 1$$ 　　답 ④

02 $\lim_{x \to 1} (x+1)f(x) = 1$이므로

$(x+1)f(x) = g(x)$로 놓으면 $\lim_{x \to 1} g(x) = 1$

따라서 $x \neq -1$일 때, $f(x) = \dfrac{g(x)}{x+1}$이므로

$\lim_{x \to 1} (2x^2+1)f(x) = \lim_{x \to 1} \left\{ (2x^2+1) \times \dfrac{g(x)}{x+1} \right\}$

$\qquad\qquad = \lim_{x \to 1} \dfrac{2x^2+1}{x+1} \times \lim_{x \to 1} g(x)$

$\qquad\qquad = \dfrac{3}{2} \times 1 = \dfrac{3}{2}$

$\therefore 20a = 20 \times \dfrac{3}{2} = 30$ 　　답 30

03 $\lim_{x \to 2} \dfrac{x^2+x-6}{\sqrt{x+2}-2} = \lim_{x \to 2} \dfrac{(x^2+x-6)(\sqrt{x+2}+2)}{(\sqrt{x+2}-2)(\sqrt{x+2}+2)}$

$\qquad = \lim_{x \to 2} \dfrac{(x-2)(x+3)(\sqrt{x+2}+2)}{x-2}$

$\qquad = \lim_{x \to 2} (x+3)(\sqrt{x+2}+2)$

$\qquad = (2+3)(\sqrt{2+2}+2)$

$\qquad = 20$ 　　답 20

04 분모의 최고차항인 x^2으로 분모, 분자를 각각 나누면

$\lim_{x \to \infty} \dfrac{3x^2-2x+1}{x^2+5} = \lim_{x \to \infty} \dfrac{3 - \dfrac{2}{x} + \dfrac{1}{x^2}}{1 + \dfrac{5}{x^2}}$

$\qquad\qquad = \dfrac{3-0+0}{1+0} = 3$ 　　답 3

05 $x \to 1$일 때 (분모) $\to 0$이고 극한값이 존재하므로
(분자) $\to 0$이어야 한다.

$\lim_{x \to 1} (4x-a) = 0$

$4 - a = 0 \quad \therefore a = 4$

$\lim_{x \to 1} \dfrac{4x-4}{x-1} = \lim_{x \to 1} \dfrac{4(x-1)}{x-1} = 4$

따라서 $b = 4$이므로 $a+b = 8$ 　　답 ①

06 조건 (가)에서 $f(x)$는 x^2과 차수가 같고 최고차항의 계수의
비가 2이므로 이차항의 계수는 2이다.

조건 (나)에서 $x \to 0$일 때 (분모) $\to 0$이고 극한값이 존재

하므로 $\lim_{x \to 0} f(x) = 0$이어야 한다. 즉 $f(x)$는 x를 인수로 갖

는다.

따라서 $f(x) = 2x(x-a)$ (a는 상수)라 하면

$\lim_{x \to 0} \dfrac{f(x)}{x} = \lim_{x \to 0} \dfrac{2x(x-a)}{x}$

$\qquad\qquad = \lim_{x \to 0} \{2(x-a)\}$

$\qquad\qquad = -2a = 3$

$\therefore a = -\dfrac{3}{2}$

따라서 $f(x) = 2x\left(x + \dfrac{3}{2}\right) = 2x^2 + 3x$이므로

$f(2) = 8 + 6 = 14$ 　　답 ②

유형따라잡기
pp. 8~17

기출유형		01.	02.	03.	04.
기출유형 01	6	01. 9	02. 10	03. 2	04. 3
기출유형 02	①	05. ②	06. ②	07. ④	08. ③
기출유형 03	③	09. ①	10. ②	11. ④	12. ④
기출유형 04	12	13. 10	14. 13	15. 12	16. 16
기출유형 05	③	17. ④	18. ②	19. ②	20. 4
기출유형 06	④	21. ②	22. ①	23. ②	24. ④
기출유형 07	20	25. ③	26. 3	27. 21	28. 3
기출유형 08	⑤	29. 14	30. 15	31. 13	32. 2
기출유형 09	3	33. 1	34. 5	35. ①	36. 2
기출유형 10	③	37. ③	38. 512		

기출유형 01

Act 1 $\lim_{x \to a} f(x)$는 $x \to a$일 때 $f(x)$가 한없이 가까워지는 값
을 뜻한다.

$\lim_{x \to 2} (x^2 - 3x + 8) = 2^2 - 3 \times 2 + 8 = 6$ 　　답 6

01 **Act 1** $\lim_{x \to a} f(x)$는 $x \to a$일 때 $f(x)$가 한없이 가까워지는 값
을 뜻한다.

$\lim_{x \to 2} (x^2 + 5) = 2^2 + 5 = 9$ 　　답 9

02 **Act 1** $\lim_{x \to a} f(x)$는 $x \to a$일 때 $f(x)$가 한없이 가까워지는 값
을 뜻한다.

$\lim_{x \to -2} (x^2 - 3x) = (-2)^2 - 3 \times (-2) = 10$ 　　답 10

03 Act① $\lim\limits_{x \to a} f(x)$는 $x \to a$일 때 $f(x)$가 한없이 가까워지는 값을 뜻한다.

$$\lim_{x \to 1} \sqrt{x^2 - 2x + 5} = \sqrt{1^2 - 2 + 5} = 2$$

답 2

04 Act① $\lim\limits_{x \to a} f(x)$는 $x \to a$일 때 $f(x)$가 한없이 가까워지는 값을 뜻한다.

$$\lim_{x \to 9} (\sqrt{x - 5} + 1) = \sqrt{9 - 5} + 1 = 3$$

답 3

기출유형 02

Act① $x \to a-$는 x의 값이 a보다 작으면서 a에 한없이 가까워짐을 나타내고, $x \to a+$는 x의 값이 a보다 크면서 a에 한없이 가까워지는 것을 뜻한다.

$x \to 0+$일 때 $f(x) \to 0$이고 $x \to 1-$일 때 $f(x) \to 2$이므로

$$\lim_{x \to 0+} f(x) - \lim_{x \to 1-} f(x) = 0 - 2 = -2$$

답 ①

05 Act① $x \to a-$는 x의 값이 a보다 작으면서 a에 한없이 가까워짐을 나타내고, $x \to a+$는 x의 값이 a보다 크면서 a에 한없이 가까워지는 것을 뜻한다.

$x \to -1+$일 때 $f(x) \to 0$이고 $x \to 1-$일 때 $f(x) \to 2$이므로

$$\lim_{x \to -1+} f(x) + \lim_{x \to 1-} f(x) = 0 + 2 = 2$$

답 ②

06 Act① $x \to a-$는 x의 값이 a보다 작으면서 a에 한없이 가까워짐을 나타내고, $x \to a+$는 x의 값이 a보다 크면서 a에 한없이 가까워지는 것을 뜻한다.

$x \to -2-$일 때 $f(x) \to -1$이고 $x \to 1+$일 때 $f(x) \to 3$이므로

$$\lim_{x \to -2-} f(x) + \lim_{x \to 1+} f(x) = -1 + 3 = 2$$

답 ②

07 Act① $f(k)$는 $x = k$에서의 함숫값이고 $x \to a+$는 x의 값이 a보다 크면서 a에 한없이 가까워지는 것을 뜻한다.

$f(0) = 3$이고 $x \to 2+$일 때 $f(x) \to 5$이므로

$$f(0) + \lim_{x \to 2+} f(x) = 3 + 5 = 8$$

답 ④

08 Act① $f(k)$는 $x = k$에서의 함숫값이고 $x \to a+$는 x의 값이 a보다 크면서 a에 한없이 가까워지는 것을 뜻한다.

$f(0) = 1$이고 $x \to 1+$일 때 $f(x) \to 2$이므로

$$f(0) + \lim_{x \to 1+} f(x) = 1 + 2 = 3$$

답 ③

기출유형 03

Act① 수렴하는 함수들의 합, 차, 곱, 몫의 꼴로 변형하여 극한값을 구한다.

$$\lim_{x \to \infty} \frac{3f(x) + 2g(x)}{f(x) - 2g(x)} = \lim_{x \to \infty} \frac{3 \times \dfrac{f(x)}{g(x)} + 2}{\dfrac{f(x)}{g(x)} - 2}$$

$$= \frac{3 \times 4 + 2}{4 - 2}$$
$$= 7$$

답 ③

09 Act① 수렴하는 함수들의 합, 차, 곱, 몫의 꼴로 변형하여 극한값을 구한다.

$$\lim_{x \to 0} \frac{9x^2 - x + 3f(x)}{3x^2 + 2x - 2f(x)} = \lim_{x \to 0} \frac{9x - 1 + 3\dfrac{f(x)}{x}}{3x + 2 - 2\dfrac{f(x)}{x}}$$

$$= \frac{0 - 1 + 3 \times 3}{0 + 2 - 2 \times 3}$$
$$= -2$$

답 ①

10 Act① 수렴하는 함수들의 합, 차, 곱, 몫의 꼴로 변형하여 극한값을 구한다.

$$\lim_{x \to 1} (x^2 - 1)f(x) = \lim_{x \to 1} (x + 1)(x - 1)f(x)$$

$$= \lim_{x \to 1} (x + 1) \times \lim_{x \to 1} (x - 1)f(x)$$
$$= 2 \times 3$$
$$= 6$$

답 ②

11 Act① $2f(x) - 3g(x) = h(x)$로 놓고 수렴하는 함수들의 합, 차, 곱, 몫의 꼴로 변형하여 극한값을 구한다.

$2f(x) - 3g(x) = h(x)$로 놓으면 $g(x) = \dfrac{2f(x) - h(x)}{3}$이고

이때 $\lim\limits_{x \to 1} f(x) = 6$, $\lim\limits_{x \to 1} h(x) = 3$이므로

$$\lim_{x \to 1} g(x) = \lim_{x \to 1} \frac{2f(x) - h(x)}{3}$$

$$= \frac{2 \times 6 - 3}{3}$$
$$= 3$$

답 ④

12 Act① $g(x) - f(x) = h(x)$로 놓고 수렴하는 함수들의 합, 차, 곱, 몫의 꼴로 변형하여 극한값을 구한다.

$g(x) - f(x) = h(x)$로 놓으면 $g(x) = f(x) + h(x)$

이때 $\lim\limits_{x \to a} f(x) = 6$, $\lim\limits_{x \to a} h(x) = -2$이므로

$$\lim_{x \to a} \frac{2f(x) - g(x)}{f(x) + g(x)} = \lim_{x \to a} \frac{2f(x) - \{f(x) + h(x)\}}{f(x) + \{f(x) + h(x)\}}$$

$$= \lim_{x \to a} \frac{f(x) - h(x)}{2f(x) + h(x)}$$

$$= \frac{6 - (-2)}{2 \times 6 + (-2)} = \frac{4}{5}$$

답 ④

기출유형 04

Act① 분모, 분자가 모두 다항식인 $\dfrac{0}{0}$ 꼴의 극한은 분모, 분자를 각각 인수분해하여 약분한다.

$$\lim_{x \to 2} \frac{6x^2 - 24}{x^2 - 2x} = \lim_{x \to 2} \frac{6(x + 2)(x - 2)}{x(x - 2)}$$

$$= \lim_{x \to 2} \frac{6(x + 2)}{x} = 12$$

답 12

13 Act① 분모, 분자가 모두 다항식인 $\dfrac{0}{0}$ 꼴의 극한은 분모, 분자를 각각 인수분해하여 약분한다.

$$\lim_{x \to 5} \frac{x^2-25}{x-5} = \lim_{x \to 5} \frac{(x-5)(x+5)}{x-5}$$
$$= \lim_{x \to 5} (x+5) = 10 \qquad \text{답 } 10$$

14 Act① 분모, 분자가 모두 다항식인 $\dfrac{0}{0}$ 꼴의 극한은 분모, 분자를 각각 인수분해하여 약분한다.

$$\lim_{x \to 2} \frac{x^2+9x-22}{x-2} = \lim_{x \to 2} \frac{(x-2)(x+11)}{x-2}$$
$$= \lim_{x \to 2} (x+11) = 13 \qquad \text{답 } 13$$

15 Act① 분모 또는 분자에 무리식이 있는 $\dfrac{0}{0}$ 꼴의 극한은 근호가 있는 쪽을 유리화한 다음 공통인수로 약분한다.

$$\lim_{x \to 2} \frac{x^2-x-2}{\sqrt{x+2}-2} = \lim_{x \to 2} \frac{(x-2)(x+1)(\sqrt{x+2}+2)}{(\sqrt{x+2}-2)(\sqrt{x+2}+2)}$$
$$= \lim_{x \to 2} \frac{(x-2)(x+1)(\sqrt{x+2}+2)}{x-2}$$
$$= \lim_{x \to 2} (x+1)(\sqrt{x+2}+2)$$
$$= 3(\sqrt{2+2}+2)$$
$$= 12 \qquad \text{답 } 12$$

16 Act① 분모 또는 분자에 무리식이 있는 $\dfrac{0}{0}$ 꼴의 극한은 근호가 있는 쪽을 유리화한 다음 공통인수로 약분한다.

$$\lim_{x \to 1} \frac{x^2+2x-3}{\sqrt{x+3}-2} = \lim_{x \to 1} \frac{(x-1)(x+3)(\sqrt{x+3}+2)}{(\sqrt{x+3}-2)(\sqrt{x+3}+2)}$$
$$= \lim_{x \to 1} \frac{(x-1)(x+3)(\sqrt{x+3}+2)}{x-1}$$
$$= \lim_{x \to 1} (x+3)(\sqrt{x+3}+2)$$
$$= 4(\sqrt{1+3}+2) = 16 \qquad \text{답 } 16$$

기출유형 05

Act① $\dfrac{\infty}{\infty}$ 꼴의 극한은 분모의 최고차항으로 분모, 분자를 나눈다.

$$\lim_{x \to \infty} \frac{3x^3+3x-7}{x^3-2x^2+1} = \lim_{x \to \infty} \frac{3+\dfrac{3}{x^2}-\dfrac{7}{x^3}}{1-\dfrac{2}{x}+\dfrac{1}{x^3}} = 3 \qquad \text{답 } ③$$

17 Act① $\dfrac{\infty}{\infty}$ 꼴의 극한은 분모의 최고차항으로 분모, 분자를 나눈다.

$$\lim_{x \to \infty} \frac{(x-2)(2x+1)}{3x^2+1} = \lim_{x \to \infty} \frac{2x^2-3x-2}{3x^2+1}$$

$$= \lim_{x \to \infty} \frac{2-\dfrac{3}{x}-\dfrac{2}{x^2}}{3+\dfrac{1}{x^2}}$$
$$= \frac{2}{3} \qquad \text{답 } ④$$

18 Act① $\dfrac{\infty}{\infty}$ 꼴의 극한은 분모의 최고차항으로 분모, 분자를 나눈다.

$\lim_{x \to \infty} \dfrac{f(x)}{x} = a \ (a \neq 0)$라 하면

$$\lim_{x \to \infty} \frac{2x^2-f(x)}{x^2+2f(x)} = \lim_{x \to \infty} \frac{2-\dfrac{1}{x} \times \dfrac{f(x)}{x}}{1+\dfrac{2}{x} \times \dfrac{f(x)}{x}}$$
$$= \frac{2-0 \times a}{1+0 \times a} = 2 \qquad \text{답 } ②$$

19 Act① $x=-t$로 놓고 분모의 최고차항으로 분모, 분자를 나눈다.

$x=-t$로 놓으면 $x \to -\infty$일 때, $t \to \infty$이므로

$$\lim_{x \to -\infty} \frac{x+2}{\sqrt{x^2+2x}-x} = \lim_{t \to \infty} \frac{-t+2}{\sqrt{t^2-2t}+t}$$
$$= \lim_{t \to \infty} \frac{-1+\dfrac{2}{t}}{\sqrt{1-\dfrac{2}{t}}+1} = -\frac{1}{2} \qquad \text{답 } ②$$

20 Act① $x=-t$로 놓고 분모의 최고차항으로 분모, 분자를 나눈다.

$x=-t$로 놓으면 $x \to -\infty$일 때, $t \to \infty$이므로

$$\lim_{x \to -\infty} \frac{f(x)}{x} = \lim_{t \to \infty} \frac{f(-t)}{-t} = a$$
$$\therefore \lim_{t \to \infty} \frac{f(-t)}{t} = -a$$
$$\lim_{x \to -\infty} \frac{3f(x)-1}{\sqrt{x^2-f(x)}+f(x)} = \lim_{t \to \infty} \frac{3f(-t)-1}{\sqrt{t^2-f(-t)}+f(-t)}$$
$$= \lim_{t \to \infty} \frac{3 \times \dfrac{f(-t)}{t}-\dfrac{1}{t}}{\sqrt{1-\dfrac{1}{t} \times \dfrac{f(-t)}{t}}+\dfrac{f(-t)}{t}}$$
$$= \frac{3 \times (-a)-0}{\sqrt{1-0 \times (-a)}+(-a)}$$
$$= \frac{-3a}{1-a} = 4$$
$$-3a = 4-4a \quad \therefore a = 4 \qquad \text{답 } 4$$

기출유형 06

Act① 분모를 1로 보고 분자를 유리화하여 $\dfrac{\infty}{\infty}$ 꼴로 변형한다.

$$\lim_{x \to \infty} (\sqrt{4x^2+12x}-2x)$$
$$= \lim_{x \to \infty} \frac{(\sqrt{4x^2+12x}-2x)(\sqrt{4x^2+12x}+2x)}{\sqrt{4x^2+12x}+2x}$$

$$= \lim_{x \to \infty} \frac{12x}{\sqrt{4x^2+12x}+2x}$$

$$= \lim_{x \to \infty} \frac{12}{\sqrt{4+\dfrac{12}{x}}+2} = 3$$

답 ④

21 Act❶ 분모를 1로 보고 분자를 유리화하여 $\dfrac{\infty}{\infty}$ 꼴로 변형한다.

$$\lim_{x \to \infty} \sqrt{x}(\sqrt{x+4}-\sqrt{x})$$

$$= \lim_{x \to \infty} \frac{\sqrt{x}(\sqrt{x+4}-\sqrt{x})(\sqrt{x+4}+\sqrt{x})}{\sqrt{x+4}+\sqrt{x}}$$

$$= \lim_{x \to \infty} \frac{4\sqrt{x}}{\sqrt{x+4}+\sqrt{x}}$$

$$= \lim_{x \to \infty} \frac{4}{\sqrt{1+\dfrac{4}{x}}+\sqrt{1}} = 2$$

답 ②

22 Act❶ 주어진 식을 통분하여 $\dfrac{0}{0}$ 꼴로 변형한다.

$$\lim_{x \to 0} x\left(\frac{1}{2x-1}+\frac{1}{x}\right) = \lim_{x \to 0} \frac{x(x+2x-1)}{(2x-1)x}$$

$$= \lim_{x \to 0} \frac{3x-1}{2x-1} = 1$$

답 ①

23 Act❶ 주어진 식을 통분하여 $\dfrac{0}{0}$ 꼴로 변형한다.

$$\lim_{x \to -1} \frac{1}{x+1}\left(\frac{5x-1}{x-1}+3x\right)$$

$$= \lim_{x \to -1} \left\{\frac{1}{x+1} \times \frac{5x-1+3x(x-1)}{x-1}\right\}$$

$$= \lim_{x \to -1} \frac{3x^2+2x-1}{(x+1)(x-1)}$$

$$= \lim_{x \to -1} \frac{(x+1)(3x-1)}{(x+1)(x-1)}$$

$$= \lim_{x \to -1} \frac{3x-1}{x-1}$$

$$= \frac{-4}{-2} = 2$$

답 ②

24 Act❶ 주어진 식을 통분한 후 유리화하여 $\dfrac{\infty}{\infty}$ 꼴로 변형한다.

$$\lim_{x \to \infty} x\left(\frac{\sqrt{x}}{\sqrt{4x+1}}-\frac{1}{2}\right)$$

$$= \lim_{x \to \infty} \frac{x(2\sqrt{x}-\sqrt{4x+1})}{2\sqrt{4x+1}}$$

$$= \lim_{x \to \infty} \frac{x(4x-4x-1)}{2\sqrt{4x+1}(2\sqrt{x}+\sqrt{4x+1})}$$

$$= \lim_{x \to \infty} \frac{-x}{2\sqrt{4x+1}(2\sqrt{x}+\sqrt{4x+1})}$$

$$= \lim_{x \to \infty} \frac{-1}{2\sqrt{4+\dfrac{1}{x}}\left(2+\sqrt{4+\dfrac{1}{x}}\right)}$$

$$= \frac{-1}{4 \times (2+2)} = -\frac{1}{16}$$

답 ④

기출유형 07

Act❶ $x \to 2$일 때 (분모) $\to 0$이고 극한값이 존재하므로 (분자) $\to 0$이어야 함을 이용한다.

$x \to 2$일 때 (분모) $\to 0$이고 극한값이 존재하므로 (분자) $\to 0$이어야 한다.

$$\lim_{x \to 2} (x^3-a) = 8-a = 0 \quad \therefore a = 8$$

$$\lim_{x \to 2} \frac{x^3-8}{x-2} = \lim_{x \to 2} \frac{(x-2)(x^2+2x+4)}{x-2}$$

$$= \lim_{x \to 2} (x^2+2x+4) = 12 = b$$

$$\therefore a+b = 20$$

답 20

25 Act❶ $x \to 1$일 때 (분모) $\to 0$이고 극한값이 존재하므로 (분자) $\to 0$이어야 함을 이용한다.

$x \to 1$일 때 (분모) $\to 0$이고 극한값이 존재하므로 (분자) $\to 0$이어야 한다.

$$\lim_{x \to 1} (x^2+ax) = 1+a = 0 \quad \therefore a = -1$$

$$\lim_{x \to 1} \frac{x^2-x}{x-1} = \lim_{x \to 1} \frac{x(x-1)}{x-1} = \lim_{x \to 1} x = 1 = b \quad \therefore b = 1$$

$$\therefore a+b = 0$$

답 ③

26 Act❶ $x \to 3$일 때 (분모) $\to 0$이고 극한값이 존재하므로 (분자) $\to 0$이어야 함을 이용한다.

$x \to 3$일 때 (분모) $\to 0$이고 극한값이 존재하므로 (분자) $\to 0$이어야 한다.

$$\lim_{x \to 3} (\sqrt{x+a}-2) = 0 \quad \therefore a = 1$$

$$\lim_{x \to 3} \frac{\sqrt{x+1}-2}{x-3} = \lim_{x \to 3} \frac{(\sqrt{x+1}-2)(\sqrt{x+1}+2)}{(x-3)(\sqrt{x+1}+2)}$$

$$= \lim_{x \to 3} \frac{x-3}{(x-3)(\sqrt{x+1}+2)}$$

$$= \lim_{x \to 3} \frac{1}{\sqrt{x+1}+2} = \frac{1}{4} = b$$

$$\therefore 2a+4b = 2 \times 1 + 4 \times \frac{1}{4} = 3$$

답 3

27 Act❶ $x \to 2$일 때 (분모) $\to 0$이고 극한값이 존재하므로 (분자) $\to 0$이어야 함을 이용한다.

$x \to 2$일 때 (분모) $\to 0$이고 극한값이 존재하므로 (분자) $\to 0$이어야 한다.

$$\lim_{x \to 2} (\sqrt{x+a}-2) = 0 \quad \therefore a = 2$$

$$\lim_{x \to 2} \frac{\sqrt{x+2}-2}{x-2} = \lim_{x \to 2} \frac{(\sqrt{x+2}-2)(\sqrt{x+2}+2)}{(x-2)(\sqrt{x+2}+2)}$$

$$= \lim_{x \to 2} \frac{x-2}{(x-2)(\sqrt{x+2}+2)}$$

$$= \lim_{x \to 2} \frac{1}{\sqrt{x+2}+2} = \frac{1}{4} = b$$

$$\therefore 10a+4b = 10 \times 2 + 4 \times \frac{1}{4} = 21$$

답 21

28 [Act①] $\dfrac{\infty}{\infty}$ 꼴의 극한은 분모의 최고차항으로 분모, 분자를 나누고, $\dfrac{0}{0}$ 꼴의 극한은 분모, 분자를 각각 인수분해하여 약분한다.

$$\lim_{x\to\infty}\frac{ax^2}{x^2-1}=\lim_{x\to\infty}\frac{a}{1-\dfrac{1}{x^2}}=\frac{a}{1-0}=2\text{이므로 } a=2$$

$$\lim_{x\to1}\frac{a(x-1)}{x^2-1}=\lim_{x\to1}\frac{a(x-1)}{(x+1)(x-1)}$$
$$=\lim_{x\to1}\frac{a}{x+1}=\frac{a}{2}=b$$

$a=2$이므로 $b=1$ $\therefore a+b=3$ 답 3

기출유형 08

29 [Act①] 첫 번째 식에서 $f(x)-3x^2$은 x와 차수가 같고 최고차항의 계수의 비가 10이므로 $f(x)=3x^2+10x+a$ (a는 상수)로 놓는다.

$$\lim_{x\to\infty}\frac{f(x)-3x^2}{x}=10\text{이므로}$$
$f(x)=3x^2+10x+a$라 하면
$$\lim_{x\to1}f(x)=20\text{에서}$$
$3+10+a=20,\ a=7$
따라서 $f(x)=3x^2+10x+7$이므로
$f(0)=7$ 답 ⑤

29 [Act①] 첫 번째 식에서 $f(x)-x^3$은 x^2+1과 차수가 같고 최고차항의 계수의 비가 2이므로 $f(x)=x^3+2x^2+ax+b$로 놓는다.

$$\lim_{x\to\infty}\frac{f(x)-x^3}{x^2+1}=2\text{이므로}$$
$f(x)=x^3+2x^2+ax+b$ ($a,\ b$는 상수)라 하면
$$\lim_{x\to-1}\frac{f(x)}{x+1}=5\text{에서 } x\to -1\text{일 때 (분모)} \to 0\text{이고 극한값}$$
이 존재하므로 $\displaystyle\lim_{x\to-1}f(x)=0$이어야 한다.

$$\lim_{x\to-1}f(x)=-1+2-a+b=0$$
$b=a-1$
$$\lim_{x\to-1}\frac{f(x)}{x+1}=\lim_{x\to-1}\frac{x^3+2x^2+ax+a-1}{x+1}$$
$$=\lim_{x\to-1}\frac{(x+1)(x^2+x+a-1)}{x+1}$$
$$=\lim_{x\to-1}(x^2+x+a-1)$$
$$=a-1=5$$
$\therefore a=6,\ b=5$
따라서 $f(x)=x^3+2x^2+6x+5$이므로 $f(1)=14$ 답 14

30 [Act①] 조건 (가)에서 $f(x)-x^2$은 $3x^2+2x+5$와 차수가 같고 최고차항의 계수의 비가 $\dfrac{1}{3}$이므로 $f(x)=2x^2+ax+b$로 놓고 조건 (나)에서 $\displaystyle\lim_{x\to0}f(x)=0$임을 이용한다.

조건 (가)에서 $\displaystyle\lim_{x\to\infty}\frac{f(x)-x^2}{3x^2+2x+5}=\frac{1}{3}$이므로

$f(x)=2x^2+ax+b$ ($a,\ b$는 상수)라 하면

조건 (나)에서 $x\to 0$일 때 (분모)$\to 0$이고 극한값이 존재하므로 $\displaystyle\lim_{x\to0}f(x)=0$이어야 한다.

$$\lim_{x\to0}f(x)=b=0$$
$$\lim_{x\to0}\frac{f(x)}{x^2+x}=\lim_{x\to0}\frac{2x^2+ax}{x^2+x}$$
$$=\lim_{x\to0}\frac{x(2x+a)}{x(x+1)}$$
$$=\lim_{x\to0}\frac{2x+a}{x+1}$$
$$=a=-1$$
따라서 $f(x)=2x^2-x$이므로 $f(3)=15$ 답 15

31 [Act①] 조건 (가)에서 $f(x)-x^3$은 $3x$와 차수가 같고 최고차항의 계수의 비가 2이므로 $f(x)$는 삼차항의 계수가 1, 이차항의 계수가 0, 일차항의 계수가 6임을 이용한다.

조건 (가)에서 $\displaystyle\lim_{x\to\infty}\frac{f(x)-x^3}{3x}=2$이므로

$f(x)-x^3=6x+a$ (a는 상수)라 하면
$f(x)=x^3+6x+a$
조건 (나)에서
$$\lim_{x\to0}f(x)=\lim_{x\to0}(x^3+6x+a)=-7$$
$\therefore a=-7$
따라서 $f(x)=x^3+6x-7$이므로
$f(2)=8+12-7=13$ 답 13

32 [Act①] 조건 (가)에서 $\displaystyle\lim_{x\to\infty}\frac{f(x)}{x^2}=-1$이므로 $f(x)$는 이차항의 계수가 -1인 이차함수임을 이용한다.

조건 (가)에서 $\displaystyle\lim_{x\to\infty}\frac{f(x)}{x^2}=-1$이므로

$f(x)=-x^2+ax+b$ ($a,\ b$는 상수)라 하면
조건 (나)에서 $x\to 0$일 때 (분모)$\to 0$이고 극한값이 존재하므로 $\displaystyle\lim_{x\to0}\{f(x)-3\}=0$이어야 한다.

$$\lim_{x\to0}\{f(x)-3\}=\lim_{x\to0}\{-x^2+ax+b-3\}=0$$
$b-3=0$ $\therefore b=3$
$$\lim_{x\to0}\frac{f(x)-3}{x^2}=\lim_{x\to0}\frac{-x^2+ax}{x^2}=\lim_{x\to0}\left(-1+\frac{a}{x}\right)=-1$$
$\therefore a=0$
따라서 $f(x)=-x^2+3$이므로 $f(1)=2$ 답 2

기출유형 09

[Act①] $f(x)\le h(x)\le g(x)$에서 $\displaystyle\lim_{x\to a}f(x)=\lim_{x\to a}g(x)=\alpha$이면 $\displaystyle\lim_{x\to a}h(x)=\alpha$임을 이용한다.

$3x-1<f(x)<\dfrac{3x^2+2x+1}{x+1}$ 에서

$\dfrac{3x-1}{x}<\dfrac{f(x)}{x}<\dfrac{3x^2+2x+1}{x^2+x}$

이때 $\displaystyle\lim_{x\to\infty}\dfrac{3x-1}{x}=3$, $\displaystyle\lim_{x\to\infty}\dfrac{3x^2+2x+1}{x^2+x}=3$이므로

함수의 극한의 대소 관계에 의하여

$\displaystyle\lim_{x\to\infty}\dfrac{f(x)}{x}=3$　　　　　　답 3

33 Act① $f(x)\le h(x)\le g(x)$에서 $\displaystyle\lim_{x\to a}f(x)=\lim_{x\to a}g(x)=\alpha$이

면 $\displaystyle\lim_{x\to a}h(x)=\alpha$임을 이용한다.

$\sqrt{x^2+x+1}<f(x)<\sqrt{x^2+x+5}$에서

$\dfrac{\sqrt{x^2+x+1}}{x}<\dfrac{f(x)}{x}<\dfrac{\sqrt{x^2+x+5}}{x}$

이때 $\displaystyle\lim_{x\to\infty}\dfrac{\sqrt{x^2+x+1}}{x}=\lim_{x\to\infty}\dfrac{\sqrt{1+\dfrac{1}{x}+\dfrac{1}{x^2}}}{1}=1$,

$\displaystyle\lim_{x\to\infty}\dfrac{\sqrt{x^2+x+5}}{x}=\lim_{x\to\infty}\dfrac{\sqrt{1+\dfrac{1}{x}+\dfrac{5}{x^2}}}{1}=1$이므로

함수의 극한의 대소 관계에 의하여 $\displaystyle\lim_{x\to\infty}\dfrac{f(x)}{x}=1$　　답 1

34 Act① $f(x)\le h(x)\le g(x)$에서 $\displaystyle\lim_{x\to a}f(x)=\lim_{x\to a}g(x)=\alpha$이

면 $\displaystyle\lim_{x\to a}h(x)=\alpha$임을 이용한다.

$5x+3\le xf(x)<\dfrac{5x^2-2x+3}{x}$에서

$\dfrac{5x+3}{x}\le f(x)<\dfrac{5x^2-2x+3}{x^2}$

이때 $\displaystyle\lim_{x\to\infty}\dfrac{5x+3}{x}=5$, $\displaystyle\lim_{x\to\infty}\dfrac{5x^2-2x+3}{x^2}=5$이므로

함수의 극한의 대소 관계에 의하여

$\displaystyle\lim_{x\to\infty}f(x)=5$　　　　　　답 5

35 Act① $f(x)\le h(x)\le g(x)$에서 $\displaystyle\lim_{x\to a}f(x)=\lim_{x\to a}g(x)=\alpha$이

면 $\displaystyle\lim_{x\to a}h(x)=\alpha$임을 이용한다.

$\dfrac{x+3}{4x^3+3x+2}<f(x)<\dfrac{x+3}{4x^3+2x+1}$에서

$\dfrac{8(x^2+1)(x+3)}{4x^3+3x+2}<8(x^2+1)f(x)<\dfrac{8(x^2+1)(x+3)}{4x^3+2x+1}$

이때 $\displaystyle\lim_{x\to\infty}\dfrac{8(x^2+1)(x+3)}{4x^3+3x+2}=2$,

$\displaystyle\lim_{x\to\infty}\dfrac{8(x^2+1)(x+3)}{4x^3+2x+1}=2$이므로

함수의 극한의 대소 관계에 의하여

$\displaystyle\lim_{x\to\infty}8(x^2+1)f(x)=2$　　　　　답 ①

36 Act① $f(x)\le h(x)\le g(x)$에서 $\displaystyle\lim_{x\to a}f(x)=\lim_{x\to a}g(x)=\alpha$이

면 $\displaystyle\lim_{x\to a}h(x)=\alpha$임을 이용한다.

$4x+5<f(x)<4x+9$에서

$\dfrac{4x+5}{2x+1}<\dfrac{f(x)}{2x+1}<\dfrac{4x+9}{2x+1}$

이때 $\displaystyle\lim_{x\to\infty}\dfrac{4x+5}{2x+1}=2$, $\displaystyle\lim_{x\to\infty}\dfrac{4x+9}{2x+1}=2$이므로

함수의 극한의 대소 관계에 의하여

$\displaystyle\lim_{x\to\infty}\dfrac{f(x)}{2x+1}=2$　　　　　답 2

기출유형 10

Act① 구하는 선분의 길이를 식으로 나타낸 후 함수의 극한의
성질을 이용하여 극한값을 구한다.

$\displaystyle\lim_{k\to 0+}\dfrac{\overline{OA}-\overline{AC}}{\overline{OB}-\overline{BC}}=\lim_{k\to 0+}\dfrac{\sqrt{k^2+9k}-3\sqrt{k}}{\sqrt{k^2+k}-\sqrt{k}}$

$=\displaystyle\lim_{k\to 0+}\dfrac{\sqrt{k+9}-3}{\sqrt{k+1}-1}=\lim_{k\to 0+}\dfrac{k(\sqrt{k+1}+1)}{k(\sqrt{k+9}+3)}$

$=\displaystyle\lim_{k\to 0+}\dfrac{\sqrt{k+1}+1}{\sqrt{k+9}+3}=\dfrac{1}{3}$　　답 ③

37 Act① 기울기가 m이고 점 (x_1, y_1)을 지나는 직선의 방정식은
$y-y_1=m(x-x_1)$임을 이용하여 점 Q의 좌표를 구하고 구하는
선분의 길이를 식으로 나타낸 후 함수의 극한의 성질을 이용하여
극한값을 구한다.

직선 PQ의 방정식은

$y=-(x-t)+t+1$

　$=-x+2t+1$

$\therefore \text{Q}(0, 2t+1)$

$\overline{\text{AP}}^2=(t+1)^2+(t+1)^2$

　$=2t^2+4t+2$

$\overline{\text{AQ}}^2=(-1)^2+(2t+1)^2$

　$=4t^2+4t+2$

$\therefore \displaystyle\lim_{t\to\infty}\dfrac{\overline{\text{AQ}}^2}{\overline{\text{AP}}^2}=\lim_{t\to\infty}\dfrac{4t^2+4t+2}{2t^2+4t+2}=2$　　답 ③

38 Act① 기울기가 m이고 점 (x_1, y_1)을 지나는 직선의 방정식은
$y-y_1=m(x-x_1)$임을 이용하여 점 D의 좌표를 구하고 구하는
선분의 길이를 식으로 나타낸 후 함수의 극한의 성질을 이용하여
극한값을 구한다.

점 C는 선분 AB의 중점이므로 $\text{C}\left(\dfrac{3}{2}t, \dfrac{\sqrt{2}}{2}t\right)$

직선 AB의 기울기가 $-\sqrt{2}$이므로 점 C를 지나고 직선 AB
에 수직인 직선을 l이라 하면

직선 l의 방정식은

$y=\dfrac{\sqrt{2}}{2}\left(x-\dfrac{3}{2}t\right)+\dfrac{\sqrt{2}}{2}t$

점 D는 직선 l과 직선 $x=2t$의 교점이므로

점 D의 좌표는 $\text{D}\left(2t, \dfrac{3\sqrt{2}}{4}t\right)$

$f(t)=\overline{\text{CD}}=\sqrt{\left(2t-\dfrac{3}{2}t\right)^2+\left(\dfrac{3\sqrt{2}}{4}t-\dfrac{\sqrt{2}}{2}t\right)^2}$

$$=\frac{\sqrt{6}}{4}t$$

$$\lim_{t\to4}\frac{t^2-16}{f(t)-\sqrt6}=\lim_{t\to4}\frac{t^2-4^2}{\frac{\sqrt6}{4}t-\sqrt6}$$

$$=\lim_{t\to4}\frac{4(t-4)(t+4)}{\sqrt6(t-4)}$$

$$=\lim_{t\to4}\frac{4(t+4)}{\sqrt6}$$

$$=\frac{16\sqrt6}{3}$$

$k=\frac{16\sqrt6}{3}$ 이므로 $3k^2=512$ 답 512

VIT **V**ery **I**mportant **T**est   pp. 18~19

01. ③   **02.** ③   **03.** 6   **04.** ④   **05.** ②
06. ②   **07.** ④   **08.** ②   **09.** 37   **10.** 5
11. 8   **12.** 5

01

③ $\lim_{x\to0+}\dfrac{|x|}{x^3}=\lim_{x\to0+}\dfrac{1}{x^2}=\infty$,

$\lim_{x\to0-}\dfrac{|x|}{x^3}=\lim_{x\to0-}-\dfrac{1}{x^2}=-\infty$

이므로 $\lim_{x\to0}\dfrac{|x|}{x^3}$가 존재하지 않는

다.   답 ③

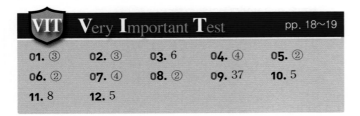

02

$x-1=t$라 하면 $x\to2+$일 때 $t\to1+$이므로

$\lim_{x\to2+}f(x-1)=\lim_{t\to1+}f(t)=2$

$2x=s$라 하면 $x\to1-$일 때, $s\to2-$이므로

$\lim_{x\to1-}f(2x)=\lim_{s\to2-}f(s)=1$

$\therefore \lim_{x\to2+}f(x-1)+\lim_{x\to1-}f(2x)=3$ 답 ③

03

$\lim_{x\to\infty}f(x)=-\infty$, $\lim_{x\to\infty}\{f(x)-3g(x)\}=2$이므로

$\lim_{x\to\infty}\dfrac{f(x)-3g(x)}{f(x)}=0$이다.

또, $\lim_{x\to\infty}\dfrac{f(x)-3g(x)}{f(x)}=\lim_{x\to\infty}\left\{1-3\dfrac{g(x)}{f(x)}\right\}=0$이므로

$\lim_{x\to\infty}\dfrac{g(x)}{f(x)}=\dfrac{1}{3}$이다.

$\therefore \lim_{x\to\infty}\dfrac{4f(x)+6g(x)}{2f(x)-3g(x)}=\lim_{x\to\infty}\dfrac{4+6\dfrac{g(x)}{f(x)}}{2-3\dfrac{g(x)}{f(x)}}$

$$=\frac{4+2}{2-1}=6$$ 답 6

04

$$\lim_{x\to1}\frac{x^2-1}{\sqrt{x+3}-2}=\lim_{x\to1}\frac{(x^2-1)(\sqrt{x+3}+2)}{(\sqrt{x+3}-2)(\sqrt{x+3}+2)}$$

$$=\lim_{x\to1}\frac{(x-1)(x+1)(\sqrt{x+3}+2)}{x-1}$$

$$=\lim_{x\to1}(x+1)(\sqrt{x+3}+2)$$

$$=2\times4=8$$ 답 ④

05

$$\lim_{x\to\infty}\frac{4x^2-3x+2}{2x^2+x+5}=\lim_{x\to\infty}\frac{4-\dfrac{3}{x}+\dfrac{2}{x^2}}{2+\dfrac{1}{x}+\dfrac{5}{x^2}}=2$$ 답 ②

06

$$\lim_{x\to\infty}(\sqrt{ax^2+2x+3}-\sqrt{x^2+ax+2})$$

$$=\lim_{x\to\infty}\frac{(a-1)x^2+(2-a)x+1}{\sqrt{ax^2+2x+3}+\sqrt{x^2+ax+2}}$$

이때 극한값을 가지므로 $a=1$

$$b=\lim_{x\to\infty}\frac{x+1}{\sqrt{x^2+2x+3}+\sqrt{x^2+x+2}}$$

$$=\lim_{x\to\infty}\frac{1+\dfrac{1}{x}}{\sqrt{1+\dfrac{2}{x}+\dfrac{3}{x^2}}+\sqrt{1+\dfrac{1}{x}+\dfrac{2}{x^2}}}=\frac{1}{2}$$

$\therefore a+b=1+\dfrac{1}{2}=\dfrac{3}{2}$ 답 ②

07

$x\to-1$일 때, (분모)$\to0$이고 극한값이 존재하므로 $x\to-1$일 때, (분자)$\to0$이어야 한다.

$\lim_{x\to-1}(x^2+ax+b)=1-a+b=0$에서 $b=a-1$

$\lim_{x\to-1}\dfrac{x^2+ax+b}{x^3+1}$

$=\lim_{x\to-1}\dfrac{x^2+ax+a-1}{x^3+1}=\lim_{x\to-1}\dfrac{(x+1)(x-1+a)}{(x+1)(x^2-x+1)}$

$=\lim_{x\to-1}\dfrac{x-1+a}{x^2-x+1}=\dfrac{a-2}{3}=2$

따라서 $a=8$, $b=7$이므로 $a+b=15$ 답 ④

08

$x\to1$일 때 (분모)$\to0$이므로 (분자)$\to0$이다.

$\lim_{x\to1}(a\sqrt x+b)=0$

$a+b=0$, $b=-a$

$\lim_{x\to1}\dfrac{a\sqrt x+b}{x-1}=\lim_{x\to1}\dfrac{a\sqrt x-a}{x-1}=\lim_{x\to1}\dfrac{a(\sqrt x-1)}{x-1}$

$$=\lim_{x\to1}\frac{a(x-1)}{(x-1)(\sqrt x+1)}=\lim_{x\to1}\frac{a}{\sqrt x+1}$$

$$=\frac{a}{2}=1$$

따라서 $a=2$이고 $b=-2$이므로

$ab=-4$ 답 ②

09

$\lim\limits_{x \to 0} \dfrac{f(x)}{x} = 5$, $\lim\limits_{x \to \frac{1}{2}} \dfrac{f(x)}{2x-1} = 8$이므로

$f(x) = x(2x-1)(ax+b)$ (a, b는 상수)

로 놓을 수 있다.

$\lim\limits_{x \to 0} \dfrac{f(x)}{x} = \lim\limits_{x \to 0} (2x-1)(ax+b) = -b$에서 $-b=5$이므로

$b = -5$

$\lim\limits_{x \to \frac{1}{2}} \dfrac{f(x)}{2x-1} = \lim\limits_{x \to \frac{1}{2}} x(ax+b) = \dfrac{1}{2}\left(\dfrac{a}{2}+b\right)$에서

$\dfrac{1}{2}\left(\dfrac{a}{2}+b\right) = 8$이므로 $\dfrac{a}{2} = 21$

$\therefore a = 42$

따라서 $f(x) = x(2x-1)(42x-5)$이므로 $f(1) = 37$ 답 37

10

$\dfrac{2-3x+5x^2}{x} < (x+1)f(x) \le 5x-2$

$x+1 > 0$이므로

$\dfrac{2-3x+5x^2}{x(x+1)} < f(x) \le \dfrac{5x-2}{x+1}$

이때 $\lim\limits_{x \to \infty} \dfrac{2-3x+5x^2}{x^2+x} = \lim\limits_{x \to \infty} \dfrac{5x-2}{x+1} = 5$이므로

$\lim\limits_{x \to \infty} f(x) = 5$ 답 5

11

조건 (가)에서 함수 $f(x)$는 일차함수이고 일차항의 계수는 3이므로 $f(x) = 3x+k$로 놓자.

조건 (나)에서 $x \to \dfrac{1}{3}$일 때, (분모)$\to 0$이고 극한값이 존재하므로 $x \to \dfrac{1}{3}$일 때, (분자)$\to 0$이어야 한다.

즉 $\lim\limits_{x \to \frac{1}{3}} f(x) = 0$이므로 $3 \times \dfrac{1}{3} + k = 0$, $k = -1$

따라서 $f(x) = 3x-1$이므로

$f(3) = 9-1 = 8$ 답 8

12

선분 OA의 중점 M의 좌표는 $\left(\dfrac{t}{2}, \dfrac{\sqrt{t}}{2}\right)$,

직선 OA의 기울기는 $\dfrac{\sqrt{t}}{t}$이므로 중점 $M\left(\dfrac{t}{2}, \dfrac{\sqrt{t}}{2}\right)$를 지나고 직선 OA와 수직인 직선의 방정식은

$y = -\sqrt{t}\left(x - \dfrac{t}{2}\right) + \dfrac{\sqrt{t}}{2}$

이 직선이 x축과 만나는 점의 x좌표 $f(t)$는

$f(t) = \dfrac{t+1}{2}$

또 y축과 만나는 점의 y좌표 $g(t)$는

$g(t) = \dfrac{\sqrt{t}(t+1)}{2}$

$\therefore \lim\limits_{t \to 0} \dfrac{\{g(t)\}^2}{2f(t)-1} = \lim\limits_{t \to 0} \dfrac{\frac{1}{4}t(t+1)^2}{(t+1)-1} = \dfrac{1}{4}$

따라서 $p=4$, $q=1$이므로 $p+q=5$ 답 5

---

02 함수의 연속

01. ⑤	02. ③	03. ③	04. ③	05. 3

01

ㄱ. $f(-3) = \dfrac{9}{-6-3} = -1$ (거짓)

ㄴ. $x > 0$일 때, $f(x) = \dfrac{x^2}{2x-x} = x$ (참)

ㄷ. $\lim\limits_{x \to 0-} f(x) = \lim\limits_{x \to 0-} \dfrac{x^2}{2x-|x|} = \lim\limits_{x \to 0-} \dfrac{x^2}{2x-(-x)}$

    $= \lim\limits_{x \to 0-} \dfrac{x}{3} = 0$

    $\lim\limits_{x \to 0+} f(x) = \lim\limits_{x \to 0+} \dfrac{x^2}{2x-|x|} = \lim\limits_{x \to 0+} \dfrac{x^2}{2x-x} = \lim\limits_{x \to 0+} x = 0$

    $\therefore \lim\limits_{x \to 0} f(x) = 0$

이때 $f(0) = a$에서 $a=0$이면 함수 $f(x)$는 $x=0$에서 연속이 된다. (참)

따라서 옳은 것은 ㄴ, ㄷ이다.   답 ⑤

02

ㄱ. $\lim\limits_{x \to 0+} f(x) = 1$ (참)

ㄴ. $\lim\limits_{x \to 2-} f(x) = 1 \ne -1$ (거짓)

ㄷ. $\lim\limits_{x \to 2-} |f(x)| = |1| = 1$, $\lim\limits_{x \to 2+} |f(x)| = |-1| = 1$

    $\therefore \lim\limits_{x \to 2} |f(x)| = 1$

이때 $|f(2)| = |-1| = 1$이므로 $\lim\limits_{x \to 2} |f(x)| = |f(2)|$

즉 함수 $|f(x)|$는 $x=2$에서 연속이다. (참)   답 ③

03

함수 $f(x)$가 연속함수이므로 $\lim\limits_{x \to 2} f(x) = f(2)$

$\lim\limits_{x \to 2} \dfrac{(x^2-4)f(x)}{x-2} = \lim\limits_{x \to 2} \dfrac{(x-2)(x+2)f(x)}{x-2}$

    $= \lim\limits_{x \to 2} (x+2)f(x)$

    $= \lim\limits_{x \to 2} (x+2) \times \lim\limits_{x \to 2} f(x)$

    $= 4f(2) = 12$

$\therefore f(2) = 3$ 답 ③

04

ㄱ. $f(x) = 2(x-1)^2 - 1$은 실수 전체에서 연속이므로 닫힌구간 $[-1, 1]$에서 연속이다. 즉 이 구간에서 반드시 최댓값과 최솟값을 갖는다.

ㄴ. $g(x) = \sqrt{x+1}$은 닫힌구간 $[-1, 1]$에서 연속이므로 최대·최소 정리에 의하여 이 구간에서 반드시 최댓값과 최솟값을 갖는다.

ㄷ. $h(x) = \dfrac{1}{x}$은 $x \ne 0$인 모든 실수 x에 대하여 연속이다. 그러나 그림과 같이

$\lim\limits_{x \to 0-} h(x) = -\infty$,

친절한 해설 • 9

$\lim\limits_{x \to 0+} h(x)=\infty$이므로 닫힌구간 $[-1,\ 1]$에서 최댓값과 최솟값을 갖지 않는다.

따라서 닫힌구간 $[-1,\ 1]$에서 최댓값과 최솟값을 모두 갖는 함수는 ㄱ, ㄴ이다.   **답 ③**

05 $f(x)$는 연속함수이고

$f(-2)>0,\ f(0)<0,\ f(1)>0,\ f(4)<0$

이때 $f(-2)f(0)<0,\ f(0)f(1)<0,\ f(1)f(4)<0$이므로 사잇값의 정리에 의하여 방정식 $f(x)=0$은 열린구간 $(-2,\ 0)$, $(0,\ 1),\ (1,\ 4)$에서 각각 적어도 하나의 실근을 갖는다.

따라서 방정식 $f(x)=0$은 열린구간 $(-2,\ 4)$에서 적어도 3개의 실근을 갖는다.   **답 3**

<table>
<tr><td colspan="5">**유형따라잡기**   pp. 22~27</td></tr>
<tr><td>기출유형 01 6</td><td>**01.** 12</td><td>**02.** ②</td><td>**03.** ②</td><td>**04.** ⑤</td></tr>
<tr><td>기출유형 02 ③</td><td>**05.** ①</td><td>**06.** ③</td><td></td><td></td></tr>
<tr><td>기출유형 03 ④</td><td>**07.** ④</td><td>**08.** ⑤</td><td>**09.** ④</td><td>**10.** 10</td></tr>
<tr><td>기출유형 04 ②</td><td>**11.** ⑤</td><td>**12.** ②</td><td></td><td></td></tr>
<tr><td>기출유형 05 ⑤</td><td>**13.** ②</td><td>**14.** 8</td><td>**15.** 4</td><td>**16.** 5</td></tr>
<tr><td>기출유형 06 ⑤</td><td>**17.** 3</td><td>**18.** 3</td><td>**19.** 56</td><td></td></tr>
</table>

기출유형 01

Act① 함수 $f(x)$가 $x=2$에서 연속이려면

$\lim\limits_{x \to 2-} f(x)=\lim\limits_{x \to 2+} f(x)=f(2)$**이어야 함을 이용한다.**

$f(x)$가 $x=2$에서 연속이려면

$\lim\limits_{x \to 2-} f(x)=\lim\limits_{x \to 2+} f(x)=f(2)$이어야 한다.

$\lim\limits_{x \to 2-} f(x)=a+2,\ \lim\limits_{x \to 2+} f(x)=3a-2$이므로

$a+2=3a-2,\ a=2$

따라서 $x=2$에서의 극한값은 $\lim\limits_{x \to 2} f(x)=4$이므로

$f(2)=\lim\limits_{x \to 2} f(x)=4$

$\therefore a+f(2)=2+4=6$ **답 6**

01 **Act①** 함수 $f(x)$가 $x=1$에서 연속이려면

$\lim\limits_{x \to 1-} f(x)=\lim\limits_{x \to 1+} f(x)=f(1)$**이어야 함을 이용한다.**

$f(x)$가 $x=1$에서 연속이려면

$\lim\limits_{x \to 1-} f(x)=\lim\limits_{x \to 1+} f(x)=f(1)$이어야 한다.

$\lim\limits_{x \to 1-}(2x+a)=2+a,\ \lim\limits_{x \to 1+}(x+13)=14,\ f(1)=14$

이므로

$2+a=14 \quad \therefore a=12$ **답 12**

02 **Act①** 함수 $f(x)g(x)$가 $x=2$에서 연속이려면

$\lim\limits_{x \to 2-} f(x)g(x)=\lim\limits_{x \to 2+} f(x)g(x)=f(2)g(2)$**이어야 함을 이용한다.**

$f(x)g(x)$가 $x=2$에서 연속이려면

$\lim\limits_{x \to 2-} f(x)g(x)=\lim\limits_{x \to 2+} f(x)g(x)=f(2)g(2)$이어야 한다.

$\lim\limits_{x \to 2-} f(x)g(x)=\lim\limits_{x \to 2-}\{(-x^2+a)\times(x-4)\}$

$\qquad\qquad\qquad =(-4+a)\times(-2)=8-2a$

$\lim\limits_{x \to 2+} f(x)g(x)=\lim\limits_{x \to 2+}\left\{(x^2-4)\times\dfrac{1}{x-2}\right\}$

$\qquad\qquad\qquad =\lim\limits_{x \to 2+}(x+2)=4$

$f(2)g(2)=(-4+a)\times(-2)=8-2a$

이므로

$8-2a=4 \quad \therefore a=2$ **답 ②**

03 **Act①** 함수 $\{g(x)\}^2$이 $x=0$에서 연속이려면

$\lim\limits_{x \to 0-}\{g(x)\}^2=\lim\limits_{x \to 0+}\{g(x)\}^2=\{g(0)\}^2$**이어야 함을 이용한다.**

$\{g(x)\}^2$이 $x=0$에서 연속이려면

$\lim\limits_{x \to 0-}\{g(x)\}^2=\lim\limits_{x \to 0+}\{g(x)\}^2=\{g(0)\}^2$이어야 한다.

$\lim\limits_{x \to 0-}\{g(x)\}^2=\lim\limits_{x \to 0-}\{f(x+1)\}^2=a^2$

$\lim\limits_{x \to 0+}\{g(x)\}^2=\lim\limits_{x \to 0+}\{f(x-1)\}^2=(2+a)^2$

$\{g(0)\}^2=\{f(1)\}^2=a^2$

이므로

$(2+a)^2=a^2 \quad \therefore a=-1$ **답 ②**

04 **Act①** $\lim\limits_{x \to 0-}\{f(x)+g(x)\}=\alpha,\ \lim\limits_{x \to 0+}\{f(x)-g(x)\}=\beta$**로 나타내어 두 식을 변끼리 더한다.**

$\lim\limits_{x \to 0-}\{f(x)+g(x)\}=\lim\limits_{x \to 0-}(x^2+4)=4$

$\lim\limits_{x \to 0+}\{f(x)-g(x)\}=\lim\limits_{x \to 0+}(x^2+2x+8)=8$

위의 식을 변끼리 더하면

$\left\{\lim\limits_{x \to 0-} f(x)+\lim\limits_{x \to 0+} f(x)\right\}+\left\{\lim\limits_{x \to 0-} g(x)-\lim\limits_{x \to 0+} g(x)\right\}=12$

이때 $\lim\limits_{x \to 0-} f(x)=\lim\limits_{x \to 0+} f(x)=f(0)$이므로

$2f(0)+\left\{\lim\limits_{x \to 0-} g(x)-\lim\limits_{x \to 0+} g(x)\right\}=12$

$2f(0)+6=12 \quad \therefore f(0)=3$ **답 ⑤**

기출유형 02

Act① 좌극한, 우극한, 함숫값을 비교하여 [보기]의 참, 거짓을 판단한다.

ㄱ. $\lim\limits_{x \to 0+} f(x)=1$ (참)

ㄴ. $\lim\limits_{x \to 1-} f(x)=2,\ \lim\limits_{x \to 1+} f(x)=2$이므로 $\lim\limits_{x \to 1} f(x)=2$

이때 $f(1)=1$이므로

$\lim\limits_{x\to1}f(x)\neq f(1)$ (거짓)

ㄷ. $g(x)=(x-1)f(x)$로 놓으면

$\lim\limits_{x\to1}g(x)=\lim\limits_{x\to1}(x-1)f(x)=0$

$g(1)=(1-1)\times f(1)=0$

따라서 $g(x)=(x-1)f(x)$는 $x=1$에서 연속이다. (참)

답 ③

05 **Act①** 함수 $f(x)g(x)$가 실수 전체의 집합에서 연속이려면 $x=1$, $x=3$에서 연속이어야 함을 이용한다.

이차함수 $g(x)$는 실수 전체의 집합에서 연속이므로 함수 $f(x)g(x)$가 실수 전체의 집합에서 연속이려면 $x=1$, $x=3$에서 연속이어야 한다.

(i) $\lim\limits_{x\to1-}f(x)g(x)=2\times g(1)$, $\lim\limits_{x\to1+}f(x)g(x)=1\times g(1)$,

$f(1)g(1)=2\times g(1)$

이므로 $2g(1)=g(1)$

$\therefore g(1)=0$

(ii) $\lim\limits_{x\to3-}f(x)g(x)=1\times g(3)$, $\lim\limits_{x\to3+}f(x)g(x)=2\times g(3)$,

$f(3)g(3)=2\times g(3)$에서 $g(3)=2g(3)$

$\therefore g(3)=0$

(i), (ii)에서 이차함수 $g(x)$는 두 근이 1과 3이고 최고차항의 계수가 1이므로

$g(x)=(x-1)(x-3)$

$\therefore g(2)=-1$

답 ①

06 **Act①** 좌극한, 우극한, 함숫값을 비교하여 [보기]의 참, 거짓을 판단한다.

주어진 조건에 따라

$g(x)=f(x)+|f(x)|$, $h(x)=f(x)+f(-x)$의 그래프를 그리면 아래와 같다.

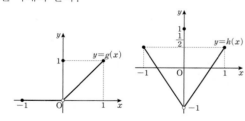

ㄱ. $\lim\limits_{x\to0-}g(x)=0$, $\lim\limits_{x\to0+}g(x)=0$이므로 $\lim\limits_{x\to0}g(x)=0$ (참)

ㄴ. $\lim\limits_{x\to0-}|h(x)|=|-1|=1$,

$\lim\limits_{x\to0+}|h(x)|=|-1|=1$, $|h(0)|=1$

이므로 함수 $|h(x)|$는 $x=0$에서 연속이다. (참)

ㄷ. $\lim\limits_{x\to0}g(x)=0$, $\lim\limits_{x\to0}|h(x)|=1$에서

$\lim\limits_{x\to0}g(x)|h(x)|=0\times1=0$

$g(0)|h(0)|=1\times1=1$

$\lim\limits_{x\to0}g(x)|h(x)|\neq g(0)|h(0)|$이므로

함수 $g(x)|h(x)|$는 $x=0$에서 불연속이다. (거짓)

답 ③

기출유형 03

Act① 함수 $f(x)$가 실수 전체의 집합에서 연속이면 $x=2$에서도 연속이어야 함을 이용한다.

함수 $f(x)$는 $x=2$에서 연속이므로

$\lim\limits_{x\to2-}(x+1)=\lim\limits_{x\to2+}(x^2-4x+a)=f(2)$

$3=-4+a$

$\therefore a=7$

답 ④

07 **Act①** 함수 $f(x)$가 실수 전체의 집합에서 연속이면 $x=1$에서도 연속이어야 함을 이용한다.

함수 $f(x)$는 $x=1$에서 연속이므로

$\lim\limits_{x\to1-}(2x^2+ax+1)=\lim\limits_{x\to1+}(-3x+b)=f(1)$

$a+3=-3+b=7$

따라서 $a=4$, $b=10$이므로 $a+b=14$

답 ④

08 **Act①** 함수 $|f(x)|$가 실수 전체의 집합에서 연속이면 $x=a$에서도 연속이어야 함을 이용한다.

함수 $|f(x)|$는 $x=a$에서 연속이므로

$\lim\limits_{x\to a-}|x+2|=\lim\limits_{x\to a+}|x^2-4|=|a+2|$

$|a+2|=|a^2-4|$, $a^2-4=\pm(a+2)$

(i) $a^2-4=a+2$일 때

$a^2-a-6=0$, $(a+2)(a-3)=0$ $\therefore a=-2$ 또는 $a=3$

(ii) $a^2-4=-(a+2)$일 때

$a^2+a-2=0$, $(a+2)(a-1)=0$ $\therefore a=-2$ 또는 $a=1$

(i), (ii)에서 함수 $|f(x)|$가 실수 전체의 집합에서 연속이 되도록 하는 실수 a의 값은 -2, 1, 3으로 그 합은

$(-2)+1+3=2$

답 ⑤

09 **Act①** 함수 $f(x)$가 실수 전체의 집합에서 연속이면 $x=3$에서도 연속이어야 함을 이용한다.

함수 $f(x)$는 $x=3$에서 연속이므로

$\lim\limits_{x\to3}f(x)=f(3)$

$\lim\limits_{x\to3}\dfrac{x^2-5x+a}{x-3}=b$

$x\to3$일 때 (분모) $\to0$이고 극한값이 존재하므로 (분자) $\to0$이어야 한다.

$\lim\limits_{x\to3}(x^2-5x+a)=9-15+a=0$

$\therefore a=6$

$\lim\limits_{x\to3}\dfrac{x^2-5x+6}{x-3}=\lim\limits_{x\to3}\dfrac{(x-2)(x-3)}{x-3}$

$=\lim\limits_{x\to3}(x-2)$

$=1=b$

$$\therefore a+b=7 \qquad\qquad\qquad \text{답 ④}$$

10 Act① 함수 $f(x)$가 실수 전체의 집합에서 연속이면 $x=2$에서도 연속이어야 함을 이용한다.

함수 $f(x)$는 $x=2$에서 연속이므로

$$\lim_{x\to 2} f(x)=f(2)$$

$$\lim_{x\to 2}\frac{x^2+ax-10}{x-2}=b$$

$x\to 2$일 때 (분모)$\to 0$이고 극한값이 존재하므로 (분자)$\to 0$이어야 한다.

$$\lim_{x\to 2}(x^2+ax-10)=4+2a-10=0$$

$$\therefore a=3$$

$$\lim_{x\to 2}\frac{x^2+3x-10}{x-2}=\lim_{x\to 2}\frac{(x-2)(x+5)}{x-2}$$
$$=\lim_{x\to 2}(x+5)=7=b$$

$$\therefore a+b=10 \qquad\qquad\qquad \text{답 10}$$

기출유형 04

Act① 연속함수의 성질을 이용하여 [보기]의 참, 거짓을 판단한다.

ㄱ. [반례]
$$f(x)=\begin{cases}1\ (x<1)\\ -1\ (x\geq 1)\end{cases},\ g(x)=\begin{cases}-1\ (x<1)\\ 1\ (x\geq 1)\end{cases}$$
일 때, $f(x)+g(x)=0$이므로 연속이다. (거짓)

ㄴ. [반례]
$$f(x)=\begin{cases}1\ (x<1)\\ -1\ (x\geq 1)\end{cases},\ g(x)=\begin{cases}-1\ (x<1)\\ 1\ (x\geq 1)\end{cases}$$
일 때, $f(x)g(x)=-1$이므로 연속이다. (거짓)

ㄷ. [반례]
$$f(x)=0,\ g(x)=\begin{cases}-1\ (x<1)\\ 1\ (x\geq 1)\end{cases}$$
일 때, $f(x)$, $f(x)g(x)$는 연속이지만 $g(x)$는 불연속이다. (거짓)

ㄹ. 연속인 두 함수의 합, 차, 곱은 주어진 구간에서 모두 연속이고, 몫은 분모를 0으로 하는 점을 제외한 구간에서 연속이다. (참) 답 ②

11 Act① 연속함수의 성질을 이용하여 [보기]의 참, 거짓을 판단한다.

ㄱ. $x=\pm 1$에서 불연속 (참)

ㄴ. $\displaystyle\lim_{x\to 1}(x-1)f(x)=(1-1)f(1)=0$이므로
   $x=1$에서 연속 (참)

ㄷ. $y=\{f(x)\}^2=x^2$ 이므로 실수 전체에서 연속 (참)
   답 ⑤

12 Act① 연속함수의 성질을 이용하여 [보기]의 참, 거짓을 판단한다.

$$f(x)=\begin{cases}1\ (x\neq 0)\\ 2\ (x=0)\end{cases},\ g(t)=\begin{cases}0\ (t\leq -1)\\ 1\ (-1<t<1)\\ 0\ (t\geq 1)\end{cases}$$

ㄱ. $g(0)=1$ (참)

ㄴ. $\displaystyle\lim_{x\to 1-} g(x)+\lim_{x\to -1+} g(x)=1+1=2$ (참)

ㄷ. $\displaystyle\lim_{x\to 0-}\frac{g(x)}{f(x)}=\lim_{x\to 0+}\frac{g(x)}{f(x)}=1,\ \frac{g(0)}{f(0)}=\frac{1}{2}$이므로
   $$\lim_{x\to 0}\frac{g(x)}{f(x)}\neq \frac{g(0)}{f(0)}$$
   따라서 함수 $\dfrac{g(x)}{f(x)}$는 $x=0$에서 불연속이다. (거짓)
   답 ②

기출유형 05

Act① 함수 $f(x)$의 그래프를 그린 후 주어진 구간에서 최댓값과 최솟값을 구한다.

닫힌구간 $[0,\ 2]$에서 함수
$f(x)=-x^2-4x+3=-(x+2)^2+7$은
연속이고 그래프는 그림과 같다.
따라서 함수 $f(x)$는 $x=0$에서 최댓값
3, $x=2$에서 최솟값 -9를 갖는다.
$$\therefore M-m=3-(-9)=12 \qquad \text{답 ⑤}$$

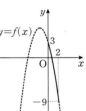

13 Act① 함수 $f(x)$의 그래프를 그린 후 주어진 구간에서 최댓값과 최솟값을 구한다.

닫힌구간 $[0,\ 3]$에서 함수
$f(x)=x^2-2x-3=(x-1)^2-4$는 연속
이고 그래프는 그림과 같다.
따라서 함수 $f(x)$는 $x=3$에서 최댓값
0, $x=1$에서 최솟값 -4를 갖는다.
$$\therefore M+m=0+(-4)=-4 \qquad \text{답 ②}$$

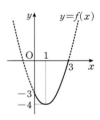

14 Act① 함수 $f(x)$의 그래프를 그린 후 주어진 구간에서 최댓값과 최솟값을 구한다.

닫힌구간 $[1,\ 3]$에서 함수 $f(x)=\dfrac{15}{x+2}$는 연속이고 그래프
는 그림과 같다.
따라서 함수 $f(x)$는 $x=1$에서
최댓값 5, $x=3$에서 최솟값 3을
갖는다.
$$\therefore M+m=5+3=8 \qquad \text{답 8}$$

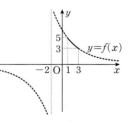

15 Act① 함수 $f(x)$의 그래프를 그린 후 주어진 구간에서 최댓값과 최솟값을 구한다.

닫힌구간 $[-2,\ 6]$에서 함수
$f(x)=\sqrt{x+3}$은 연속이고 그래프는 그림과 같다.
따라서 함수 $f(x)$는 $x=6$에서
최댓값 3, $x=-2$에서 최솟값 1
을 갖는다.

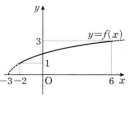

$$\therefore M+m=3+1=4 \qquad \text{답 } 4$$

16 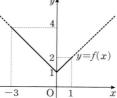 함수 $f(x)$의 그래프를 그린 후 주어진 구간에서 최댓값과 최솟값을 구한다.

닫힌구간 $[-3,\ 1]$에서 함수 $f(x)=|x|+1$은 연속이고 그래프는 그림과 같다.

따라서 함수 $f(x)$는 $x=-3$에서 최댓값 4, $x=0$에서 최솟값 1을 갖는다.

$$\therefore M+m=4+1=5 \qquad \text{답 } 5$$

기출유형 06

Act❶ 연속함수 $f(x)$에 대하여 $f(a)f(b)<0$이면 방정식 $f(x)=0$은 열린구간 $(a,\ b)$에서 적어도 하나의 실근을 갖는다.

$f(x)=3x^3-5x^2+1$이라 하면 $f(x)$는 연속함수이고

$f(-2)=-43<0$, $f(-1)=-7<0$

$f(0)=1>0$, $f(1)=-1<0$, $f(2)=5>0$

이므로 사잇값의 정리에 의하여 방정식 $f(x)=0$의 해가 열린구간 $(-1,\ 0)$, $(0,\ 1)$, $(1,\ 2)$에 각각 적어도 하나씩 존재한다.

따라서 [보기]에서 실근이 속하는 구간은 ㄴ, ㄷ, ㄹ이다.

$\qquad$ 답 ⑤

17 Act❶ 연속함수 $f(x)$에 대하여 $f(a)f(b)<0$이면 방정식 $f(x)=0$은 열린구간 $(a,\ b)$에서 적어도 하나의 실근을 갖는다.

$\displaystyle\lim_{x\to 0+}\left\{f(x)+\frac{4}{x}\right\}=\infty$, $f(1)+\dfrac{4}{1}=-1<0$,

$f(2)+\dfrac{4}{2}=2>0$, $f(3)+\dfrac{4}{3}=-\dfrac{2}{3}<0$,

$f(4)+\dfrac{4}{4}=-1<0$

이므로 사잇값의 정리에 의하여 $f(x)$는 열린구간 $(0,\ 4)$에서 적어도 3개의 실근을 가진다. $\qquad$ 답 3

18 Act❶ 연속함수 $f(x)$에 대하여 $f(-1)f(1)<0$이면 방정식 $f(x)=0$은 열린구간 $(-1,\ 1)$에서 적어도 하나의 실근을 갖는다.

$f(x)=x^3-3x+a$라 하면 함수 $f(x)$는 연속함수이고 방정식 $f(x)=0$이 열린구간 $(-1,\ 1)$에서 적어도 하나의 실근을 가지려면 $f(-1)f(1)<0$이어야 하므로

$(a+2)(a-2)<0 \quad \therefore -2<a<2$

따라서 정수 a의 개수는 -1, 0, 1의 3이다. $\qquad$ 답 3

19 Act❶ $f(0)f(2)<0$,

$\displaystyle\lim_{x\to a-}f(x)g(x)=\lim_{x\to a+}f(x)g(x)=f(a)g(a)$을 만족시키는 a의 값을 구한다.

주어진 이차함수 $f(x)$는 축의 방정식이 $x=4$이고 조건 (가)에서 방정식 $f(x)=0$은 열린구간 $(0,\ 2)$에서 적어도 하나의 실근을 가지므로

$f(0)f(2)=a(a-12)<0$

$\therefore 0<a<12 \quad\cdots\cdots\ \text{㉠}$

조건 (나)에서 함수 $f(x)g(x)$는 $x=a$에서 연속이므로

$$\lim_{x\to a-}f(x)g(x)=\lim_{x\to a+}f(x)g(x)=f(a)g(a)$$

이다.

$$\lim_{x\to a-}f(x)g(x)=\lim_{x\to a-}(x^2-8x+a)f(x+4)$$
$$=(a^2-8a+a)\{(a+4)^2-8(a+4)+a\}$$
$$=a(a-7)(a^2+a-16)$$

$$\lim_{x\to a+}f(x)g(x)=\lim_{x\to a+}(x^2-8x+a)(2x+5a)$$
$$=7a^2(a-7)$$

$f(a)g(a)=7a^2(a-7)$

이므로

$a(a-7)(a^2+a-16)=7a^2(a-7)$

$a(a-7)(a-8)(a+2)=0$

$\therefore a=0$ 또는 $a=7$ 또는 $a=8$ 또는 $a=-2 \quad\cdots\cdots\ \text{㉡}$

따라서 ㉠, ㉡을 만족시키는 모든 실수 a의 값은 7, 8이므로 구하는 곱은 56이다. $\qquad$ 답 56

VIT Very **I**mportant **T**est $\qquad$ pp. 28~29

01. ④	**02.** ③	**03.** ④	**04.** ①	**05.** 3
06. 1	**07.** ③	**08.** ②	**09.** ③	**10.** 2
11. ④	**12.** ⑤			

01

함수 $f(x)$는 $x=2$에서 연속이므로 $\displaystyle\lim_{x\to 2}f(x)=f(2)$이다.

$\displaystyle\lim_{x\to 2}f(x)=\lim_{x\to 2}\frac{\sqrt{x^2+1}-a}{x-2}$에서 $x\to 2$일 때, (분모)$\to 0$이고 극한값이 존재하므로 $x\to 2$일 때, (분자)$\to 0$이다.

$\displaystyle\lim_{x\to 2}(\sqrt{x^2+1}-a)=\sqrt{2^2+1}-a=0$이므로 $a=\sqrt{5}$

$$\therefore \lim_{x\to 2}\frac{\sqrt{x^2+1}-\sqrt{5}}{x-2}=\lim_{x\to 2}\frac{(x^2+1)-5}{(x-2)(\sqrt{x^2+1}+\sqrt{5})}$$
$$=\lim_{x\to 2}\frac{(x-2)(x+2)}{(x-2)(\sqrt{x^2+1}+\sqrt{5})}$$
$$=\lim_{x\to 2}\frac{x+2}{\sqrt{x^2+1}+\sqrt{5}}$$
$$=\frac{4}{2\sqrt{5}}=\frac{2}{\sqrt{5}}=b$$

$$\therefore a^2b^2=(\sqrt{5})^2\times\left(\frac{2}{\sqrt{5}}\right)^2=4 \qquad \text{답 } ④$$

02

$x=1$, $x=3$에서 그래프가 끊어져 있으므로 $x=1$, $x=3$에서의 연속성을 조사한다.

(ⅰ) $\displaystyle\lim_{x\to 1-}f(x)=\lim_{x\to 1+}f(x)$이므로

$\lim\limits_{x\to1} f(x)$의 값은 존재한다. 하지만 $\lim\limits_{x\to1} f(x)\neq f(1)$이므로
함수 $f(x)$는 $x=1$에서 불연속이다.

(ii) $\lim\limits_{x\to3-} f(x)\neq \lim\limits_{x\to3+} f(x)$이므로

　　$\lim\limits_{x\to3} f(x)$의 값이 존재하지 않으므로 함수 $f(x)$는 $x=3$에서
　　불연속이다.

따라서 $a=1$, $b=2$이므로
$a+b=1+2=3$　　　　　　　　　　　　　　　　답 ③

03

함수 $f(x)$가 모든 실수 x에 대하여 연속이므로 $x=-2$에서도 연속이다.

즉 $\lim\limits_{x\to-2} f(x)=f(-2)$가 되어야 하므로 $\lim\limits_{x\to-2}\dfrac{x^2+ax+b}{x+2}=5$

$x\to-2$일 때 (분모) $\to0$이므로 (분자) $\to0$이다.

즉 $\lim\limits_{x\to-2}(x^2+ax+b)=0$이므로

$4-2a+b=0$

$\therefore b=2a-4$　　$\cdots\cdots$ ㉠

$\lim\limits_{x\to-2}\dfrac{x^2+ax+2a-4}{x+2}=\lim\limits_{x\to-2}\dfrac{(x+2)(x-2+a)}{x+2}$

$\qquad\qquad\qquad\qquad =\lim\limits_{x\to-2}(x-2+a)$

$\therefore -4+a=5$　　$\cdots\cdots$ ㉡

㉠, ㉡에서 $a=9$, $b=14$이므로
$a+b=9+14=23$　　　　　　　　　　　　　　답 ④

04

함수 $f(x)$는 $x=1$에서 연속이어야 하므로

$f(1)=\lim\limits_{x\to1}\dfrac{\sqrt{4+x}-\sqrt{6-x}}{x-1}$

$\qquad =\lim\limits_{x\to1}\dfrac{(4+x)-(6-x)}{(x-1)(\sqrt{4+x}+\sqrt{6-x})}$

$\qquad =\lim\limits_{x\to1}\dfrac{2}{\sqrt{4+x}+\sqrt{6-x}}=\dfrac{2}{\sqrt5+\sqrt5}=\dfrac{\sqrt5}{5}$　　답 ①

05

함수 $\dfrac{f(x)}{g(x)}$가 양의 실수 전체의 집합에서 연속이려면 $x=1$에서 연속이어야 한다.

$\lim\limits_{x\to1+}\dfrac{f(x)}{g(x)}=\lim\limits_{x\to1+}\dfrac{x^2+ax+b}{\sqrt{x}-1}$

여기서 $x\to1+$일 때, (분모) $\to0$이므로 (분자) $\to0$에서

$\lim\limits_{x\to1+}(x^2+ax+b)=0$　$\therefore b=-a-1$

$b=-a-1$을 주어진 식에 대입하면

$\lim\limits_{x\to1+}\dfrac{f(x)}{g(x)}=\lim\limits_{x\to1+}\dfrac{x^2+ax-(a+1)}{\sqrt{x}-1}$

$\qquad\qquad\qquad =\lim\limits_{x\to1+}\dfrac{(x-1)(x+a+1)}{\sqrt{x}-1}$

$\qquad\qquad\qquad =\lim\limits_{x\to1+}(\sqrt{x}+1)(x+a+1)$

$\qquad\qquad\qquad =2(a+2)$

$\lim\limits_{x\to1-}\dfrac{f(x)}{g(x)}=\lim\limits_{x\to1-}\dfrac{x^2+ax-(a+1)}{3}=0$

$\dfrac{f(1)}{g(1)}=\dfrac{1+a+b}{3}=\dfrac{1+a+(-a-1)}{3}=0$

즉 $2(a+2)=0$이므로 $a=-2$

따라서 $a=-2$, $b=1$이므로 $b-a=3$　　　　　답 3

06

$x\neq-2$일 때, $f(x)=\dfrac{ax^2-bx}{x+2}$

$f(x)$가 $x=-2$에서 연속이므로

$f(-2)=\lim\limits_{x\to-2} f(x)=\lim\limits_{x\to-2}\dfrac{ax^2-bx}{x+2}$

$x\to-2$일 때 (분모) $\to0$이고 극한값이 존재하므로
(분자) $\to0$이다.

즉 $\lim\limits_{x\to-2}(ax^2-bx)=0$이므로

$4a+2b=0$, $b=-2a$

$\lim\limits_{x\to-2}\dfrac{ax^2+2ax}{x+2}=\lim\limits_{x\to-2}\dfrac{ax(x+2)}{x+2}=-2a=2$

따라서 $a=-1$, $b=2$이므로
$a+b=1$　　　　　　　　　　　　　　　　　　답 1

07

ㄱ. $\lim\limits_{x\to1-} f(x)g(x)=\lim\limits_{x\to1-}(2x-1)\times\lim\limits_{x\to1-}(x^2+x-2)$

$\qquad\qquad\qquad\quad =1\times0=0$

　$\lim\limits_{x\to1+} f(x)g(x)=\lim\limits_{x\to1+}(-x)\times\lim\limits_{x\to1+}(x^2+x-2)$

$\qquad\qquad\qquad\quad =(-1)\times0=0$

　$f(1)g(1)=1\times0=0$

　이므로 함수 $f(x)g(x)$는 $x=1$에서 연속이다.

ㄴ. $\lim\limits_{x\to1-} f(x)g(x)=\lim\limits_{x\to1-}(2x-1)\times\lim\limits_{x\to1-}(x+1)$

$\qquad\qquad\qquad\quad =1\times2=2$

　$\lim\limits_{x\to1+} f(x)g(x)=\lim\limits_{x\to1+}(-x)\times\lim\limits_{x\to1+}(x+1)$

$\qquad\qquad\qquad\quad =(-1)\times2=-2$

　이므로 $\lim\limits_{x\to1} f(x)g(x)$가 존재하지 않는다.

　따라서 함수 $f(x)g(x)$는 $x=1$에서 불연속이다.

ㄷ. $\lim\limits_{x\to1-} f(x)g(x)=\lim\limits_{x\to1-}(2x-1)\times\lim\limits_{x\to1-}x=1\times1=1$

　$\lim\limits_{x\to1+} f(x)g(x)=\lim\limits_{x\to1+}(-x)\times\lim\limits_{x\to1+}(-x)$

$\qquad\qquad\qquad\quad =(-1)\times(-1)=1$

　$f(1)g(1)=1\times1=1$

　이므로 함수 $f(x)g(x)$는 $x=1$에서 연속이다.

따라서 함수 $f(x)g(x)$가 $x=1$에서 연속이 되도록 하는 함수 $g(x)$는 ㄱ, ㄷ이다.　　　　　　　　　　　답 ③

08

$f(x)=\dfrac{1}{x^2-2x-15}=\dfrac{1}{(x+3)(x-5)}$ 이므로 함수 $f(x)$는 열린구간 $(-3,\ 5)$에서 연속이다.

닫힌구간 $[1,\ a]\ (1<a<5)$에서

$g(x)=x^2-2x-15=(x-1)^2-16$이라 하면

$g(x)$는 $x=1$에서 최솟값 -16, $x=a$에서 최댓값 $a^2-2a-15$를 갖는다.

따라서 함수 $f(x)$는 $x=1$에서 최댓값이 $-\dfrac{1}{16}$이고, $x=a$에서

최솟값이 $\dfrac{1}{a^2-2a-15}$이므로

$-\dfrac{1}{16}-\dfrac{1}{a^2-2a-15}=\dfrac{1}{48}$

$\dfrac{1}{a^2-2a-15}=-\dfrac{1}{12}$

$a^2-2a-15=-12,\ a^2-2a-3=0,\ (a+1)(a-3)=0$

$\therefore a=-1$ 또는 $a=3$

그런데 $1<a<5$이므로 $a=3$ 답 ②

09

함수 $f(x)=x^3+2x-13$이라 하면 함수 $f(x)$는 닫힌구간 $[2,\ 3]$에서 연속이고

$f(2)=-1<0,\ f(3)=20>0$

이므로 사잇값의 정리에 의하여 $f(c)=0$인 c가 열린구간 $(2,\ 3)$에 적어도 하나 존재한다.

즉 방정식 $x^3+2x-13=0$은 열린구간 $(2,\ 3)$에서 적어도 하나의 실근을 갖는다.   답 ③

10

$f(x)=2x$, 즉 $f(x)-2x=0$에서

$g(x)=f(x)-2x$라 하면 $f(x)$가 연속함수이므로 $g(x)$는 연속함수이다.

이때

$g(1)=f(1)-2\times1=5-2=3>0$

$g(2)=f(2)-2\times2=2-4=-2<0$

$g(3)=f(3)-2\times3=-3-6=-9<0$

$g(4)=f(4)-2\times4=10-8=2>0$

이므로 사잇값의 정리에 의하여 방정식 $g(x)=0$, 즉 $f(x)=2x$는 열린구간 $(1,\ 2),\ (3,\ 4)$에서 적어도 하나씩의 실근을 갖는다.

따라서 열린구간 $(1,\ 4)$에서 방정식 $f(x)=2x$는 적어도 2개의 실근을 가지므로 n의 최댓값은 2이다.   답 2

11

함수 $f(x)g(x)$는 $x=0$, $x=a$에서 연속이므로

만일 $a<0$이면

$f(0)g(0)=3\times(-1)=-3$

$\lim\limits_{x\to0+}f(x)g(x)=3\times(-1)=-3$

$\lim\limits_{x\to0-}f(x)g(x)=4\times(-1)=-4$이므로

함수 $f(x)g(x)$가 $x=0$에서 불연속이다.

즉 $a\geq0$이다.

이때 $x=a$에서 함수 $f(x)g(x)$의 연속성을 조사하면

$f(a)g(a)=(-3a+3)(3a-1)$

$\lim\limits_{x\to a+}f(x)g(x)=(-3a+3)(3a-1)$

$\lim\limits_{x\to a-}f(x)g(x)=(-3a+3)\times3a$

이므로 함수 $f(x)g(x)$가 $x=a$에서 연속이려면

$(-3a+3)(3a-1)=(-3a+3)\times3a$이어야 한다.

$(-3a+3)(3a-1-3a)=0$

$\therefore a=1$ 답 ④

12

ㄱ. $g(x)=f(x)+2x$라 하면 함수 $g(x)$는 닫힌구간 $[0,\ 1]$에서 연속이고 $g(0)=2>0$, $g(1)=2>0$이므로 $g(c)=0$인 c가 열린구간 $(0,\ 1)$에 존재하는지 알 수 없다.

즉 방정식 $f(x)+2x=0$은 열린구간 $(0,\ 1)$에서 실근을 갖는지 알 수 없다.

ㄴ. $g(x)=f(x)-x^2$이라 하면 함수 $g(x)$는 닫힌구간 $[0,\ 1]$에서 연속이고 $g(0)=2>0$, $g(1)=-1<0$이므로 사잇값의 정리에 의하여 $g(c)=0$인 c가 열린구간 $(0,\ 1)$에 적어도 하나 존재한다.

즉 방정식 $f(x)-x^2=0$은 열린구간 $(0,\ 1)$에서 적어도 하나의 실근을 갖는다.

ㄷ. $g(x)=f(x)-\dfrac{1}{x+1}$이라 하면 함수 $g(x)$는 닫힌구간 $[0,\ 1]$에서 연속이고 $g(0)=1>0$, $g(1)=-\dfrac{1}{2}<0$이므로 사잇값의 정리에 의하여 $g(c)=0$인 c가 열린구간 $(0,\ 1)$에 적어도 하나 존재한다.

즉 방정식 $f(x)-\dfrac{1}{x+1}=0$은 열린구간 $(0,\ 1)$에서 적어도 하나의 실근을 갖는다.

이상에서 실근이 열린구간 $(0,\ 1)$에 반드시 존재하는 방정식은 ㄴ, ㄷ이다.   답 ⑤

II 미분

03 미분계수

p. 31

01 함수 $f(x)=ax^2-x+5$에서 x의 값이 0에서 3까지 변할 때의 평균변화율은

$$\frac{\Delta y}{\Delta x}=\frac{f(3)-f(0)}{3-0}=\frac{(9a+2)-5}{3}=\frac{9a-3}{3}=3a-1$$

이때 $3a-1=5$에서 $3a=6$ $\therefore a=2$ 답 2

02 $\displaystyle\lim_{h\to0}\frac{f(2+h)-f(2)}{3h}=\frac{1}{3}\times\lim_{h\to0}\frac{f(2+h)-f(2)}{h}$

$$=\frac{1}{3}\times f'(2)=5$$

$\therefore f'(2)=15$ 답 ③

03 곡선 $y=f(x)$ 위의 점 $(3,\ 0)$에서의 접선의 기울기가 4이므로 $f'(3)=4$

$$\lim_{h\to0}\frac{f(3+2h)}{h}=\lim_{h\to0}\frac{f(3+2h)-f(3)}{2h}\times2$$
$$=f'(3)\times2$$
$$=4\times2=8$$

답 ④

04 곡선 $y=f(x)$ 위의 점 $(1,\ f(1))$에서의 접선의 기울기가 a이므로 $f'(1)=a$

$$\lim_{x\to1}\frac{f(x^3)-f(1)}{x-1}=\lim_{x\to1}\left\{\frac{f(x^3)-f(1)}{x^3-1}\times(x^2+x+1)\right\}$$
$$=\lim_{x\to1}\frac{f(x^3)-f(1)}{x^3-1}\times\lim_{x\to1}(x^2+x+1)$$
$$=f'(1)\times3=6$$

따라서 $f'(1)=2$이므로 $a=2$ 답 ②

05 ㄱ. $\displaystyle\lim_{x\to0}f(x)=f(0)=0$이므로 함수 $f(x)$는 $x=0$에서 연속이다.

$\displaystyle\lim_{h\to0}\frac{f(0+h)-f(0)}{h}=\lim_{h\to0}\frac{h|h|}{h}=\lim_{h\to0}|h|=0$이므로 미분계수 $f'(0)$이 존재한다.

따라서 $f(x)$는 $x=0$에서 미분가능하다.

ㄴ. $x=0$에서 불연속이므로 $f(x)$는 $x=0$에서 미분가능하지 않다.

ㄷ. $\displaystyle\lim_{x\to0}f(x)=f(0)=0$이므로 함수 $f(x)$는 $x=0$에서 연속

이다.

$\displaystyle\lim_{h\to0}\frac{f(0+h)-f(0)}{h}=\lim_{h\to0}\frac{h^2|h|}{h}=\lim_{h\to0}h|h|=0$이므로 미분계수 $f'(0)$이 존재한다.

따라서 $f(x)$는 $x=0$에서 미분가능하다.   답 ④

06 그래프가 끊겨진 곳에서 불연속이므로 $x=0$, $x=2$, $x=3$에서 불연속이다. 즉 불연속인 점은 3개이므로 $a=3$

불연속인 점과 뾰족한 점에서는 미분가능하지 않으므로 $x=0$, $x=1$, $x=2$, $x=3$에서 미분가능하지 않다. 즉 미분가능하지 않은 점은 4개이므로 $b=4$

$\therefore a+b=7$ 답 ⑤

유형따라잡기
pp. 32~35

기출유형 01

Act① 함수 $f(x)$에서 x의 값이 a에서 b까지 변할 때의 평균변화율은 $\dfrac{\Delta y}{\Delta x}=\dfrac{f(b)-f(a)}{b-a}$임을 이용한다.

함수 $f(x)=x^2+ax+3$에서 x의 값이 1에서 4까지 변할 때의 평균변화율은

$$\frac{f(4)-f(1)}{4-1}=\frac{3a+15}{3}=a+5$$

이므로 $a+5=8$ $\therefore a=3$ 답 3

01 **Act①** 함수 $f(x)$의 $x=a$에서의 미분계수는 $f'(a)=\displaystyle\lim_{h\to0}\frac{f(a+h)-f(a)}{h}$임을 이용한다.

$$f'(1)=\lim_{h\to0}\frac{f(1+h)-f(1)}{h}=\lim_{h\to0}\frac{h^3+4h^2+2h}{h}$$
$$=\lim_{h\to0}(h^2+4h+2)=2$$

답 ②

02 **Act①** 함수 $f(x)$의 $x=a$에서의 미분계수는 $f'(a)=\displaystyle\lim_{h\to0}\frac{f(a+h)-f(a)}{h}$임을 이용한다.

$$f'(2)=\lim_{h\to0}\frac{f(2+h)-f(2)}{h}=\lim_{h\to0}\frac{h^3-2h^2+3h}{h}$$
$$=\lim_{h\to0}(h^2-2h+3)=3$$

답 3

03 **Act①** 평균변화율이 3임을 이용하여 미정계수 a의 값을 구한 다음 미분계수의 정의에 따라 $f'(1)$의 값을 구한다.

$$\frac{f(2)-f(0)}{2-0}=\frac{(8-2a)-0}{2-0}=4-a=3 \quad \therefore a=1$$

$$f'(1)=\lim_{h\to0}\frac{f(1+h)-f(1)}{h}$$
$$=\lim_{h\to0}\frac{\{(1+h)^3-(1+h)\}-(1^3-1)}{h}$$
$$=\lim_{h\to0}\frac{(1+3h+3h^2+h^3)-(1+h)}{h}$$
$$=\lim_{h\to0}(2+3h+h^2)$$
$$=2$$

답 2

04 **Act①** 함수 $f(x)$에서 x의 값이 a에서 b까지 변할 때의 평균변화율은 $\dfrac{\Delta y}{\Delta x}=\dfrac{f(b)-f(a)}{b-a}$ 이고 $x=a$에서의 미분계수는 $f'(a)=\lim_{h\to0}\dfrac{f(a+h)-f(a)}{h}$ 임을 이용한다.

함수 $f(x)=x^2+x$에서 x의 값이 1에서 3까지 변할 때의 평균변화율은
$$\frac{f(3)-f(1)}{3-1}=\frac{12-2}{2}=5$$
$x=a$에서의 미분계수는
$$f'(a)=\lim_{h\to0}\frac{f(a+h)-f(a)}{h}$$
$$=\lim_{h\to0}\frac{(a+h)^2+(a+h)-a^2-a}{h}$$
$$=\lim_{h\to0}\frac{2ah+h^2+h}{h}$$
$$=\lim_{h\to0}(2a+h+1)$$
$$=2a+1$$
따라서 $2a+1=5$이므로 $a=2$

답 ②

기출유형 02

Act① $\lim_{\bigstar\to0}\dfrac{f(a+\bigstar)-f(a)}{\bigstar}$ 와 같이 ★이 모두 같아지도록 변형하면 그 값은 $f'(a)$임을 이용한다.

$$\lim_{h\to0}\frac{f(1+h)-f(1-h)}{h}$$
$$=\lim_{h\to0}\frac{\{f(1+h)-f(1)\}-\{f(1-h)-f(1)\}}{h}$$
$$=\lim_{h\to0}\frac{f(1+h)-f(1)}{h}+\lim_{h\to0}\frac{f(1-h)-f(1)}{-h}$$
$$=f'(1)+f'(1)=2f'(1)=6$$

답 6

05 **Act①** $\lim_{\bigstar\to0}\dfrac{f(a+\bigstar)-f(a)}{\bigstar}$ 와 같이 ★이 모두 같아지도록 변형하면 그 값은 $f'(a)$임을 이용한다.

$$\lim_{h\to0}\frac{f(1+3h)-f(1)-g(h)}{h}$$
$$=\lim_{h\to0}\frac{f(1+3h)-f(1)}{h}-\lim_{h\to0}\frac{g(h)}{h}$$
$$=\lim_{h\to0}\frac{f(1+3h)-f(1)}{3h}\times3-\lim_{h\to0}\frac{g(0+h)-g(0)}{h}$$
$$=3f'(1)-g'(0)=0$$
이때 $f'(1)=4$이므로 $3\times4-g'(0)=0$ $\therefore g'(0)=12$

답 12

06 **Act①** $\lim_{\blacktriangle\to\bigstar}\dfrac{f(\blacktriangle)-f(\bigstar)}{\blacktriangle-\bigstar}$ 과 같이 ▲는 ▲끼리, ★은 ★끼리 각각 같아지도록 변형하면 그 값은 $f'(\bigstar)$임을 이용한다.

$$\lim_{x\to1}\frac{f(x)-f(1)}{x^2-1}=\lim_{x\to1}\left\{\frac{f(x)-f(1)}{x-1}\times\frac{1}{x+1}\right\}$$
$$=f'(1)\times\lim_{x\to1}\frac{1}{x+1}$$
$$=3\times\frac{1}{2}=\frac{3}{2}$$

답 ③

07 **Act①** $\lim_{\blacktriangle\to\bigstar}\dfrac{f(\blacktriangle)-f(\bigstar)}{\blacktriangle-\bigstar}$ 과 같이 ▲는 ▲끼리, ★은 ★끼리 각각 같아지도록 변형하면 그 값은 $f'(\bigstar)$임을 이용한다.

$$\lim_{x\to2}\frac{f(x^2)-3}{x-2}=\lim_{x\to2}\frac{f(x^2)-f(4)}{x-2}$$
$$=\lim_{x\to2}\left\{\frac{f(x^2)-f(4)}{x^2-4}\times(x+2)\right\}$$
$$=f'(4)\times\lim_{x\to2}(x+2)$$
$$=1\times4=4$$

답 4

08 **Act①** 미분계수의 정의를 이용하여 $f'(2)$를 구하고, 두 번째 식을 $f'(2)$의 식으로 나타낸다.

$\lim_{x\to2}(x-2)=0$이므로 $\lim_{x\to2}\{f(x)-1\}=0$
$$\therefore f(2)=1$$
$$\lim_{x\to2}\frac{f(x)-1}{x-2}=\lim_{x\to2}\frac{f(x)-f(2)}{x-2}=f'(2)=2$$
$$\therefore \lim_{h\to0}\frac{f(2+h)-f(2-h)}{h}$$
$$=\lim_{h\to0}\frac{f(2+h)-f(2)}{h}+\lim_{h\to0}\frac{f(2-h)-f(2)}{-h}$$
$$=2f'(2)=2\times2=4$$

답 ⑤

기출유형 03

Act① 점 $(2,0)$에서의 접선의 기울기가 $f'(2)=3$임을 이용한다.

곡선 $y=f(x)$ 위의 점 $(2,0)$에서의 접선의 기울기가 3이므로 $f'(2)=3$
$$\lim_{h\to0}\frac{f(2+3h)}{h}=\lim_{h\to0}\frac{f(2+3h)-f(2)}{3h}\times3$$
$$=f'(2)\times3=3\times3=9$$

답 ④

09 **Act①** 점 $(1,2)$에서의 접선의 기울기는 $f'(1)$임을 이용한다.

$f(x)=3x^2-1$이라 하면 접선의 기울기는 $f'(1)$과 같으므로
$$f'(1)=\lim_{h\to0}\frac{f(1+h)-f(1)}{h}$$
$$=\lim_{h\to0}\frac{\{3(1+h)^2-1\}-(3\times1^2-1)}{h}$$
$$=\lim_{h\to0}\frac{6h+3h^2}{h}$$
$$=\lim_{h\to0}(6+3h)=6$$

답 6

10 **Act①** 점$(1,f(1))$에서의 접선의 기울기가 $f'(1)=3$임을 이용

한다.

$f'(1) \times \left(-\dfrac{1}{3}\right) = -1$이므로 $f'(1) = 3$

$\dfrac{1}{n} = h$라 하면 $n \to \infty$일 때 $h \to 0$이므로

$$\lim_{n \to \infty} n\left\{f\left(1 + \frac{1}{2n}\right) - f\left(1 - \frac{1}{3n}\right)\right\}$$

$$= \lim_{h \to 0} \frac{f\left(1 + \frac{h}{2}\right) - f\left(1 - \frac{h}{3}\right)}{h}$$

$$= \lim_{h \to 0} \left\{\frac{f\left(1 + \frac{h}{2}\right) - f(1)}{\frac{h}{2}} \times \frac{1}{2} + \frac{f\left(1 - \frac{h}{3}\right) - f(1)}{-\frac{h}{3}} \times \frac{1}{3}\right\}$$

$$= \frac{1}{2}f'(1) + \frac{1}{3}f'(1) = \frac{5}{2}$$

답 ⑤

11 **Act①** $f'(m)$은 곡선 $y = f(x)$ 위의 점 $(m, f(m))$에서의 접선의 기울기임을 이용한다.

ㄱ. $\dfrac{f(a)}{a}$는 원점과 점 $(a, f(a))$를 잇는 직선의 기울기이고 $\dfrac{f(b)}{b}$는 원점과 점 $(b, f(b))$를 잇는 직선의 기울기이므로 $\dfrac{f(a)}{a} > \dfrac{f(b)}{b}$가 된다. (거짓)

ㄴ. 함수 $y = f(x)$에서 a에서 b까지의 평균변화율 $\dfrac{f(b) - f(a)}{b - a}$는 두 점 $(a, f(a))$, $(b, f(b))$를 잇는 직선의 기울기와 같고, 이는 직선 $y = x$의 기울기보다 작으므로 $\dfrac{f(b) - f(a)}{b - a} < 1$이다. 이때 $b - a > 0$이므로 $f(b) - f(a) < b - a$이다. (거짓)

ㄷ. 미분계수의 기하적 의미는 접선의 기울기이다. 점 $(a, f(a))$의 접선의 기울기가 점 $(b, f(b))$의 접선의 기울기보다 크므로 $f'(a) > f'(b)$이다. (참)

답 ③

기출유형 04

Act① $x = a$에서 함수 $f(x)$의 미분가능성을 따질 때는 $x = a$에서 연속인지, 미분계수가 존재하는지를 확인한다.

$\displaystyle\lim_{x \to 2-} (x^3 - ax + 2) = \lim_{x \to 2+}(5x - 2a) = f(2) = 10 - 2a$이므로 함수 $f(x)$는 $x = 2$에서 연속이다.

또한, 미분계수 $f'(2)$가 존재해야 한다.

$$\lim_{x \to 0-} \frac{f(2 + h) - f(2)}{h}$$

$$= \lim_{x \to 0-} \frac{(2 + h)^3 - a(2 + h) + 2 - (10 - 2a)}{h}$$

$$= 12 - a,$$

$$\lim_{x \to 0+} \frac{f(2 + h) - f(2)}{h}$$

$$= \lim_{x \to 0+} \frac{5(2 + h) - 2a - (10 - 2a)}{h}$$

$$= 5$$

이므로

$12 - a = 5$ $\therefore a = 7$

답 ⑤

12 **Act①** 함수 $f(x)$가 $x = a$에서 미분가능하면 $f(x)$는 $x = a$에서 연속이고 미분계수가 존재한다.

$\displaystyle\lim_{x \to 1-} f(x) = \lim_{x \to 1+} f(x) = f(1) = a + 1$이므로 함수 $f(x)$는 $x = 1$에서 연속이다.

또한, 미분계수 $f'(1)$이 존재해야 한다.

$$\lim_{x \to 1-} \frac{f(x) - f(1)}{x - 1} = \lim_{x \to 1-} \frac{ax^2 + 1 - (a + 1)}{x - 1}$$

$$= \lim_{x \to 1-} \frac{a(x + 1)(x - 1)}{x - 1}$$

$$= \lim_{x \to 1-} a(x + 1)$$

$$= 2a,$$

$$\lim_{x \to 1+} \frac{f(x) - f(1)}{x - 1} = \lim_{x \to 1+} \frac{x^4 + a - (1 + a)}{x - 1}$$

$$= \lim_{x \to 1+} \frac{(x^2 + 1)(x + 1)(x - 1)}{x - 1}$$

$$= \lim_{x \to 1+} \{(x^2 + 1)(x + 1)\}$$

$$= 4$$

이므로

$2a = 4$ $\therefore a = 2$

답 2

13 **Act①** $x = a$에서 함수 $f(x)$의 미분가능성을 따질 때는 $x = a$에서 연속인지, 미분계수가 존재하는지를 확인한다.

함수 $f(x)$가 $x = -2$에서 미분가능하면 $x = -2$에서 연속이므로

$$\lim_{x \to -2-} f(x) = \lim_{x \to -2+} f(x) = f(-2)$$

$4 - 2a + b = -4$, $2a - b = 8$ ······㉠

또한, 미분계수 $f'(-2)$가 존재해야 한다.

$$\lim_{x \to -2-} \frac{f(x) - f(-2)}{x + 2} = -4 + a,$$

$$\lim_{x \to -2+} \frac{f(x) - f(-2)}{x + 2} = 2$$

$\therefore -4 + a = 2$ ······㉡

㉠, ㉡을 연립하여 풀면 $a = 6$, $b = 4$

$\therefore a + b = 10$

답 ⑤

14 **Act①** $x = a$에서 함수 $f(x)$의 미분가능성을 따질 때는 $x = a$에서 연속인지, 미분계수가 존재하는지를 확인한다.

ㄱ. $h_1(x) = xf(x) = \begin{cases} x^2 & (x \geq 0) \\ -x^2 & (x < 0) \end{cases}$ 이라 하면

$$\lim_{x \to 0+} \frac{h_1(x) - h_1(0)}{x - 0} = \lim_{x \to 0+} \frac{x^2}{x} = 0,$$

$$\lim_{x \to 0-} \frac{h_1(x) - h_1(0)}{x - 0} = \lim_{x \to 0-} \frac{-x^2}{x} = 0$$

이므로 함수 $xf(x)$는 $x = 0$에서 미분가능하다.

ㄴ. $h_2(x) = f(x)g(x) = \begin{cases} 2x^2 + x & (x \geq 0) \\ x^2 + x & (x < 0) \end{cases}$ 라 하면

$$\lim_{x \to 0+} \frac{h_2(x) - h_2(0)}{x - 0} = \lim_{x \to 0+} \frac{2x^2 + x}{x} = 1,$$

$$\lim_{x \to 0-} \frac{h_2(x) - h_2(0)}{x - 0} = \lim_{x \to 0-} \frac{x^2 + x}{x} = 1$$

이므로 함수 $f(x)g(x)$는 $x = 0$에서 미분가능하다.

ㄷ. $f(x)-g(x)=\begin{cases}-x-1 \ (x \geq 0) \\ \quad 1 \quad (x<0)\end{cases}$

$h_3(x)=|f(x)-g(x)|=\begin{cases}x+1 \quad (x \geq 0) \\ \ 1 \quad\quad (x<0)\end{cases}$ 이라 하면

$\displaystyle\lim_{x \to 0+}\frac{h_3(x)-h_3(0)}{x-0}=\lim_{x \to 0+}\frac{(x+1)-1}{x}=1$,

$\displaystyle\lim_{x \to 0-}\frac{h_3(x)-h_3(0)}{x-0}=\lim_{x \to 0-}\frac{1-1}{x}=0$

이므로 함수 $|f(x)-g(x)|$는 $x=0$에서 미분가능하지
않다. **답 ③**

pp. 36~37

VIT Very Important Test

01. 2	**02.** ⑤	**03.** ③	**04.** ⑤	**05.** 28
06. ①	**07.** ④	**08.** ⑤	**09.** ①	**10.** ②
11. ①	**12.** ④			

01

$\displaystyle\lim_{h \to 0}\frac{f(1-2h)-f(1)}{h}=\lim_{h \to 0}\frac{f(1-2h)-f(1)}{-2h}\times(-2)$

$\qquad\qquad\qquad\qquad =-2f'(1)$

$\qquad\qquad\qquad\qquad =(-2)\times(-1)=2$ **답 2**

02

$\displaystyle\lim_{x \to 1}\frac{x^2 f(1)-f(x)}{x-1}$

$=\displaystyle\lim_{x \to 1}\frac{-f(x)+f(1)+x^2 f(1)-f(1)}{x-1}$

$=-\displaystyle\lim_{x \to 1}\frac{f(x)-f(1)}{x-1}+\lim_{x \to 1}\frac{f(1)(x+1)(x-1)}{x-1}$

$=-f'(1)+2f(1)$

$=-(-1)+2\times 3=7$ **답 ⑤**

03

$f(3)=0$이므로

$\displaystyle\lim_{h \to 0}\frac{2h}{f(3-h)}=\lim_{h \to 0}\frac{2h}{f(3-h)-f(3)}$

$\qquad\qquad\qquad =\displaystyle\lim_{h \to 0}\frac{-2}{\dfrac{f(3-h)-f(3)}{-h}}$

$\qquad\qquad\qquad =-\dfrac{2}{f'(3)}$

따라서 $-\dfrac{2}{f'(3)}=8$이므로

$f'(3)=-\dfrac{1}{4}$ **답 ③**

04

$\displaystyle\lim_{x \to 1}\frac{f(x)-2}{x^3-1}=3$에서 $x \to 1$일 때 (분모)$\to 0$이므로 $x \to 1$일
때 (분자)$\to 0$이다.

$f(1)-2=0 \quad \therefore f(1)=2$

$\displaystyle\lim_{x \to 1}\frac{f(x)-2}{x^3-1}=\lim_{x \to 1}\frac{f(x)-f(1)}{x-1}\times\frac{1}{x^2+x+1}$

$\qquad\qquad\qquad\qquad =f'(1)\times\dfrac{1}{3}=3$

이므로 $f'(1)=9$

$\therefore f(1)+f'(1)=2+9=11$ **답 ⑤**

05

$\displaystyle\lim_{x \to 2}\frac{f(x+1)-8}{x^2-4}=5$에서 (분모)$\to 0$이므로 (분자)$\to 0$이다.

$f(3)-8=0 \quad \therefore f(3)=8$

$x+1=t$라 하면 $x \to 2$일 때 $t \to 3$이므로

$\displaystyle\lim_{t \to 3}\frac{f(t)-8}{(t-1)^2-4}=\lim_{t \to 3}\frac{f(t)-8}{(t-3)(t+1)}$

$\qquad\qquad\qquad\quad =\displaystyle\lim_{t \to 3}\frac{f(t)-f(3)}{(t-3)(t+1)}$

$\qquad\qquad\qquad\quad =\displaystyle\lim_{t \to 3}\frac{f(t)-f(3)}{t-3}\times\lim_{t \to 3}\frac{1}{t+1}$

$\qquad\qquad\qquad\quad =\dfrac{1}{4}f'(3)=5$

즉 $f'(3)=20$이므로

$f(3)+f'(3)=8+20=28$ **답 28**

06

$f'(2)=-3$, $f'(4)=6$이고, $y=f(x)$의 그래프는 y축에 대하여
대칭이므로 $f'(-2)=3$

$\displaystyle\lim_{x \to -2}\frac{f(x^2)-f(4)}{f(x)-f(-2)}$

$=\displaystyle\lim_{x \to -2}\frac{f(x^2)-f(4)}{x^2-4}\times\frac{(x+2)(x-2)}{f(x)-f(-2)}$

$=\displaystyle\lim_{x \to -2}\frac{f(x^2)-f(4)}{x^2-4}\times\lim_{x \to -2}\frac{x-(-2)}{f(x)-f(-2)}\times(x-2)$

$=f'(4)\times\dfrac{-4}{f'(-2)}$

$=6\times\dfrac{-4}{3}=-8$ **답 ①**

07

$\dfrac{1}{n}=t$로 놓으면 $n \to \infty$일 때, $t \to 0+$이므로

$\displaystyle\lim_{n \to \infty}n\left\{f\left(2+\frac{3}{n}\right)-f\left(2-\frac{5}{n}\right)\right\}$

$=\displaystyle\lim_{t \to 0+}\frac{f(2+3t)-f(2-5t)}{t}$

$=\displaystyle\lim_{t \to 0+}\frac{f(2+3t)-f(2)-f(2-5t)+f(2)}{t}$

$=\displaystyle\lim_{t \to 0+}\frac{f(2+3t)-f(2)}{t}-\lim_{t \to 0+}\frac{f(2-5t)-f(2)}{t}$

$=\displaystyle\lim_{t \to 0+}\frac{f(2+3t)-f(2)}{3t}\times 3+\lim_{t \to 0+}\frac{f(2-5t)-f(2)}{-5t}\times 5$

$=3f'(2)+5f'(2)$

$=8f'(2)=24$ **답 ④**

08

$f(x)=x^2+3x-1$로 놓으면 점 $(1, 3)$에서의 접선의 기울기는

$f'(1)$과 같다.

$f'(1) = \lim_{x \to 1} \dfrac{f(x)-f(1)}{x-1}$

$\quad = \lim_{x \to 1} \dfrac{x^2+3x-4}{x-1}$

$\quad = \lim_{x \to 1} \dfrac{(x-1)(x+4)}{x-1}$

$\quad = \lim_{x \to 1} (x+4) = 5$

답 ⑤

09

A는 점 Q에서의 접선의 기울기, B는 직선 OQ의 기울기, C는 직선 PQ의 기울기이므로 큰 것부터 차례대로 나열하면 A, B, C 순이다.

답 ①

10

함수 $f(x)$는 $x=1$에서 연속이어야 하므로

$\lim_{x \to 1-} (x^3+ax) = \lim_{x \to 1+} (bx^2+x+1)$

$1+a = b+2 \quad \therefore a-b=1 \qquad \cdots\cdots \text{㉠}$

$x=1$에서 미분가능하므로 $\lim_{h \to 0} \dfrac{f(1+h)-f(1)}{h}$의 값이 존재해야 한다.

(i) $\lim_{h \to 0+} \dfrac{f(1+h)-f(1)}{h}$

$\quad = \lim_{h \to 0+} \dfrac{b(1+h)^2+(1+h)+1-(b+2)}{h}$

$\quad = \lim_{h \to 0+} \dfrac{bh^2+(2b+1)h}{h} = 2b+1$

(ii) $\lim_{h \to 0-} \dfrac{f(1+h)-f(1)}{h}$

$\quad = \lim_{h \to 0-} \dfrac{(1+h)^3+a(1+h)-(a+1)}{h}$

$\quad = \lim_{h \to 0-} \dfrac{h^3+3h^2+(a+3)h}{h}$

$\quad = a+3$

(i), (ii)에서 $2b+1 = a+3 \quad \therefore a-2b=-2 \qquad \cdots\cdots \text{㉡}$

㉠, ㉡을 연립하여 풀면 $a=4$, $b=3$

따라서 $f(x) = \begin{cases} x^3+4x & (x<1) \\ 3x^2+x+1 & (x \ge 1) \end{cases}$ 이므로

$f(-2)+f(2) = -16+15 = -1$

답 ②

11

조건 (가)에서 $f(-x) = -f(x)$이므로

$f(1) = -f(-1)$

조건 (나)에서

$\lim_{h \to 0} \dfrac{f(-1+2h)+f(1)}{3h}$

$= \lim_{h \to 0} \dfrac{f(-1+2h)-f(-1)}{3h}$

$= \lim_{h \to 0} \dfrac{f(-1+2h)-f(-1)}{2h} \times \dfrac{2}{3}$

$= \dfrac{2}{3} f'(-1) = 6$

$\therefore f'(-1) = 9$

$\therefore \lim_{x \to -1} \dfrac{f(x)+f(1)}{x^2-1} = \lim_{x \to -1} \dfrac{f(x)-f(-1)}{(x-1)(x+1)}$

$\qquad = \lim_{x \to -1} \dfrac{f(x)-f(-1)}{x-(-1)} \times \dfrac{1}{x-1}$

$\qquad = f'(-1) \times \left(-\dfrac{1}{2}\right) = -\dfrac{9}{2}$

답 ①

12

ㄱ. $\lim_{x \to 1+} \dfrac{xf(x)-1 \times f(1)}{x-1} = \lim_{x \to 1+} \dfrac{x(x-1)}{x-1}$

$\qquad = \lim_{x \to 1+} x = 1$

$\lim_{x \to 1-} \dfrac{xf(x)-1 \times f(1)}{x-1} = \lim_{x \to 1-} \dfrac{-x(x-1)}{x-1}$

$\qquad = \lim_{x \to 1-} (-x) = -1$

따라서 함수 $xf(x)$는 $x=1$에서 미분가능하지 않다.

ㄴ. $\lim_{x \to 1+} \dfrac{(x-1)f(x)-(1-1)f(1)}{x-1} = \lim_{x \to 1+} f(x) = 0$

$\lim_{x \to 1-} \dfrac{(x-1)f(x)-(1-1)f(1)}{x-1} = \lim_{x \to 1-} f(x) = 0$

따라서 함수 $(x-1)f(x)$는 $x=1$에서 미분가능하다.

ㄷ. $\lim_{x \to 1+} \dfrac{(x^2+x-2)f(x)-(1^2+1-2)f(1)}{x-1}$

$\qquad = \lim_{x \to 1+} (x+2)f(x) = 0$

$\lim_{x \to 1-} \dfrac{(x^2+x-2)f(x)-(1^2+1-2)f(1)}{x-1}$

$\qquad = \lim_{x \to 1-} (x+2)f(x) = 0$

따라서 함수 $(x^2+x-2)f(x)$는 $x=1$에서 미분가능하다.

따라서 $x=1$에서 미분가능한 함수는 ㄴ, ㄷ이다.

답 ④

04 도함수

p. 39

01. 20 **02.** 19 **03.** 41 **04.** ④ **05.** ⑤ **06.** ③

01
$f(x) = x^4-3x^2+8$에서 $f'(x) = 4x^3-6x$이므로

$f'(2) = 32-12 = 20$

답 20

02
$f(x) = 7x^3-ax+3$에서 $f'(x) = 21x^2-a$이므로

$f'(1) = 21-a = 2 \quad \therefore a = 19$

답 19

03
$f(x) = (x^2+1)(x^2+x-2)$에서

$f'(x) = (x^2+1)'(x^2+x-2)+(x^2+1)(x^2+x-2)'$

$\quad = 2x(x^2+x-2)+(x^2+1)(2x+1)$

$\therefore f'(2) = 4 \times 4+5 \times 5 = 41$

답 41

04
$\lim_{h \to 0} \dfrac{f(1+h)-f(1)}{h} = f'(1) = 6$

이때 $f(x) = 2x^2+ax$에서 $f'(x) = 4x+a$이므로

$f'(1)=4+a=6$

$\therefore a=2$

답 ④

05 $f(x)$가 실수 전체의 집합에서 미분가능하므로 $x=-2$에서도 미분가능하다.

함수 $f(x)$가 $x=-2$에서 연속이므로

$4-2a+b=-4$ ······㉠

$f'(x)=\begin{cases} 2x+a & (x<-2) \\ 2 & (x>-2) \end{cases}$ 이고

미분계수 $f'(-2)$가 존재하므로

$-4+a=2$ ······㉡

㉠, ㉡을 연립하여 풀면 $a=6$, $b=4$

$\therefore a+b=10$

답 ⑤

06 $f(0)=f(0)+f(0)$ $\therefore f(0)=0$

$f'(x)=\lim_{h \to 0}\dfrac{f(x+h)-f(x)}{h}$

$=\lim_{h \to 0}\dfrac{\{f(x)+f(h)-2xh\}-f(x)}{h}$

$=\lim_{h \to 0}\dfrac{f(h)-2xh}{h}$

$=\lim_{h \to 0}\dfrac{f(h)}{h}-2x$

$=\lim_{h \to 0}\dfrac{f(h)-f(0)}{h}-2x$

$=f'(0)-2x$

$=-2x+5$

$\therefore f'(1)=(-2)\times1+5=3$

답 ③

유형따라잡기

pp. 40~43

기출유형 01

Act① $f'(a)$의 값을 구할 때는 도함수 $f'(x)$를 구한 다음 $x=a$를 대입한다.

$f(x)=x^3+5x^2+1$에서 $f'(x)=3x^2+10x$이므로

$f'(1)=3+10=13$

답 13

01 **Act①** $f'(a)$의 값을 구할 때는 도함수 $f'(x)$를 구한 다음 $x=a$를 대입한다.

$f(x)=2x^3+x+1$에서 $f'(x)=6x^2+1$이므로

$f'(1)=6\times1^2+1=7$

답 7

02 **Act①** $f'(a)$의 값을 구할 때는 도함수 $f'(x)$를 구한 다음 $x=a$를 대입한다.

$f(x)=x^3-2x-2$에서 $f'(x)=3x^2-2$이므로

$f'(3)=3\times3^2-2=25$

답 25

03 **Act①** 미분가능한 두 함수 $f(x)$, $g(x)$의 곱의 미분은

$\{f(x)g(x)\}'=f'(x)g(x)+f(x)g'(x)$임을 이용한다.

$f(x)=(x^3+5)(x^2-1)$에서

$f'(x)=(x^3+5)'(x^2-1)+(x^3+5)(x^2-1)'$

$=3x^2(x^2-1)+(x^3+5)2x$

이므로

$f'(1)=12$

답 12

04 **Act①** 미분가능한 두 함수 $f(x)$, $g(x)$의 곱의 미분은

$\{f(x)g(x)\}'=f'(x)g(x)+f(x)g'(x)$임을 이용한다.

$f(x)=(ax^3+1)(ax+1)$에서

$f'(x)=(ax^3+1)'(ax+1)+(ax^3+1)(ax+1)'$

$=3ax^2(ax+1)+(ax^3+1)a$

$f'(1)=3a(a+1)+(a+1)a=4a^2+4a$

이때 $4a^2+4a=24$이므로

$a^2+a-6=0$, $(a+3)(a-2)=0$

$\therefore a=-3$ 또는 $a=2$

$a>0$이므로 $a=2$

답 ①

기출유형 02

Act① 미분계수의 정의를 이용할 수 있도록 식을 변형한다.

$\lim_{h \to 0}\dfrac{f(1+3h)-f(1)}{2h}=\lim_{h \to 0}\dfrac{f(1+3h)-f(1)}{3h}\times\dfrac{3}{2}$

$=\dfrac{3}{2}f'(1)$

이때 $f(x)=x^3-x$에서 $f'(x)=3x^2-1$이므로 $f'(1)=2$

$\therefore \dfrac{3}{2}f'(1)=\dfrac{3}{2}\times2=3$

답 ③

05 **Act①** 미분계수의 정의를 이용할 수 있도록 식을 변형한다.

$\lim_{h \to 0}\dfrac{f(1+3h)-f(1)}{h}=\lim_{h \to 0}\dfrac{f(1+3h)-f(1)}{3h}\times3$

$=3f'(1)$

이때 $f(x)=x^3+4x-2$에서 $f'(x)=3x^2+4$이므로 $f'(1)=7$

$\therefore 3f'(1)=3\times7=21$

답 21

06 **Act①** 미분계수의 정의를 이용할 수 있도록 식을 변형한다.

$\lim_{h \to 0}\dfrac{f(4+h)-f(4)}{3h}=\lim_{h \to 0}\dfrac{f(4+h)-f(4)}{h}\times\dfrac{1}{3}$

$=\dfrac{1}{3}f'(4)$

이때 $f(x)=2x^2+5x$에서 $f'(x)=4x+5$이므로 $f'(4)=21$

$\therefore \dfrac{1}{3}f'(4)=\dfrac{1}{3}\times21=7$

답 ④

07 **Act①** 미분계수의 정의를 이용하여 식의 값을 구한다.

$\lim_{x \to 1}\dfrac{f(x)-f(1)}{x-1}=f'(1)$

이때 $f(x)=x^3+9x+2$에서 $f'(x)=3x^2+9$이므로

$f'(1)=3+9=12$

답 12

08 **Act①** 미분계수의 정의를 이용할 수 있도록 식을 변형한다.

$$\lim_{x \to 1} \frac{f(x)-f(2x-1)}{x-1}$$
$$=\lim_{x \to 1} \frac{\{f(x)-f(1)\}-\{f(2x-1)-f(1)\}}{x-1}$$
$$=\lim_{x \to 1} \frac{f(x)-f(1)}{x-1}-\lim_{x \to 1} \frac{f(2x-1)-f(1)}{x-1}$$
$$=\lim_{x \to 1} \frac{f(x)-f(1)}{x-1}-\lim_{x \to 1} \frac{f(2x-1)-f(1)}{(2x-1)-1} \times 2$$
$$=f'(1)-2f'(1)=-f'(1)$$

이때 $f(x)=3x^2+2x-1$에서 $f'(x)=6x+2$이므로
$f'(1)=8$
$$\therefore -f'(1)=-8 \qquad\qquad \text{답 ①}$$

기출유형 03

Act❶ $x=a$에서 함수 $f(x)$의 미분가능성을 따질 때는 $x=a$에서 연속인지, 미분계수가 존재하는지를 확인한다.

함수 $f(x)$가 $x=2$에서 미분가능하므로 $x=2$에서 연속이다.

즉 $\lim_{x \to 2-} f(x)=f(2)$이므로
$1+b=4a \qquad \cdots\cdots \text{㉠}$
$$f'(x)=\begin{cases} 2ax & (x>2) \\ 2(x-1) & (x<2) \end{cases} \text{이고}$$
$x=2$에서의 미분계수가 존재하므로
$4a=2 \qquad \cdots\cdots \text{㉡}$
㉠, ㉡을 연립하여 풀면 $a=\dfrac{1}{2}$, $b=1$
$$\therefore \frac{b}{a}=2 \qquad\qquad \text{답 2}$$

09 **Act❶** $x=a$에서 함수 $f(x)$의 미분가능성을 따질 때는 $x=a$에서 연속인지, 미분계수가 존재하는지를 확인한다.

함수 $f(x)$가 $x=1$에서 미분가능하므로 $x=1$에서 연속이다.

즉 $\lim_{x \to 1-} f(x)=f(1)$이므로
$2=a-b+1$, $a-b=1 \qquad \cdots\cdots \text{㉠}$
$$f'(x)=\begin{cases} 2ax-b & (x>1) \\ 3x^2 & (x<1) \end{cases} \text{이고}$$
$x=1$에서의 미분계수가 존재하므로
$2a-b=3 \qquad \cdots\cdots \text{㉡}$
㉠, ㉡을 연립하여 풀면 $a=2$, $b=1$
$$\therefore a-b=1 \qquad\qquad \text{답 ①}$$

10 **Act❶** $x=a$에서 함수 $f(x)$의 미분가능성을 따질 때는 $x=a$에서 연속인지, 미분계수가 존재하는지를 확인한다.

함수 $f(x)$가 $x=1$에서 미분가능하면 $x=1$에서 연속이다.

즉 $\lim_{x \to 1-} f(x)=f(1)$이므로
$2+1=1+a+b$, $a+b=2 \qquad \cdots\cdots \text{㉠}$
$$f'(x)=\begin{cases} 3x^2+2ax+b & (x>1) \\ 4x & (x<1) \end{cases} \text{이고}$$
$x=1$에서의 미분계수가 존재하므로
$3+2a+b=4$, $2a+b=1 \qquad \cdots\cdots \text{㉡}$
㉠, ㉡을 연립하여 풀면 $a=-1$, $b=3$

$$\therefore ab=-3 \qquad\qquad \text{답 ②}$$

11 **Act❶** $x=a$에서 함수 $f(x)$의 미분가능성을 따질 때는 $x=a$에서 연속인지, 미분계수가 존재하는지를 확인한다.

함수 $f(x)$가 $x=0$에서 미분가능하므로 $x=0$에서 연속이다.

즉 $\lim_{x \to 0-} f(x)=f(0)$이므로
$1=a+b \qquad \cdots\cdots \text{㉠}$
$$f'(x)=\begin{cases} -1 & (x<0) \\ 2a(x-1) & (x>0) \end{cases} \text{이고}$$
$x=0$에서의 미분계수가 존재하므로
$-1=-2a \qquad \cdots\cdots \text{㉡}$
㉠, ㉡을 연립하여 풀면 $a=\dfrac{1}{2}$, $b=\dfrac{1}{2}$
따라서 $f(x)=\begin{cases} -x+1 & (x<0) \\ \dfrac{1}{2}(x-1)^2+\dfrac{1}{2} & (x\geq0) \end{cases}$ 이므로
$$f(1)=\frac{1}{2} \qquad\qquad \text{답 ②}$$

12 **Act❶** $x=a$에서 함수 $f(x)$의 미분가능성을 따질 때는 $x=a$에서 연속인지, 미분계수가 존재하는지를 확인한다.

함수 $f(x)$가 $x=2$에서 미분가능하므로 $x=2$에서 연속이다.

즉 $\lim_{x \to 2-} f(x)=f(2)$이므로
$4=4a+b \qquad \cdots\cdots \text{㉠}$
$$f'(x)=\begin{cases} 2x & (x<2) \\ 2a(x-4) & (x>2) \end{cases} \text{이고}$$
$x=2$에서의 미분계수가 존재하므로
$4=-4a \qquad \cdots\cdots \text{㉡}$
㉠, ㉡을 연립하여 풀면 $a=-1$, $b=8$
따라서 $f(x)=\begin{cases} x^2 & (x<2) \\ -(x-4)^2+8 & (x\geq2) \end{cases}$ 이므로
$$f(3)=7 \qquad\qquad \text{답 ⑤}$$

기출유형 04

Act❶ 먼저 주어진 식의 양변에 $x=0$, $y=0$을 대입하여 $f(0)$의 값을 구한 후 도함수의 정의를 이용하여 $f'(x)$를 구한다.

$f(0)=f(0)+f(0) \quad \therefore f(0)=0$
$$f'(x)=\lim_{h \to 0} \frac{f(x+h)-f(x)}{h}$$
$$=\lim_{h \to 0} \frac{\{f(x)+f(h)+xh\}-f(x)}{h}$$
$$=\lim_{h \to 0} \frac{f(h)+xh}{h}$$
$$=\lim_{h \to 0} \frac{f(h)}{h}+x$$
$$=\lim_{h \to 0} \frac{f(h)-f(0)}{h}+x$$
$$=f'(0)+x$$
$$=x+3$$
$$\therefore f'(1)=1+3=4 \qquad\qquad \text{답 ④}$$

13 **Act❶** 먼저 주어진 식의 양변에 $x=0$, $y=0$을 대입하여 $f(0)$

의 값을 구한 후 도함수의 정의를 이용하여 $f'(x)$를 구한다.

$f(0)=f(0)+f(0)$ ∴ $f(0)=0$

$$f'(x)=\lim_{h \to 0}\frac{f(x+h)-f(x)}{h}$$
$$=\lim_{h \to 0}\frac{\{f(x)+f(h)+2xh\}-f(x)}{h}$$
$$=\lim_{h \to 0}\frac{f(h)+2xh}{h}$$
$$=\lim_{h \to 0}\frac{f(h)}{h}+2x$$
$$=\lim_{h \to 0}\frac{f(h)-f(0)}{h}+2x$$
$$=f'(0)+2x$$
$$=2x+3$$
∴ $f'(4)=2\times4+3=11$ 답 ⑤

14 Act❶ 먼저 주어진 식의 양변에 $x=0$, $y=0$을 대입하여 $f(0)$의 값을 구한 후 도함수의 정의를 이용하여 $f'(x)$를 구한다.

$f(0)=f(0)\times f(0)$ ∴ $f(0)=1$ (∵ $f(x)>0$)

$$f'(x)=\lim_{h \to 0}\frac{f(x+h)-f(x)}{h}$$
$$=\lim_{h \to 0}\frac{f(x)f(h)-f(x)}{h}$$
$$=\lim_{h \to 0}\frac{f(x)\{f(h)-1\}}{h}$$
$$=\lim_{h \to 0}\frac{f(x)\{f(h)-f(0)\}}{h}$$
$$=f(x)\lim_{h \to 0}\frac{f(h)-f(0)}{h}$$
$$=f(x)f'(0)$$
∴ $\dfrac{f'(x)}{f(x)}=\dfrac{f(x)f'(0)}{f(x)}=f'(0)=5$ 답 ④

15 Act❶ 먼저 주어진 식의 양변에 $x=0$, $y=0$을 대입하여 $f(0)$의 값을 구한 후 도함수의 정의를 이용하여 $f'(x)$를 구한다.

$f(0)=f(0)+f(0)$ ∴ $f(0)=0$

$$f'(x)=\lim_{h \to 0}\frac{f(x+h)-f(x)}{h}$$
$$=\lim_{h \to 0}\frac{\{f(x)+f(h)+axh\}-f(x)}{h}$$
$$=\lim_{h \to 0}\frac{f(h)+axh}{h}$$
$$=\lim_{h \to 0}\frac{f(h)}{h}+ax$$
$$=\lim_{h \to 0}\frac{f(h)-f(0)}{h}+ax$$
$$=f'(0)+ax$$
이때 $f'(x)=3x-2$이므로 $a=3$ 답 ③

16 Act❶ 조건 (가)에서 $f(0)$의 값을 구하고 조건 (나)에서 미분계수의 정의를 이용하여 $f'(2)$를 구한다.

조건 (가)에서 양변에 $x=0$, $y=0$을 대입하면
$f(0)=f(0)+f(0)-4$ ∴ $f(0)=4$

조건 (나)에서 $\lim_{x \to 2}(x-2)=0$이므로 $\lim_{x \to 2}f(x)=0$이다.

즉 $f(2)=0$이므로
$$\lim_{x \to 2}\frac{f(x)}{x-2}=\lim_{x \to 2}\frac{f(x)-f(2)}{x-2}=f'(2)$$
∴ $f'(2)=10$

$$f'(2)=\lim_{h \to 0}\frac{f(2+h)-f(2)}{h}$$
$$=\lim_{h \to 0}\frac{\{f(2)+f(h)+6h-4\}-f(2)}{h}$$
$$=\lim_{h \to 0}\frac{f(h)+6h-4}{h}$$
$$=\lim_{h \to 0}\frac{f(h)-4}{h}+6$$
$$=\lim_{h \to 0}\frac{f(h)-f(0)}{h}+6$$
$$=f'(0)+6$$
즉 $f'(0)+6=10$이므로 $f'(0)=4$ 답 4

VIT **V**ery **I**mportant **T**est pp. 44~45

01. 9	02. ①	03. 6	04. ②	05. 6
06. 17	07. 41	08. 48	09. ③	10. ③
11. ④	12. 5			

01

$f'(x)=4x^3+4x+1$이므로
$f'(1)=4+4+1=9$ 답 9

02

$f(x)=2x^3+ax+1$에서
$f'(x)=6x^2+a$
이때 $f'(1)=4$에서
$6+a=4$ ∴ $a=-2$ 답 ①

03

$f(x)=(x^2+1)(x^3-x+1)$에서
$f'(x)=2x(x^3-x+1)+(x^2+1)(3x^2-1)$
∴ $f'(1)=2\times1+2\times2=6$ 답 6

04

$f(x)=(4x-3)(3x-2)(-2x+a)$에서
$f'(x)=4(3x-2)(-2x+a)+3(4x-3)(-2x+a)$
$\quad-2(4x-3)(3x-2)$
$f'(1)=4(-2+a)+3(-2+a)-2=7a-16$
이때 $f'(1)=-2$이므로
$7a-16=-2$ ∴ $a=2$ 답 ②

05

$$\lim_{h \to 0}\frac{f(1+h)-f(1)}{h}=f'(1)$$

이때 $f(x)=x^2+4x+1$에서 $f'(x)=2x+4$이므로
$f'(1)=2+4=6$

답 6

06

$\displaystyle\lim_{x\to 1}\frac{f(x)-5}{x-1}$의 극한값이 존재하고 $x\to 1$일 때 (분모)$\to 0$이므로 (분자)$\to 0$이어야 한다.

즉 $\displaystyle\lim_{x\to 1}\{f(x)-5\}=0$에서 $f(1)=5$

$\displaystyle\lim_{x\to 1}\frac{f(x)-5}{x-1}=\lim_{x\to 1}\frac{f(x)-f(1)}{x-1}=f'(1)=2$

$g(x)=x^3f(x)$에서 $g'(x)=3x^2f(x)+x^3f'(x)$이므로

$g'(1)=3f(1)+f'(1)=3\times 5+2=17$

답 17

07

$\displaystyle\lim_{x\to 2}\frac{f(x)}{x-2}$의 극한값이 존재하고 $x\to 2$일 때 (분모)$\to 0$이므로 (분자)$\to 0$이어야 한다.

즉 $\displaystyle\lim_{x\to 2}f(x)=f(2)=0$

$\displaystyle\lim_{x\to 2}\frac{f(x)}{x-2}=\lim_{x\to 2}\frac{f(x)-f(2)}{x-2}=f'(2)=12$

이때 $f(x)=x^4+ax^2+b$에서 $f'(x)=4x^3+2ax$이므로

$f'(2)=32+4a=12$ $\therefore a=-5$

한편 $f(2)=0$에서 $f(2)=16+4a+b=0$이므로

$16+4\times(-5)+b=0$ $\therefore b=4$

$\therefore a^2+b^2=25+16=41$

답 41

08

$\displaystyle\lim_{x\to 4}\frac{f(x-1)-4}{x-4}=2$에서 $x-1=t$라 하면

$\displaystyle\lim_{x\to 4}\frac{f(x-1)-4}{x-4}=\lim_{t\to 3}\frac{f(t)-4}{t-3}=2$이므로

$f(3)=4$ $\therefore f'(3)=2$

한편 $\displaystyle\lim_{x\to 3}\frac{g(x)}{x-3}=12$이므로

$g(3)=0$ $\therefore g'(3)=12$

$h(x)=f(x)g(x)$이므로

$h'(x)=f'(x)g(x)+f(x)g'(x)$

$\therefore h'(3)=f'(3)g(3)+f(3)g'(3)$

$\qquad =2\times 0+4\times 12$

$\qquad =48$

답 48

09

함수 $f(x)$가 모든 실수에서 연속이므로

$f(0)=0$, $f(2)=2a=-4+2b+c$ ······㉠

또, $f'(x)=\begin{cases}2x+4 & (x<0)\\ a & (0<x<2)\\ -2x+b & (x>2)\end{cases}$ 이고

$f(x)$는 $x=0$, $x=2$에서 미분가능하므로

$a=4$, $-4+b=a$

$\therefore a=4$, $b=8$

이 값을 ㉠에 대입하면

$8=-4+16+c$ $\therefore c=-4$

따라서 $f(x)=\begin{cases}x^2+4x & (x<0)\\ 4x & (0\le x<2)\\ -x^2+8x-4 & (x\ge 2)\end{cases}$ 이므로

$f(3)-f(1)=11-4=7$

답 ③

10

주어진 식에 $x=0$, $y=0$을 대입하면

$f(0)=f(0)+f(0)$에서 $f(0)=0$이므로

$\displaystyle f'(x)=\lim_{h\to 0}\frac{f(x+h)-f(x)}{h}$

$\qquad =\displaystyle\lim_{h\to 0}\frac{f(x)+f(h)-f(x)}{h}$

$\qquad =\displaystyle\lim_{h\to 0}\frac{f(h)}{h}$

$\qquad =\displaystyle\lim_{h\to 0}\frac{f(h)-f(0)}{h}$

$\qquad =f'(0)=-3$

따라서 모든 실수 x에 대하여 $f'(x)=-3$이므로 $f'(10)=-3$이다.

답 ③

11

$\displaystyle\lim_{x\to 2}\frac{f(x)}{(x-2)\{f'(x)\}^2}=\frac{1}{5}$에서

$x\to 2$일 때, (분모)$\to 0$이므로 (분자)$\to 0$이어야 한다.

즉 $f(2)=0$이므로

$f(x)=(x-1)(x-2)(x+a)$로 놓을 수 있다. ($\because f(1)=0$)

이때 $f'(x)=(x-2)(x+a)+(x-1)(x+a)+(x-1)(x-2)$이므로

$\displaystyle\lim_{x\to 2}\frac{f(x)}{(x-2)\{f'(x)\}^2}=\lim_{x\to 2}\frac{(x-1)(x+a)}{\{f'(x)\}^2}$

$\qquad\qquad =\dfrac{2+a}{(2+a)^2}=\dfrac{1}{2+a}$

따라서 $\dfrac{1}{2+a}=\dfrac{1}{5}$에서 $a=3$이므로

$f(x)=(x-1)(x-2)(x+3)$

$\therefore f(3)=2\times 1\times 6=12$

답 ④

12

$f(x)$의 차수를 n이라 하면 $f'(x)$의 차수는 $n-1$이므로

(가)에 의하여 $2(n-1)=n$ $\therefore n=2$

(나)에 의하여 $f(x)-2=a(x+1)(x-2)$이므로

$f(x)=ax^2-ax-2a+2$에서 $f'(x)=2ax-a$

(가)에 의하여

$(2ax-a)^2=4(ax^2-ax-2a+2)+1$

$4a^2x^2-4a^2x+a^2=4ax^2-4ax-8a+9$

양변의 계수를 비교하면

$a^2=a$, $a^2=-8a+9$ $\therefore a=1$

따라서 $f(x)=x^2-x$이므로 $f'(x)=2x-1$에서

$f'(3)=2\times 3-1=5$

답 5

05 접선의 방정식과 평균값 정리
p. 47

01. 50 **02.** 12 **03.** ① **04.** ② **05.** ②
06. ⑤

01 $f'(x)=4x^3-12x^2+12x$이므로
$f'(a)=4a^3-12a^2+12a=4$
$a^3-3a^2+3a-1=0$,
$(a-1)^3=0$
$\therefore a=1$
점 (a, b)는 곡선 $y=f(x)$ 위의 점이므로
$b=f(a)=1-4+6+4=7$
$\therefore a^2+b^2=1+49=50$ 답 50

02 $f(x)=-x^3+2x$라 하면
$f'(x)=-3x^2+2$이므로 $f'(1)=-1$
따라서 점 $(1, 1)$에서의 접선의 방정식은
$y-1=(-1)\times(x-1)$, $y=-x+2$
점 $(-10, a)$는 $y=-x+2$ 위의 점이므로
$a=-(-10)+2=12$ 답 12

03 $f(x)=x^2-4x+3$이라 하면 $f'(x)=2x-4$
접점의 좌표를 $(a, f(a))$라 하면
접선의 기울기는 2이므로 $f'(a)=2$에서
$2a-4=2$ $\therefore a=3$
이때 접점의 좌표는 $(3, 0)$이므로 접선의 방정식은
$y-0=2(x-3)$ $\therefore y=2x-6$
따라서 구하는 y절편은 -6이다.   답 ①

04 $f(x)=x^3-2$라 하면 $f'(x)=3x^2$
접점의 좌표를 (t, t^3-2) 라 하면 이 점에서의 접선의 기울기는 $f'(t)=3t^2$이므로
접선의 방정식은
$y-(t^3-2)=3t^2(x-t)$ ……㉠
이 접선이 점 $(0, -4)$ 를 지나므로
$-t^3-2=-3t^3$, $2t^3=2$ $\therefore t=1$
이 값을 ㉠에 대입하면 구하는 접선의 방정식은
$y+1=3(x-1)$ $\therefore y=3x-4$
따라서 x절편 a는 $a=\dfrac{4}{3}$이다.   답 ②

05 두 함수 $f(x)$, $g(x)$의 그래프가 점 $(1, 2)$를 지나므로
$f(1)=2$, $g(1)=2$에서
$1+a=2$, $b+c=2$ ……㉠
점 $(1, 2)$에서의 두 곡선의 접선의 기울기가 같으므로
$f'(1)=g'(1)$에서 $3+a=2b$ ……㉡
㉠, ㉡에서 $a=1$, $b=2$, $c=0$
$\therefore a+b+c=3$ 답 ②

06 함수 $f(x)=x^2-4x+3$은 닫힌구간 $[1, 4]$에서 연속이고 열

린구간 $(1, 4)$에서 미분가능하다.
x의 값이 1에서 4까지 변할 때의 함수 $f(x)$의 평균변화율은
$\dfrac{f(4)-f(1)}{4-1}=\dfrac{3-0}{3}=1$
$f(x)=x^2-4x+3$에서 $f'(x)=2x-4$이므로 평균값 정리를
만족시키는 상수 c의 값은
$f'(c)=2c-4=1$
$\therefore c=\dfrac{5}{2}$ 답 ⑤

유형따라잡기
pp. 48~53

기출유형 01 ③	01. 5	02. ②	03. 28	04. 20
기출유형 02 12	05. 28	06. ①	07. ④	08. 21
기출유형 03 21	09. ②	10. ②	11. 5	12. ②
기출유형 04 ④	13. ④	14. ③	15. 14	16. 48
기출유형 05 ②	17. ④	18. ③	19. ⑤	
기출유형 06 ②	20. 1	21. ①	22. ④	23. 4

기출유형 01

Act① $f'(1)=7$, $f(1)=2$임을 이용하여 a, b의 값을 구한다.
$f(x)=3x^3+ax+b$에서 $f'(x)=9x^2+a$이므로
점 $(1, 2)$에서의 접선의 기울기는
$f'(1)=9+a=7$, $a=-2$
점 $(1, 2)$는 곡선 $f(x)=3x^3-2x+b$ 위의 점이므로
$2=3-2+b$, $b=1$
$\therefore b-a=1-(-2)=3$ 답 ③

01 **Act①** $f'(a)=8$, $f(a)=b$임을 이용하여 a, b의 값을 구한다.
$f(x)=x^4-4x^3+6x^2-5$에서 $f'(x)=4x^3-12x^2+12x$이므로 점 (a, b)에서의 접선의 기울기는
$f'(a)=4a^3-12a^2+12a=8$, $4(a-2)(a^2-a+1)=0$
$a^2-a+1>0$이므로 $a=2$
점 $(2, b)$는 곡선 $f(x)=x^4-4x^3+6x^2-5$ 위의 점이므로
$b=16-32+24-5=3$
$\therefore a+b=2+3=5$ 답 5

02 **Act①** 기울기가 $-\dfrac{1}{8}$인 직선에 수직인 직선의 기울기는 8이므로 $f'(2)=8$임을 이용한다.
$f(x)=x^3+ax+b$에서 $f'(x)=3x^2+a$
기울기가 $-\dfrac{1}{8}$인 직선에 수직인 직선의 기울기는 8이므로
$f'(2)=12+a=8$, $a=-4$
점 $(2, 1)$은 곡선 $y=x^3-4x+b$ 위의 점이므로
$1=8-8+b$, $b=1$
$\therefore a^2+b^2=16+1=17$ 답 ②

03 **Act①** $f'(2)=1$, $f(2)=1$을 이용하여 $g'(2)$의 값을 구한다.
$f(x)$ 위의 점 $(2, 1)$에서의 접선의 기울기가 2이므로

$f'(2)=2$, $f(2)=1$

$g(x)=x^3f(x)$에서

$g'(x)=3x^2f(x)+x^3f'(x)$

$\therefore g'(2)=12f(2)+8f'(2)=12\times1+8\times2=28$ 답 28

04 Act① $f(0)=2$, $\displaystyle\lim_{x\to1}\frac{f(x)-x^2}{x-1}=-2$임을 이용하여 삼차함

수 $f(x)$를 구한다.

$g(x)=f(x)-x^2$이라 하면

$g(1)=f(1)-1=0$ $\therefore f(1)=1$

$\displaystyle\lim_{x\to1}\frac{g(x)-g(1)}{x-1}=g'(1)=-2$이므로

$g'(1)=f'(1)-2\times1=-2$ $\therefore f'(1)=0$

$f(x)=x^3+ax^2+bx+c$라 하면

$f(0)=2$에서 $c=2$

$f(1)=1+a+b+2=1$이므로

$a+b=-2$ $\cdots\cdots$㉠

$f'(x)=3x^2+2ax+b$에서

$f'(1)=3+2a+b=0$이므로

$2a+b=-3$ $\cdots\cdots$㉡

㉠, ㉡을 연립하여 풀면 $a=-1$, $b=-1$

따라서 $f'(x)=3x^2-2x-1$이므로

$f'(3)=20$ 답 20

기출유형 02

Act① $y=f(x)$ 위의 점 (a,b)에서의 접선의 방정식은

$y-b=f'(a)(x-a)$임을 이용한다.

$f(x)=-x^3+4x$로 놓으면 $f'(x)=-3x^2+4$

점 $(1,3)$에서의 접선의 기울기는

$f'(1)=-3+4=1$

이므로 접선의 방정식은

$y-3=x-1$ $\therefore y=x+2$

따라서 $a=1$, $b=2$이므로

$10a+b=12$ 답 12

05 Act① $y=f(x)$ 위의 점 (a,b)에서의 접선의 방정식은

$y-b=f'(a)(x-a)$임을 이용한다.

$P(a,-6)$은 곡선 $y=x^3+2$ 위의 점이므로

$a^3+2=-6$, $a^3=-8$ $\therefore a=-2$

$f(x)=x^3+2$로 놓으면 $f'(x)=3x^2$

점 $P(-2,-6)$에서의 접선의 기울기는

$f'(-2)=12$

이므로 접선의 방정식은

$y-(-6)=12\{x-(-2)\}$

$\therefore y=12x+18$

따라서 $m=12$, $n=18$이므로

$a+m+n=-2+12+18=28$ 답 28

06 Act① $y=f(x)$ 위의 점 (a,b)에서의 접선의 방정식은

$y-b=f'(a)(x-a)$임을 이용한다.

$\displaystyle\lim_{x\to2}\{f(x)-5\}=0$에서 $f(2)=5$

$\displaystyle\lim_{x\to2}\frac{f(x)-5}{x-2}=\lim_{x\to2}\frac{f(x)-f(2)}{x-2}=f'(2)=3$

따라서 점 $(2,5)$에서의 접선의 방정식은

$y-5=3(x-2)$

$\therefore y=3x-1$

따라서 $m=3$, $n=-1$이므로 $m+n=2$ 답 ①

07 Act① $y=f(x)$ 위의 점 (a,b)에서의 접선의 방정식은

$y-b=f'(a)(x-a)$임을 이용한다.

$f(x)=x^3-5x$로 놓으면 $f'(x)=3x^2-5$

점 $(1,-4)$에서의 접선의 기울기는

$f'(1)=-2$

이므로 접선의 방정식은

$y+4=-2(x-1)$, $y=-2x-2$

$f(x)=x^3-5x$와 $y=-2x-2$의 교점의 x좌표는

$x^3-5x=-2x-2$, $x^3-3x+2=0$

$(x-1)^2(x+2)=0$

$\therefore x=1$ 또는 $x=-2$

따라서 $A(1,-4)$, $B(-2,2)$이므로

$\overline{AB}=\sqrt{3^2+6^2}=\sqrt{45}=3\sqrt5$ 답 ④

08 Act① $y=f(x)$ 위의 점 (a,b)에서의 접선의 방정식은

$y-b=f'(a)(x-a)$임을 이용한다.

$f(x)=x^3+2x+7$로 놓으면 $f'(x)=3x^2+2$

점 $(-1,4)$에서의 접선의 기울기는

$f'(-1)=5$

이므로 접선의 방정식은

$y-4=5(x+1)$, $y=5x+9$

$y=x^3+2x+7$과 $y=5x+9$의 교점의 x좌표는

$x^3+2x+7=5x+9$, $x^3-3x-2=0$

$(x+1)^2(x-2)=0$

$\therefore x=-1$ 또는 $x=2$

따라서 접점이 아닌 x좌표는 2이므로 $(a,b)=(2,19)$

$\therefore a+b=21$ 답 21

기출유형 03

Act① $y=2x+k$는 $y=x^3-3x^2+2x-3$의 접선임을 이용한

다.

$y=x^3-3x^2+2x-3$과 $y=2x+k$가 서로 다른 두 점에서 만

나므로 $y=2x+k$는 $y=x^3-3x^2+2x-3$의 접선이다.

접점의 좌표를 (a,a^3-3a^2+2a-3)이라 하면

$f(x)=x^3-3x^2+2x-3$에서

$f'(x)=3x^2-6x+2$

이므로 접선의 기울기는 $f'(a)=3a^2-6a+2$

이때 접선의 기울기가 2이므로

$3a^2-6a+2=2$

$3a(a-2)=0$

$\therefore a=0$ 또는 $a=2$

따라서 접점은 $(0,-3)$, $(2,-3)$이고 접선의 방정식은

$y=2x-3, y=2x-7$
이므로 모든 실수 k의 곱은 21이다. 답 21

09 Act① 두 점 A, B에서의 접선의 기울기가 같음을 이용하여 점 B의 좌표를 구한다.

$f(x)=x^3-3x^2+x+1$이라 하면 $f'(x)=3x^2-6x+1$
이때 점 A의 x좌표가 3이므로 점 B의 x좌표를 $b(b≠3)$라
하면 두 점 A, B에서의 접선이 서로 평행하므로
$f'(3)=f'(b)$에서
$10=3b^2-6b+1$
$b^2-2b-3=0, (b+1)(b-3)=0$
$∴ b=-1 (∵ b≠3)$
이때 접점 B의 좌표는 $(-1, -4)$이고 $f'(-1)=10$이므로
이 곡선 위의 점 B에서의 접선의 방정식은
$y+4=10(x+1)$ $∴ y=10x+6$
따라서 구하는 y절편은 6이다. 답 ②

10 Act① 삼각형 OAP의 넓이가 최대가 되는 것은 점 P에서의 접선이 $y=x$와 평행할 때이므로 $f'(x)=1$임을 이용한다.

삼각형 OAP의 넓이가 최대가 되려면 점 P에서 직선 $y=x$
까지의 거리가 최대이어야 한다.
이때 점 P에서의 접선은 직선 $y=x$와 평행이므로 $f'(x)=1$
에서
$a\{(x-2)^2+2x(x-2)\}=1$
$3ax^2-8ax+4a-1=0$
이 이차방정식의 한 근이 $x=\dfrac{1}{2}$이므로
$3a×\left(\dfrac{1}{2}\right)^2-8a×\dfrac{1}{2}+4a-1=0$
$\dfrac{3}{4}a-1=0$ $∴ a=\dfrac{4}{3}$ 답 ②

11 Act① 곡선과 직선 사이의 거리가 최소가 되는 것은 $y=\dfrac{1}{3}x^3+\dfrac{11}{3}$의 접선의 기울기가 $x-y-10=0$의 기울기와 같을 때이다.

$f(x)=\dfrac{1}{3}x^3+\dfrac{11}{3}$ $(x>0)$로 놓으면 곡선 $y=f(x)$와 직선
$x-y-10=0$ 사이의 거리의 최솟값은 기울기가 1인 곡선
$y=f(x)$의 접선과 직선 $x-y-10=0$ 사이의 거리이다.
$f'(x)=x^2$이므로
$x^2=1$에서 $x=1 (∵ x>0)$
따라서 P의 좌표는 $(1, 4)$이므로
$a+b=5$ 답 5

12 Act① 곡선과 직선 사이의 거리가 최소가 되는 것은 $y=x^2-2x+5$의 접선의 기울기가 $y=2x-1$의 기울기와 같을 때이다.

$f(x)=x^2-2x+5$로 놓으면 곡선
$y=f(x)$와 직선 $y=2x-1$ 사이의
거리의 최솟값은 기울기가 2인 곡선
$y=f(x)$의 접선과 직선 $y=2x-1$
사이의 거리이다.

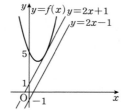

$f'(x)=2x-2$이므로
$2x-2=2$에서 $x=2$
점 $(2, 5)$를 지나고 기울기가 2인 접선의 방정식은
$y-5=2(x-2)$
$∴ y=2x+1$
따라서 두 직선 $y=2x+1$과 $y=2x-1$ 사이의 거리는 직선
$y=2x+1$ 위의 점 $(0, 1)$과 직선 $2x-y-1=0$ 사이의 거
리이므로
$\dfrac{|0-1-1|}{\sqrt{2^2+(-1)^2}}=\dfrac{2\sqrt{5}}{5}$ 답 ②

기출유형 04

Act① 접점의 좌표를 (t, t^3)이라 놓고 접선이 점 $(0, 2)$를 지남을 이용하여 t의 값을 구한다.

$f(x)=x^3$이라 하면 $f'(x)=3x^2$
접점의 좌표를 (t, t^3)이라 하면
이 점에서의 접선의 기울기는 $f'(t)=3t^2$이므로 접선의 방
정식은
$y-t^3=3t^2(x-t)$
$∴ y=3t^2x-2t^3$ ……㉠
이 접선이 점 $(0, 2)$를 지나므로
$2=-2t^3, t^3=-1$ $∴ t=-1$
$t=-1$을 ㉠에 대입하면 $y=3x+2$
이때 이 직선이 점 $(2, k)$를 지나므로 $k=8$ 답 ④

13 Act① 접점의 좌표를 (t, t^3+2t+2)라 놓고 접선이 원점을 지남을 이용하여 t의 값을 구한다.

$f(x)=x^3+2x+2$라 하면 $f'(x)=3x^2+2$
접점의 좌표를 $P(t, t^3+2t+2)$라 하면
이 점에서의 접선의 기울기는 $f'(t)=3t^2+2$이므로 접선의
방정식은
$y-(t^3+2t+2)=(3t^2+2)(x-t)$
$∴ y=(3t^2+2)x-2t^3+2$
이 접선이 원점을 지나므로
$0=-2t^3+2, t^3=1$ $∴ t=1$
따라서 점 P의 좌표는 $(1, 5)$이므로
$\overline{OP}=\sqrt{1^2+5^2}=\sqrt{26}$ 답 ④

14 Act① 접점의 좌표를 (t, t^2-3t+2)라 놓고 접선이 점 $(1, -1)$을 지남을 이용하여 t의 값을 구한다.

$f(x)=x^2-3x+2$라 하면 $f'(x)=2x-3$
접점의 좌표를 (t, t^2-3t+2)라 하면
이 점에서의 접선의 기울기는 $f'(t)=2t-3$이므로 접선의
방정식은
$y-(t^2-3t+2)=(2t-3)(x-t)$
$∴ y=(2t-3)x-t^2+2$ ……㉠
이 접선이 점 $(1, -1)$을 지나므로
$-1=(2t-3)-t^2+2$
$t^2-2t=0, t(t-2)=0$
$∴ t=0$ 또는 $t=2$

따라서 ㉠에 $t=0$ 또는 $t=2$를 대입하면 구하는 접선의 방정식은

$y=-3x+2$ 또는 $y=x-2$

이므로 모든 실수 k의 곱은 -4이다. 　　　　　　답 ③

15 **Act①** 접점의 좌표를 $(t, 2t^2-t)$라 놓고 접선이 점 $(2, -12)$를 지남을 이용하여 t의 값을 구한다.

$f(x)=2x^2-x$라 하면 $f'(x)=4x-1$

접점의 좌표를 $(t, 2t^2-t)$라 하면

이 점에서의 접선의 기울기는 $f'(t)=4t-1$이므로 접선의 방정식은

$y-(2t^2-t)=(4t-1)(x-t)$

$\therefore y=(4t-1)x-2t^2$

이 접선이 점 $(2, -12)$를 지나므로

$-12=2(4t-1)-2t^2$, $t^2-4t-5=0$

$(t+1)(t-5)=0$ $\therefore t=-1$ 또는 $t=5$

따라서 접선의 기울기는 $f'(-1)=-5$, $f'(5)=19$이므로 그 합은 14이다. 　　　　　　답 14

16 **Act①** 접점의 좌표를 (t, t^3-at)라 놓고 접선이 점$(0, 16)$을 지남을 이용하여 t의 값을 구한다.

접점의 좌표를 (t, t^3-at)라 하면 이 점에서의 접선의 기울기는 $f'(t)=3t^2-a$이므로 접선의 방정식은

$y-(t^3-at)=(3t^2-a)(x-t)$

이 접선이 점 $(0, 16)$을 지나므로

$16-t^3+at=-3t^3+at$

$2t^3=-16$, $t^3=-8$

$\therefore t=-2$

접선의 기울기는 8이므로

$f'(-2)=3\times(-2)^2-a=12-a=8$

$\therefore a=4$

따라서 $f(x)=x^3-4x$이므로

$f(a)=f(4)=4^3-4\times4=48$ 　　　　　　답 48

기출유형 05

Act① 두 곡선 $y=f(x)$, $y=g(x)$가 $x=t$에서 공통인 접선을 가지면 $f(t)=g(t)$, $f'(t)=g'(t)$임을 이용한다.

$f(x)=x^3+ax$, $g(x)=bx^2-4$에서

$f'(x)=3x^2+a$, $g'(x)=2bx$

두 곡선이 $x=1$인 점에서 같은 직선에 접하므로

$f(1)=g(1)$에서

$1+a=b-4$, $a-b=-5$ 　　　……㉠

$f'(1)=g'(1)$에서

$3+a=2b$, $a-2b=-3$ 　　　……㉡

㉠, ㉡을 연립하여 풀면 $a=-7$, $b=-2$

$\therefore a+b=-9$ 　　　　　　답 ②

17 **Act①** 두 곡선 $y=f(x)$, $y=g(x)$가 $x=t$에서 공통인 접선을 가지면 $f(t)=g(t)$, $f'(t)=g'(t)$임을 이용한다.

$f(x)=x^3+ax+b$, $y=-x^2+bx$에서

$f'(x)=3x^2+a$, $g'(x)=-2x+b$

두 곡선이 $x=1$인 점에서 같은 직선에 접하므로

$f(1)=g(1)$에서

$1+a+b=-1+b$, $a=-2$

$f'(1)=g'(1)$에서

$3+a=-2+b$, $b=3$

$\therefore a+b=-2+3=1$ 　　　　　　답 ④

18 **Act①** 두 곡선 $y=f(x)$, $y=g(x)$가 $x=t$에서 공통인 접선을 가지면 $f(t)=g(t)$, $f'(t)=g'(t)$임을 이용한다.

$f(x)=x^3+ax$, $g(x)=bx^2+c$에서

$f'(x)=3x^2+a$, $g'(x)=2bx$

두 곡선이 점 $(1, 2)$를 지나므로

$f(1)=2$에서 $1+a=2$ 　……㉠

$g(1)=2$에서 $b+c=2$ 　……㉡

점 $(1, 2)$에서의 두 곡선의 접선의 기울기가 같으므로

$f'(1)=g'(1)$에서 $3+a=2b$ ……㉢

㉠, ㉡, ㉢을 연립하여 풀면 $a=1$, $b=2$, $c=0$

$\therefore abc=0$ 　　　　　　답 ③

19 **Act①** P$(1, 1)$에서의 접선의 방정식이 접점 Q(a, b)에서의 접선의 방정식과 일치함을 이용한다.

$f'(x)=2x$이고 $f'(1)=2$이므로

점 P$(1, 1)$에서의 접선 l의 방정식은

$y=2x-1$

접점 Q의 좌표를 (a, b)라 하면 직선 l에 곡선 $y=g(x)$가 접하므로

$g'(a)=-2a+6=2$ $\therefore a=2$

따라서 점 Q는 $y=2x-1$ 위의 점이므로

$b=2\times2-1=3$

Q$(2, 3)$을 $g(x)=-(x-3)^2+k$에 대입하면 $k=4$

$\therefore g(x)=-(x-3)^2+4$

원점으로부터 가까운 점을 R라 하면

R$(1, 0)$, S$(5, 0)$

따라서 삼각형 QRS의 넓이는 $\dfrac{1}{2}\times(5-1)\times3=6$ 　답 ⑤

기출유형 06

Act① $\dfrac{f(2)-f(0)}{2-0}=f'(c)$인 c $(0<c<2)$를 찾는다.

$f(x)=x^3-12x$는 닫힌구간 $[0, 2]$에서 연속이고 열린구간 $(0,2)$에서 미분가능하므로 평균값 정리에 의하여

$\dfrac{f(2)-f(0)}{2-0}=f'(c)$인 c가 $(0, 2)$에 적어도 하나 존재한다.

$\dfrac{f(2)-f(0)}{2-0}=-8$이고 $f'(c)=3c^2-12$이므로

$3c^2-12=-8$, $c^2=\dfrac{4}{3}$

$\therefore c=\dfrac{2\sqrt{3}}{3}$ $(\because 0<c<2)$ 　　　　　　답 ②

20 **Act①** $\dfrac{f(2)-f(0)}{2-0}=f'(c)$인 c $(0<c<2)$를 찾는다.

함수 $f(x)=x^2$은 닫힌구간 $[0,\ 2]$에서 연속이고 열린구간 $(0,\ 2)$에서 미분가능하므로 평균값 정리에 의하여
$\dfrac{f(2)-f(0)}{2-0}=f'(c)$인 c가 $(0,\ 2)$에 적어도 하나 존재한다.
$\dfrac{f(2)-f(0)}{2-0}=2$이고 $f'(c)=2c$이므로
$2=2c$ $\therefore c=1$ 답 1

21 **Act①** $f'(c)=0$을 만족시키는 c $(-1<c<0)$를 찾는다.

함수 $f(x)=x^3+x^2$은 닫힌구간 $[-1,\ 0]$에서 연속이고 열린구간 $(-1,\ 0)$에서 미분가능하다.
$f(-1)=f(0)=0$이므로 롤의 정리에 의하여 $f'(c)=0$인 c가 열린구간 $(-1,\ 0)$에 적어도 하나 존재한다.
$f'(c)=3c^2+2c=0$
$c(3c+2)=0$ $\therefore c=-\dfrac{2}{3}$ $(\because -1<c<0)$ 답 ①

22 **Act①** $\dfrac{f(3)-f(0)}{3-0}=f'(2)$를 만족시키는 k와 $f'(c)=0$을 만족시키는 c $(-1<c<2)$를 찾는다.

$f'(x)=3x^2-2kx+2$이고 닫힌구간 $[0,\ 3]$에서 평균값 정리에 의하여
$\dfrac{f(3)-f(0)}{3-0}=\dfrac{27-9k+6}{3}=11-3k$
$f'(2)=14-4k$
이때 $11-3k=14-4k$이므로 $k=3$
또한 $f(1)=f(2)=0$이므로 롤의 정리에 의하여
$f'(c)=3c^2-6c+2=0$
$c=\dfrac{3\pm\sqrt{9-6}}{3}=\dfrac{3\pm\sqrt{3}}{3}$
이때 $1<c<2$이므로 $c=\dfrac{3+\sqrt{3}}{3}$
$\therefore k+c=3+\dfrac{3+\sqrt{3}}{3}=4+\dfrac{\sqrt{3}}{3}$ 답 ④

23 **Act①** $\dfrac{f(a)-f(0)}{a-0}=f'(2)$인 a $(a>0)$를 찾는다.

함수 $f(x)=x^2-2x-1$은 닫힌구간 $[0,\ a]$에서 연속이고 열린구간 $(0,\ a)$에서 미분가능하므로 평균값 정리에 의하여
$\dfrac{f(a)-f(0)}{a-0}=f'(c)$인 c가 열린구간 $(0,\ a)$에 적어도 하나 존재한다.
이때 $f'(x)=2x-2$이므로
$f'(2)=2\times 2-2=2$
따라서 $\dfrac{(a^2-2a-1)-(-1)}{a}=2$이므로
$a^2-2a=2a$, $a(a-4)=0$
$a>0$이므로 $a=4$ 답 4

VIT **V**ery **I**mportant **T**est pp. 54~55

01. 4	**02.** ②	**03.** ②	**04.** 7	**05.** ⑤
06. ①	**07.** 7	**08.** ①	**09.** ②	**10.** 1
11. ①	**12.** 20			

01

$f(x)=x^3+ax+b$로 놓으면 $f'(x)=3x^2+a$이므로 점 $(1,\ 5)$에서의 접선의 기울기는
$f'(1)=3+a$
이 접선과 수직인 직선의 기울기가 $-\dfrac{1}{6}$이므로
$(3+a)\times\left(-\dfrac{1}{6}\right)=-1$
$3+a=6$, $a=3$
또한, 점 $(1,\ 5)$는 곡선 $y=x^3+3x+b$ 위의 점이므로
$5=1+3+b$, $b=1$
$\therefore a+b=3+1=4$ 답 4

02

$f(x)=-x^3+3x^2+2x$에서 $f'(x)=-3x^2+6x+2$
$f'(0)=2$이므로 원점 O에서의 접선의 기울기는 2
삼각형 OAP의 넓이가 최대가 되려면 점 P에서의 접선의 기울기가 2이어야 한다.
점 P의 x좌표를 t $(t\neq 0)$라 하면
$f'(t)=-3t^2+6t+2=2$
$3t(t-2)=0$이므로 $t=2$
따라서 점 P의 x좌표는 2이다. 답 ②

03

$f(x)=(x^2-x)(x-3)$이라 하면
$f'(x)=(2x-1)(x-3)+(x^2-x)$이므로 점 $(2,\ -2)$에서의 접선의 기울기는
$-3+2=-1$
따라서 접선의 방정식은
$y=-(x-2)-2=-x$
이므로 $m=-1$, $n=0$
$\therefore m-n=-1$ 답 ②

04

점 $(1,\ 0)$이 곡선 $y=x^3+ax+b$ 위의 점이므로
$0=1+a+b$, $a+b=-1$ ……㉠
$f(x)=x^3+ax+b$라 하면 $f'(x)=3x^2+a$
점 $(1,\ 0)$에서의 접선의 기울기가 -1이므로
$f'(1)=3+a=-1$ $\therefore a=-4$
$a=-4$를 ㉠에 대입하면
$-4+b=-1$ $\therefore b=3$
$\therefore b-a=3-(-4)=7$ 답 7

05

$P(a, -6)$이 곡선 $y=x^3+2$ 위의 점이므로

$a^3+2=-6$ ∴ $a=-2$

$y'=3x^2$이므로 점 $P(-2, -6)$에서의 접선의 기울기는

$3\times(-2)^2=12$이고, 접선의 방정식은

$y+6=12(x+2)$, 즉 $y=12x+18$

따라서 $m=12$, $n=18$이므로

$a+m+n=(-2)+12+18=28$ 답 ⑤

06

점 $(2, 1)$에서 곡선 $y=f(x)$ 위의 점이므로

$f(2)=1$

점 $(2, 1)$에서의 접선의 기울기가 4이므로

$f'(2)=4$

$g(x)=(x^2-x)f(x)$라 하면

$g'(x)=(2x-1)f(x)+(x^2-x)f'(x)$

$x=2$를 위의 식에 대입하면

$g'(2)=3f(2)+2f'(2)$

$\qquad =3\times1+2\times4=11$

이때 $g(2)=2f(2)=2\times1=2$이므로 접선의 방정식은

$y-2=11(x-2)$ ∴ $y=11x-20$

따라서 구하는 접선의 y절편은 -20이다. 답 ①

07

$f(x)=x^3-2x^2-x+2$라 하면

$f'(x)=3x^2-4x-1$

접점의 좌표를 (t, t^3-2t^2-t+2)라 하면 이 점에서의 접선의 기울기는 $f'(t)=3t^2-4t-1$이므로 접선의 방정식은

$y-(t^3-2t^2-t+2)=(3t^2-4t-1)(x-t)$

∴ $y=(3t^2-4t-1)x-2t^3+2t^2+2$

이 직선이 점 $(2, -2)$를 지나므로

$-2=-2t^3+8t^2-8t$

즉 $t^3-4t^2+4t-1=(t-1)(t^2-3t+1)=0$

$t^2-3t+1=0$에서 $t\neq1$이고 판별식 $D=9-4>0$이므로 이 방정식의 서로 다른 두 실근을 α, β라 하자.

이때 $\alpha+\beta=3$이므로 접선의 개수는 3이고, 모든 접점의 x좌표의 합은 $1+3=4$

따라서 $a=3$, $b=4$이므로

$a+b=7$ 답 7

08

$f(x)=ax^3+bx^2+cx+d$라 하면 곡선 $y=f(x)$가 점 $(0, 2)$를 지나므로

$f(0)=2$에서 $d=2$ ……㉠

또 곡선 $y=f(x)$가 점 $(2, 3)$을 지나므로 $f(2)=3$에서

$8a+4b+2c+d=3$ ……㉡

이때 $f'(x)=3ax^2+2bx+c$이고

점 $(0, 2)$에서의 접선의 기울기가 1이므로 $f'(0)=1$에서

$c=1$ ……㉢

또 점 $(2, 3)$에서의 접선의 기울기가 -3이므로 $f'(2)=-3$에

서

$12a+4b+c=-3$ ……㉣

㉠~㉣을 연립하여 풀면

$a=-\dfrac{3}{4}$, $b=\dfrac{5}{4}$, $c=1$, $d=2$

∴ $a+b+c+d=\dfrac{7}{2}$ 답 ①

09

함수 $f(x)=3x-x^2$은 닫힌구간 $[1, 2]$에서 연속이고 열린구간 $(1, 2)$에서 미분가능하다.

$f(1)=f(2)=2$이므로 롤의 정리에 의하여 $f'(c)=0$인 c가 열린구간 $(1, 2)$에 존재한다.

$f'(c)=3-2c=0$ ∴ $c=\dfrac{3}{2}$ 답 ②

10

함수 $f(x)=\dfrac{1}{3}x^3-x^2+1$은 닫힌구간 $[0, 3]$에서 연속이고 열린구간 $(0, 3)$에서 미분가능하므로 평균값 정리에 의하여

$\dfrac{f(3)-f(0)}{3-0}=\dfrac{1-1}{3}=0=f'(c)$

인 c가 열린구간 $(0, 3)$에 적어도 하나 존재한다. 이때

$f'(x)=x^2-2x$이므로 $f'(c)=c^2-2c$

$c^2-2c=0$, $c(c-2)=0$

∴ $c=2$ ($\because 0<c<3$)

따라서 상수 c는 2로 1개이다. 답 1

11

$f(x)=x^3+ax^2+bx+c$라 하면

$f'(x)=3x^2+2ax+b$

이고, 두 점 $(2, 4)$, $(-1, 1)$을 지나는 직선의 방정식이

$y=x+2$이므로

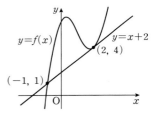

$f(2)=4$에서 $4a+2b+c=-4$ ……㉠

$f(-1)=1$에서 $a-b+c=2$ ……㉡

$f'(2)=1$에서 $4a+b=-11$ ……㉢

㉠, ㉡, ㉢을 연립하여 풀면 $a=-3$, $b=1$, $c=6$

$f'(x)=3x^2-6x+1$

∴ $f'(1)=-2$ 답 ①

[다른 풀이]

두 점 $(2, 4)$, $(-1, 1)$을 지나는 직선의 방정식이 $y=x+2$이므로

$f(x)-(x+2)=(x-2)^2(x+1)$

$f(x)=x^3-3x^2+x+6$

$f'(x)=3x^2-6x+1$

$\therefore f'(1)=-2$

12

함수 $y=f(x)$의 그래프 위의 $x=2$인 점에서의 접선의 방정식이
$y=x+4$이므로 $f(2)=6$, $f'(2)=1$
또 함수 $y=g(x)$의 그래프 위의 $x=2$인 점에서의 접선의 방정
식이 $y=-x+4$이므로
$g(2)=2$, $g'(2)=-1$
$h(x)=f(x)g(x)$에서
$h(2)=f(2)g(2)=12$
$h'(x)=f'(x)g(x)+f(x)g'(x)$에서
$h'(2)=f'(2)g(2)+f(2)g'(2)=-4$
따라서 함수 $h(x)$ 위의 점 $(2, 12)$에서의 접선의 방정식은
$y-12=-4(x-2)$ $\therefore y=-4x+20$
따라서 구하는 y절편은 20이다.   답 20

06 함수의 증가 · 감소와 극대 · 극소
p. 57

01. ①	02. ⑤	03. ③	04. ①	05. ③
06. ③				

01 $f(x)=x^3-3ax^2+ax$에서 $f'(x)=3x^2-6ax+a$
함수 $f(x)$가 실수 전체의 집합에서 증가하려면 모든 실수 x
에 대하여 $f'(x)=3x^2-6ax+a\geq0$이어야 한다.
이때 이차방정식 $3x^2-6ax+a=0$의 판별식을 D라 하면
$\dfrac{D}{4}=(-3a)^2-3a\leq0$

$9a^2-3a\leq0$, $3a(3a-1)\leq0$ $\therefore 0\leq a\leq\dfrac{1}{3}$

따라서 실수 a의 최댓값은 $\dfrac{1}{3}$ 답 ①

02 $f(x)=x^3-3x+a$에서
$f'(x)=3x^2-3=3(x-1)(x+1)$
$f'(x)=0$에서 $x=-1$ 또는 $x=1$
함수 $f(x)$의 증가와 감소를 표로 나타내면 다음과 같다.

x	$\cdots$	-1	$\cdots$	1	$\cdots$
$f'(x)$	$+$	0	$-$	0	$+$
$f(x)$	↗	극대	↘	극소	↗

$x=-1$에서 극대이고 $f(x)$의 극댓값이 7이므로
$f(-1)=-1+3+a=7$ $\therefore a=5$ 답 ⑤

03 $f(x)=x^3-ax+6$에서 $f'(x)=3x^2-a$
$f(x)$가 $x=1$에서 극소이므로 $f'(1)=0$에서
$3-a=0$ $\therefore a=3$ 답 ③

04 $f(x)=ax^3-3x^2+ax+1$에서 $f'(x)=3ax^2-6x+a$
삼차함수 $f(x)$가 극값을 가지려면 이차방정식 $f'(x)=0$이
서로 다른 두 실근을 가져야 한다.

이차방정식 $3ax^2-6x+a=0$의 판별식을 D라 하면
$\dfrac{D}{4}=9-3a^2>0$, $a^2<3$
$\therefore -\sqrt{3}<a<\sqrt{3}$
따라서 정수 a는 -1, 0, 1이다.
이때 $a=0$이면 $f(x)$는 삼차함수가 아니므로 주어진 조건을
만족시키는 정수 a는 -1, 1의 2개이다.   답 ①

05 $f(x)=x^3-3x+5$에서
$f'(x)=3x^2-3=3(x+1)(x-1)$
$f'(x)=0$에서 $x=-1$ 또는 $x=1$

x	-1	$\cdots$	1	$\cdots$	3
$f'(x)$		$-$	0	$+$	
$f(x)$	7	↘	3	↗	23

따라서 함수 $f(x)$는 $x=1$에서 최솟값 3을 갖는다.   답 ③

06 $f(x)=x^3-9x^2+15x+a$에서
$f'(x)=3x^2-18x+15=3(x-1)(x-5)$
$f'(x)=0$에서 $x=1$ 또는 $x=5$

x	0	$\cdots$	1	$\cdots$	5
$f'(x)$		$+$	0	$-$	
$f(x)$	a	↗	$a+7$	↘	$a-25$

함수 $f(x)$는 $x=5$에서 최솟값 $a-25$를 가지므로
$a-25=-15$, $a=10$
따라서 $x=1$에서 최댓값 $a+7=17$을 갖는다.   답 ③

유형따라잡기
pp. 58~63

기출유형 01 ②	01. ③	02. 15	03. ④	04. 3
기출유형 02 14	05. 25	06. ①	07. 14	08. 5
기출유형 03 ⑤	09. ②	10. ③	11. ⑤	12. 16
기출유형 04 ①	13. 3	14. 2	15. 10	16. ①
기출유형 05 ①	17. ④	18. ①		
기출유형 06 ①	19. ④	20. 12	21. ①	

기출유형 01

Act① 함수 $f(x)$가 실수 전체의 집합에서 감소하면 $f'(x)\leq0$
임을 이용한다.
$f(x)=-3x^3+ax^2+ax+5$에서 $f'(x)=-9x^2+2ax+a$
함수 $f(x)$가 실수 전체의 집합에서 감소하려면 모든 실수 x
에 대하여 $f'(x)=-9x^2+2ax+a\leq0$이어야 한다.
이때 이차방정식 $-9x^2+2ax+a=0$의 판별식을 D라 하면
$D\leq0$이어야 한다.

$\dfrac{D}{4}=a^2+9a\leq0$, $a(a+9)\leq0$ $\therefore -9\leq a\leq0$

따라서 $M=0$, $m=-9$이므로 $M+m=-9$ 답 ②

01 **Act①** 함수 $f(x)$가 실수 전체의 집합에서 증가하면 $f'(x)\geq0$
임을 이용한다.

$f(x)=4x^3+3ax^2+3x+2$에서 $f'(x)=12x^2+6ax+3$
함수 $f(x)$가 실수 전체의 집합에서 증가하려면 모든 실수 x
에 대하여 $f'(x)=12x^2+6ax+3\geq0$이어야 한다.
이때 이차방정식 $12x^2+6ax+3=0$의 판별식을 D라 하면
$D\leq0$이어야 한다.
$\dfrac{D}{4}=9a^2-36=9(a^2-4)\leq0$, $(a+2)(a-2)\leq0$
$\therefore -2\leq a\leq2$
따라서 $M=2$, $m=-2$이므로 $M+m=0$　　　　　답 ③

02 **Act①** 함수 $f(x)$가 열린구간에서 증가하려면 그 구간의 모든 x
에 대하여 $f'(x)\geq0$임을 이용한다.

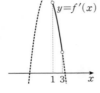

$f(x)=-x^3-3x^2+3ax-1$에서
$f'(x)=-3x^2-6x+3a$
함수 $f(x)$가 열린구간 $(1,\ 3)$에서 증가
하려면 이 구간에서 $f'(x)\geq0$이어야 한
다.
$f'(1)=-9+3a\geq0$에서 $a\geq3$ ……㉠
$f'(3)=-45+3a\geq0$에서 $a\geq15$ ……㉡
㉠, ㉡의 공통 범위를 구하면 $a\geq15$
따라서 실수 a의 최솟값은 15이다.　　　　　답 15

03 **Act①** 함수 $f(x)$가 열린구간에서 감소하려면 그 구간의 모든 x
에 대하여 $f'(x)\leq0$임을 이용한다.

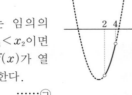

$f(x)=2x^3-6x^2+3ax+1$에서
$f'(x)=6x^2-12x+3a$
열린구간 $(2,\ 4)$에 속하는 임의의
두 실수 x_1, x_2에 대하여 $x_1<x_2$이면
$f(x_1)>f(x_2)$가 성립하려면 $f(x)$가 열
린구간 $(2,\ 4)$에서 감소해야 한다.
$f'(2)=3a\leq0$에서 $a\leq0$ ……㉠
$f'(4)=48+3a\leq0$에서 $a\leq-16$ ……㉡
㉠, ㉡의 공통 범위를 구하면 $a\leq-16$
따라서 실수 a의 최댓값은 -16이다.　　　　　답 ④

04 **Act①** 함수 $f(x)$가 열린구간에서 감소하려면 그 구간의 모든 x
에 대하여 $f'(x)\leq0$임을 이용한다.

$f(x)=\dfrac{1}{3}x^3-9x+3$에서
$f'(x)=x^2-9=(x+3)(x-3)$
이때 $x=-3$ 또는 $x=3$에서
$f'(x)=0$이므로 함수 $f(x)$가 열린구간
$(-a,\ a)$에서 감소하려면
$-a\geq-3$이고 $a\leq3$이어야 한다.
따라서 양수 a의 최댓값은 3이다.　　　　　답 3

기출유형 02

Act① $f'(x)=0$인 x의 값을 기준으로 $f'(x)$의 부호의 변화를
조사한다.
$f(x)=x^3-12x$에서
$f'(x)=3x^2-12=3(x^2-4)=3(x+2)(x-2)$

$f'(x)=0$에서 $x=-2$ 또는 $x=2$

x	$\cdots$	-2	$\cdots$	2	$\cdots$
$f'(x)$	$+$	0	$-$	0	$+$
$f(x)$	↗	극대	↘	극소	↗

함수 $f(x)$는 $x=-2$에서 극대이므로 극댓값은
$f(-2)=-8+24=16$
따라서 $a=-2$, $b=16$이므로
$a+b=14$　　　　　답 14

05 **Act①** $f'(x)=0$인 x의 값을 기준으로 $f'(x)$의 부호의 변화를
조사한다.
$f(x)=x^3-9x^2+24x+5$에서
$f'(x)=3x^2-18x+24$
　　　　$=3(x^2-6x+8)$
　　　　$=3(x-2)(x-4)$
$f'(x)=0$에서 $x=2$ 또는 $x=4$

x	$\cdots$	2	$\cdots$	4	$\cdots$
$f'(x)$	$+$	0	$-$	0	$+$
$f(x)$	↗	극대	↘	극소	↗

함수 $f(x)$는 $x=2$에서 극대이므로 구하는 극댓값은
$f(2)=8-36+48+5=25$　　　　　답 25

06 **Act①** $f'(x)=0$인 x의 값을 기준으로 $f'(x)$의 부호의 변화를
조사한다.
$f(x)=x^3-6x^2+9x+1$에서
$f'(x)=3x^2-12x+9=3(x-1)(x-3)$
$f'(x)=0$에서 $x=1$ 또는 $x=3$

x	$\cdots$	1	$\cdots$	3	$\cdots$
$f'(x)$	$+$	0	$-$	0	$+$
$f(x)$	↗	극대	↘	극소	↗

함수 $f(x)$는 $x=3$에서 극소이므로 극솟값은
$f(3)=27-54+27+1=1$
따라서 $a=3$, $m=f(3)=1$이므로 $a+m=4$　　　　　답 ①

07 **Act①** 함수 $f(x)$의 극솟값이 10임을 이용하여 상수 a의 값을
구한다.
$f(x)=(x-1)^2(x-4)+a$에서
$f'(x)=2(x-1)(x-4)+(x-1)^2$
　　　　$=(x-1)\{2(x-4)+(x-1)\}$
　　　　$=(x-1)(3x-9)$
　　　　$=3(x-1)(x-3)$
$f'(x)=0$에서 $x=1$ 또는 $x=3$

x	$\cdots$	1	$\cdots$	3	$\cdots$
$f'(x)$	$+$	0	$-$	0	$+$
$f(x)$	↗	극대	↘	극소	↗

따라서 $x=3$일 때 극소이고 극솟값이 10이므로
$f(3)=4\times(-1)+a=10$　$\therefore a=14$　　　　　답 14

08 **Act①** $f'(x)=0$인 x의 값을 기준으로 $f'(x)$의 부호의 변화를

조사한다.

$f(x)=x^3-6x^2+9x+1$에서
$f'(x)=3x^2-12x+9=3(x-1)(x-3)$
$f'(x)=0$에서 $x=1$ 또는 $x=3$

x	$\cdots$	1	$\cdots$	3	$\cdots$
$f'(x)$	$+$	0	$-$	0	$+$
$f(x)$	$\nearrow$	5	$\searrow$	1	$\nearrow$

함수 $f(x)$는 $x=1$에서 극댓값 5, $x=3$에서 극솟값 1을 가지므로 A$(1,\ 5)$, B$(3,\ 1)$
따라서 선분 AB의 중점의 좌표는
$\left(\dfrac{1+3}{2},\ \dfrac{5+1}{2}\right)$, 즉 $(2,\ 3)$ $\therefore a+b=5$ 답 5

기출유형 03

Act① 함수 $g(x)$가 $x=-3$에서 극값을 가지므로 $g'(-3)=0$임을 이용한다.
$g(x)=f(x)-kx$에서 $g'(x)=f'(x)-k=x^2-1-k$
$x=-3$에서 $g(x)$가 극값을 가지므로
$g'(-3)=8-k=0$ $\therefore k=8$ 답 ⑤

09 **Act①** 함수 $f(x)$가 $x=1$에서 극소이므로 $f'(1)=0$임을 이용한다.
$f(x)=x^3-ax+6$에서 $f'(x)=3x^2-a$
함수 $f(x)$가 $x=1$에서 극소이므로
$f'(1)=3-a=0$ $\therefore a=3$ 답 ②

10 **Act①** 함수 $f(x)$가 $x=1$에서 극값 2를 가지므로 $f'(1)=0$, $f(1)=2$임을 이용한다.
$f(x)=x^3-5x^2+ax-b$에서 $f'(x)=3x^2-10x+a$
함수 $f(x)$가 $x=1$에서 극값 2를 가지므로
$f'(1)=3-10+a=0$에서 $a=7$
$f(1)=1-5+7-b=2$에서 $b=1$
$\therefore ab=7$ 답 ③

11 **Act①** 함수 $g(x)$가 $x=0$에서 극댓값 32를 가지므로 $g'(0)=0$, $g(0)=32$임을 이용한다.
$g(x)=(x^3+4)f(x)$에서 $g'(x)=3x^2f(x)+(x^3+4)f'(x)$
함수 $g(x)$가 $x=0$에서 극댓값 32를 가지므로
$g'(0)=4f'(0)=0$에서 $f'(0)=0$
$g(0)=4f(0)=32$에서 $f(0)=8$
$\therefore f(0)-f'(0)=8-0=8$ 답 ⑤

12 **Act①** 함수 $g(x)$가 $x=1$에서 극솟값 24를 가지므로 $g'(1)=0$, $g(1)=24$임을 이용한다.
$g(x)=(x^3+2)f(x)$에서 $g'(x)=3x^2f(x)+(x^3+2)f'(x)$
함수 $g(x)$가 $x=1$에서 극솟값 24를 가지므로
$g(1)=3f(1)=24$에서 $f(1)=8$
$g'(1)=3f(1)+3f'(1)=0$에서 $f'(1)=-8$
$\therefore f(1)-f'(1)=8-(-8)=16$ 답 16

기출유형 04

Act① 삼차함수 $f(x)$가 극값을 갖지 않으려면 $f'(x)=0$이 서로 다른 두 실근을 갖지 않아야 한다.
$f(x)=-x^3+6x^2+ax-1$에서 $f'(x)=-3x^2+12x+a$
이차방정식 $f'(x)=0$이 서로 다른 두 실근을 갖지 않아야 하므로
$f'(x)=0$의 판별식을 D라 하면
$\dfrac{D}{4}=36+3a\leq0$ $\therefore a\leq-12$ 답 ①

13 **Act①** 삼차함수 $f(x)$가 극값을 가지려면 $f'(x)=0$이 서로 다른 두 실근을 가져야 한다.
$f(x)=x^3+ax^2+3x+1$에서
$f'(x)=3x^2+2ax+3$
이차방정식 $f'(x)=0$이 서로 다른 두 실근을 가져야 하므로
$f'(x)=0$의 판별식을 D라 하면
$\dfrac{D}{4}=a^2-9>0$, $(a+3)(a-3)>0$
$\therefore a<-3$ 또는 $a>3$
따라서 $\alpha=-3$, $\beta=3$이므로
$\alpha+2\beta=-3+6=3$ 답 3

14 **Act①** 삼차함수 $f(x)$가 극값을 가지려면 $f'(x)=0$이 서로 다른 두 실근을 가져야 한다.
$f(x)=\dfrac{1}{3}x^3+ax^2+x+2$에서 $f'(x)=x^2+2ax+1$
이차방정식 $f'(x)=0$이 서로 다른 두 실근을 가져야 하므로
$f'(x)=0$의 판별식을 D라 하면
$\dfrac{D}{4}=a^2-1>0$, $(a+1)(a-1)>0$ $\therefore a<-1$ 또는 $a>1$
따라서 양의 정수 a의 최솟값은 2이다.   답 2

15 **Act①** 삼차함수 $f(x)$가 극값을 갖지 않으려면 $f'(x)=0$이 서로 다른 두 실근을 갖지 않아야 한다.
$f(x)=x^3+ax^2-3ax+2$에서
$f'(x)=3x^2+2ax-3a$
이차방정식 $f'(x)=0$이 서로 다른 두 실근을 갖지 않아야 하므로
$f'(x)=0$의 판별식을 D라 하면
$\dfrac{D}{4}=a^2+9a\leq0$, $a(a+9)\leq0$
$\therefore -9\leq a\leq0$
따라서 정수 a는 -9, -8, $\cdots$, 0의 10개이다.   답 10

16 **Act①** 삼차함수 $f(x)$가 극값을 갖지 않으려면 $f'(x)=0$이 서로 다른 두 실근을 갖지 않아야 한다.
$f(x)=x^3+3(b-2)x^2-3(a^2-1)x+1$에서
$f'(x)=3x^2+6(b-2)x-3(a^2-1)$
이차방정식 $f'(x)=0$이 서로 다른 두 실근을 갖지 않아야 하므로

$f'(x)=0$의 판별식을 D라 하면

$\dfrac{D}{4}=9(b-2)^2+9(a^2-1)\leq0$

$\therefore a^2+(b-2)^2\leq1$

따라서 정수 a, b의 순서쌍 $(a,\ b)$는 원 $a^2+(b-2)^2=1$의 경계선과 내부에 포함된 정수인 점의 개수이므로 그 개수는 5이다. 답 ①

기출유형 **05**

Act❶ 사차항의 계수가 양수인 사차함수 $f(x)$가 극댓값을 가지려면 삼차방정식 $f'(x)=0$은 서로 다른 세 실근을 가져야 함을 이용한다.

$f(x)=\dfrac{1}{4}x^4-x^3+ax^2+3$에서

$f'(x)=x^3-3x^2+2ax=x(x^2-3x+2a)$

사차항의 계수가 양수인 사차함수 $f(x)$가 극댓값을 가지려면 삼차방정식 $f'(x)=0$이 서로 다른 세 실근을 가져야 한다.

이때 $f'(x)=0$에서 삼차방정식 $x(x^2-3x+2a)=0$은 $x=0$인 근을 가지므로 이차방정식 $x^2-3x+2a=0$은 $x\neq0$인 서로 다른 두 실근을 가져야 한다.

따라서 $a\neq0$이고 $x^2-3x+2a=0$의 판별식을 D라 하면

$D=9-8a>0$ $\therefore a<0$ 또는 $0<a<\dfrac{9}{8}$ 답 ①

17 **Act❶** 사차항의 계수가 음수인 사차함수 $f(x)$가 극솟값을 가지려면 삼차방정식 $f'(x)=0$은 서로 다른 세 실근을 가져야 함을 이용한다.

$f(x)=-x^4-4x^3+ax^2+1$에서

$f'(x)=-4x^3-12x^2+2ax=-2x(2x^2+6x-a)$

사차항의 계수가 음수인 사차함수 $f(x)$가 극솟값을 가지려면 삼차방정식 $f'(x)=0$이 서로 다른 세 실근을 가져야 한다.

이때 $f'(x)=0$에서 삼차방정식 $-2x(2x^2+6x-a)=0$은 $x=0$인 근을 가지므로 이차방정식 $2x^2+6x-a=0$은 $x\neq0$인 서로 다른 두 실근을 가져야 한다.

따라서 $a\neq0$이고 $2x^2+6x-a=0$의 판별식을 D라 하면

$\dfrac{D}{4}=9+2a>0$ $\therefore -\dfrac{9}{2}<a<0$ 또는 $a>0$ 답 ④

18 **Act❶** 사차항의 계수가 양수인 사차함수 $f(x)$가 극댓값을 갖지 않을 조건은 삼차방정식 $f'(x)=0$이 서로 다른 세 실근을 가질 조건을 구하여 그 결과를 부정한 것과 같음을 이용한다.

$f(x)=x^4+\dfrac{2}{3}x^3+ax^2-4a$에서

$f'(x)=4x^3+2x^2+2ax=2x(2x^2+x+a)$

$2x(2x^2+x+a)=0$이 서로 다른 세 실근을 가지려면 이차방정식 $2x^2+x+a=0$이 0이 아닌 서로 다른 두 실근을 가져야 한다.

따라서 $a\neq0$이고 이차방정식 $2x^2+x+a=0$의 판별식을 D라 하면

$D=1-8a>0$ $\therefore a<0$ 또는 $0<a<\dfrac{1}{8}$

따라서 함수 $f(x)$가 극댓값을 갖지 않도록 하는 실수 a의 값의 범위는 $a=0$ 또는 $a\geq\dfrac{1}{8}$이므로 양의 정수 a의 최솟값은 1이다. 답 ①

기출유형 **06**

Act❶ 닫힌구간 $[1,\ 4]$에서 $f(x)$의 극값, $f(1)$, $f(4)$를 비교한다.

$f(x)=ax^4-4ax^3+b$에서

$f'(x)=4ax^3-12ax^2=4ax^2(x-3)$

$f'(x)=0$에서 $x=0$ 또는 $x=3$

x	1	$\cdots$	3	$\cdots$	4
$f'(x)$		$-$	0	$+$	
$f(x)$	$-3a+b$	↘	$-27a+b$	↗	b

닫힌구간 $[1,\ 4]$에서 함수 $f(x)$의 최댓값은 $f(4)=b$, 최솟값은 $f(3)=-27a+b$이므로

$b=3$, $-27a+b=-6$

$\therefore a=\dfrac{1}{3}$ $\therefore ab=1$ 답 ①

19 **Act❶** 닫힌구간 $[1,\ 4]$에서 $f(x)$의 극값, $f(1)$, $f(4)$를 비교한다.

$f(x)=x^3-3x^2+a$에서 $f'(x)=3x^2-6x=3x(x-2)$

$f'(x)=0$에서 $x=0$ 또는 $x=2$

x	1	$\cdots$	2	$\cdots$	4
$f'(x)$		$-$	0	$+$	
$f(x)$	$a-2$	↘	$a-4$	↗	$a+16$

닫힌구간 $[1,\ 4]$에서 함수 $f(x)$의 최댓값은 $M=a+16$, 최솟값은 $m=a-4$이다.

$M+m=20$이므로 $2a+12=20$, $2a=8$

$\therefore a=4$ 답 ④

20 **Act❶** 닫힌구간 $[-a,\ a]$에서 $f(x)$의 극값, $f(-a)$, $f(a)$를 비교한다.

$f(x)=x^3+ax^2-a^2x+2$에서

$f'(x)=3x^2+2ax-a^2=(x+a)(3x-a)$

$f'(x)=0$에서 $x=-a$ 또는 $x=\dfrac{a}{3}$

x	$-a$	$\cdots$	$\dfrac{a}{3}$	$\cdots$	a
$f'(x)$		$-$	0	$+$	
$f(x)$	a^3+2	↘	$-\dfrac{5}{27}a^3+2$	↗	a^3+2

$f(x)$는 $x=\dfrac{a}{3}$에서 극소이면서 최소이므로

$f\left(\dfrac{a}{3}\right)=-\dfrac{5}{27}a^3+2=\dfrac{14}{27}$

$\dfrac{5}{27}a^3=\dfrac{40}{27}$ $\therefore a=2$

즉 주어진 함수는 $f(x)=x^3+2x^2-4x+2$이고
$f(-2)=10$, $f(2)=10$이다.
따라서 함수 $f(x)$는 $x=-2$ 또는 $x=2$일 때, 최댓값 10을
갖는다.
$\therefore a+M=2+10=12$ **답 12**

21 Act❶ 정사각형 EFGH의 두 대각선의 교점을 (a, a^2)으로 놓고 두 정사각형의 공통부분의 넓이를 a에 대한 함수로 나타내어 최댓값을 구한다.

그림과 같이 정사각형
EFGH의 두 대각선의 교점을
(a, a^2) $(0<a<1)$이라 놓으면
$C\left(\dfrac{1}{2}, \dfrac{1}{2}\right)$,
$E\left(a-\dfrac{1}{2}, a^2+\dfrac{1}{2}\right)$

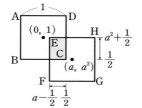

두 정사각형의 공통부분의 넓이를 $S(a)$라 하면
$S(a)=\left\{\dfrac{1}{2}-\left(a-\dfrac{1}{2}\right)\right\}\left\{\left(a^2+\dfrac{1}{2}\right)-\dfrac{1}{2}\right\}$
$=(1-a)a^2=a^2-a^3$
$S'(a)=2a-3a^2=a(2-3a)=0$에서
$a=0$ 또는 $a=\dfrac{2}{3}$
따라서 $S(a)$의 최댓값은
$S\left(\dfrac{2}{3}\right)=\dfrac{4}{9}-\dfrac{8}{27}=\dfrac{4}{27}$ **답 ①**

VIT Very Important Test
pp. 64~65

01. 2	**02.** ②	**03.** 1	**04.** 2	**05.** ①
06. 64	**07.** ⑤	**08.** ⑤	**09.** ①	**10.** ③
11. ④	**12.** ①			

01
$f(x)=x^3+ax^2+ax$에서
$f'(x)=3x^2+2ax+a$
함수 $f(x)$가 구간 $(-\infty, \infty)$에서 증가하려면 모든 실수 x에 대하여 $f'(x)\geq 0$이어야 하므로 이차방정식 $f'(x)=0$의 판별식을 D_1이라 하면
$\dfrac{D_1}{4}=a^2-3a\leq 0$, $a(a-3)\leq 0$
$\therefore 0\leq a\leq 3$ ……㉠
또, $g(x)=-x^3+(a+1)x^2-(a+1)x$에서
$g'(x)=-3x^2+2(a+1)x-(a+1)$
함수 $g(x)$가 구간 $(-\infty, \infty)$에서 감소하려면 모든 실수 x에 대하여 $g'(x)\leq 0$이어야 하므로 이차방정식 $g'(x)=0$의 판별식을 D_2라 하면
$\dfrac{D_2}{4}=(a+1)^2-3(a+1)\leq 0$, $(a+1)(a-2)\leq 0$
$\therefore -1\leq a\leq 2$ ……㉡

㉠, ㉡의 공통 범위는 $0\leq a\leq 2$
따라서 $M=2$, $m=0$이므로 $M+m=2$ **답 2**

02
$f(x)=x^3+kx^2+(k^2-6)x$에서
$f'(x)=3x^2+2kx+k^2-6$
함수 $f(x)$가 구간 $(-1, 1)$에서 감소하므로 이 구간에서
$f'(x)\leq 0$ 이다.
즉 $y=f'(x)$의 그래프가 그림과 같아야 하므로
$f'(-1)\leq 0$, $f'(1)\leq 0$이어야 한다.
$f'(-1)=k^2-2k-3\leq 0$에서
$(k+1)(k-3)\leq 0$ $\therefore -1\leq k\leq 3$ ……㉠
$f'(1)=k^2+2k-3\leq 0$에서
$(k+3)(k-1)\leq 0$ $\therefore -3\leq k\leq 1$ ……㉡
㉠, ㉡의 공통 범위는
$-1\leq k\leq 1$
따라서 $M=1$, $m=-1$이므로 $M-m=2$ **답 ②**

$y=f'(x)$ 그래프, 구간 -1, 1 표시

03
$f(x)=kx^3-3x^2+3kx-1$에서
$f'(x)=3kx^2-6x+3k$
임의의 실수 x_1, x_2에 대하여 $x_1<x_2$이면 $f(x_1)<f(x_2)$이므로 함수 $f(x)$는 증가한다.
따라서 모든 실수 x에 대하여 $f'(x)\geq 0$이어야 하므로 모든 실수 x에 대하여 $kx^2-2x+k\geq 0$이 성립해야 한다.
따라서 $k>0$이고 이차방정식 $kx^2-2x+k=0$의 판별식을 D라 하면
$\dfrac{D}{4}=1-k^2\leq 0$, $(k+1)(k-1)\geq 0$
$\therefore k\geq 1$ $(\because k>0)$
따라서 실수 k의 최솟값은 1이다. **답 1**

04
$f(x)=2x^3-9x^2+12x+a$에서
$f'(x)=6x^2-18x+12=6(x-1)(x-2)$
$f'(x)=0$에서 $x=1$ 또는 $x=2$

x	…	1	…	2	…
$f'(x)$	$+$	0	$-$	0	$+$
$f(x)$	↗	극대	↘	극소	↗

함수 $f(x)$는 $x=1$에서 극대이므로 극댓값은
$f(1)=2-9+12+a=7$ $\therefore a=2$ **답 2**

05
$f(x)=x^3+3ax^2-9a^2x-11$에서
$f'(x)=3x^2+6ax-9a^2=3(x+3a)(x-a)$
$f'(x)=0$에서 $x=-3a$ 또는 $x=a$

x	…	$-3a$	…	a	…
$f'(x)$	$+$	0	$-$	0	$+$
$f(x)$	↗	극대	↘	극소	↗

따라서 극댓값은 $f(-3a)=27a^3-11$,
극솟값은 $f(a)=-5a^3-11$이고,
극댓값과 극솟값의 절댓값이 같으므로
$27a^3-11+(-5a^3-11)=0$
$22a^3-22=0$, $a^3-1=0$ ∴ $a=1$ 답 ①

06

$f(x)=\dfrac{1}{3}x^3-x^2-3x$에서
$f'(x)=x^2-2x-3=(x-3)(x+1)$
이므로 $x=3$에서 극솟값을 가진다.
$f(3)=\dfrac{1}{3}\times3^3-3^2-3\times3=-9$
∴ $a=3$, $b=-9$
점 $(1, f(1))$에서의 접선은
$y-f(1)=f'(1)(x-1)$, $y=-4x+\dfrac{1}{3}$
$12x+3y-1=0$과 점 $(3, -9)$ 사이의 거리 d는
$d=\dfrac{|36-27-1|}{\sqrt{12^2+3^2}}=\dfrac{8}{\sqrt{153}}$
∴ $153d^2=153\times\dfrac{64}{153}=64$ 답 64

07

$f(x)=2x^3-9x^2+12x-1$에서
$f'(x)=6x^2-18x+12=6(x-1)(x-2)$
$f'(x)=0$에서 $x=1$ 또는 $x=2$

x	0	⋯	1	⋯	2	⋯	3
$f'(x)$		+	0	−	0	+	
$f(x)$	−1	↗	4	↘	3	↗	8

따라서 함수 $f(x)$는 $x=3$일 때 최댓값 8, $x=0$일 때 최솟값 -1을 가진다.
∴ $M-m=8-(-1)=9$ 답 ⑤

08

$f(x)=3x^4-4x^3+6x^2-12x+a$에서
$f'(x)=12x^3-12x^2+12x-12=12(x-1)(x^2+1)$
$f'(x)=0$에서 $x=1$ $(\because x^2+1>0)$

x	⋯	1	⋯
$f'(x)$	−	0	+
$f(x)$	↘	$-7+a$	↗

따라서 함수 $f(x)$는 $x=1$일 때 극소이면서 최소이므로
$-7+a=-5$ ∴ $a=2$ 답 ⑤

09

$f(x)=2x^3-6x^2+a$에서
$f'(x)=6x^2-12x=6x(x-2)$
$f'(x)=0$에서 $x=0$ 또는 $x=2$

x	1	⋯	2	⋯	3
$f'(x)$		−	0	+	
$f(x)$	$a-4$	↘	$a-8$	↗	a

함수 $f(x)$는 $x=2$에서 최솟값 $a-8$, $x=3$에서 최댓값 a를 가진다.
∴ $a=4$
따라서 함수 $f(x)$의 최솟값은 $a-8=4-8=-4$ 답 ①

10

$f(x)=\dfrac{x^4}{4}-\dfrac{x^2}{2}+k$에서
$f'(x)=x^3-x=x(x+1)(x-1)$
$f'(x)=0$에서
$x=0$ 또는 $x=1$ $(\because 0\leq x\leq2)$

x	0	⋯	1	⋯	2
$f'(x)$		−	0	+	
$f(x)$	k	↘	$-\dfrac{1}{4}+k$	↗	$2+k$

따라서 $f(x)$의 최솟값이 $-\dfrac{1}{4}+k$이므로
$-\dfrac{1}{4}+k=\dfrac{3}{4}$ ∴ $k=1$
또 $f(x)$는 $x=2$일 때 최댓값 $2+k$를 가지므로
$a=2$, $\beta=2+k=3$
∴ $a\beta=2\times3=6$ 답 ③

11

$f(x)=x^3-3ax^2+3(a^2-1)x$에서
$f'(x)=3x^2-6ax+3(a^2-1)=3\{x-(a+1)\}\{x-(a-1)\}$
즉 $x=a-1$일 때 극댓값 4를 갖는다.
$f(-2)>0$이므로
$f(-2)=-6a^2-12a-2$, $3a^2+6a+1<0$
$\dfrac{-3-\sqrt{6}}{3}<a<\dfrac{-3+\sqrt{6}}{3}$이므로 $a<0$
$f(a-1)=(a-1)^3-3a(a-1)^2+3(a^2-1)(a-1)$
$\qquad=(a-1)^2\{a-1-3a+3(a+1)\}$
$\qquad=(a-1)^2(a+2)=a^3-3a+2=4$
$a^3-3a-2=0$, $(a+1)^2(a-2)=0$
∴ $a=-1$ $(a<0)$
따라서 $f(x)=x^3+3x^2$이므로 $f(1)=4$ 답 ④

12

원의 중심을 $R(3, 0)$, 점 P의 좌표를 (x, x^2)이라 하면
$\overline{PR}^2=(x-3)^2+(x^2-0)^2=x^4+x^2-6x+9$
$f(x)=x^4+x^2-6x+9$라 하면
$f'(x)=4x^3+2x-6=2(x-1)(2x^2+2x+3)$
$f'(x)=0$에서 $x=1$

x	⋯	1	⋯
$f'(x)$	−	0	+
$f(x)$	↘	5	↗

따라서 함수 $f(x)$는 $x=1$일 때 최솟값 5를 가지므로 $\overline{PR}$의 길이의 최솟값은 $\sqrt{5}$이다.
즉 그림에서 구하는 $\overline{PQ}$의 길이의 최솟값은 $\sqrt{5}-1$ 답 ①

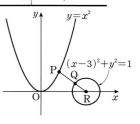

07 방정식과 부등식, 속도와 가속도

p. 67

01. ②	02. ④	03. ①	04. ③	05. ④
06. 22				

01 $x^3-3x^2-9x=k$에서 $f(x)=x^3-3x^2-9x$라 하면
$f'(x)=3x^2-6x-9=3(x+1)(x-3)$
$f'(x)=0$에서 $x=-1$ 또는 $x=3$

x	$\cdots$	-1	$\cdots$	3	$\cdots$
$f'(x)$	$+$	0	$-$	0	$+$
$f(x)$	↗	5	↘	-27	↗

$y=f(x)$의 그래프와 직선 $y=k$가 서
로 다른 세 점에서 만나야 하므로
$-27<k<5$
따라서 정수 k의 최댓값은 4이다.

답 ②

02 $f(x)=x^3-3x+k$라 하면
$f'(x)=3x^2-3=3(x+1)(x-1)=0$에서 $x=-1$ 또는
$x=1$
삼차방정식 $f(x)=0$이 서로 다른 세 실근을 가지려면
$f(-1)f(1)<0$이어야 하므로
$(k+2)(k-2)<0$ $\therefore -2<k<2$
따라서 $a=-2$, $b=2$이므로
$b-a=4$

답 ④

03 $f(x)=g(x)$에서
$3x^3-x^2-3x=x^3-4x^2+9x+a$
$2x^3+3x^2-12x=a$
$h(x)=2x^3+3x^2-12x$라 하면
$h'(x)=6x^2+6x-12=6(x+2)(x-1)$
$h'(x)=0$에서 $x=-2$ 또는 $x=1$

x	$\cdots$	-2	$\cdots$	1	$\cdots$
$h'(x)$	$+$	0	$-$	0	$+$
$h(x)$	↗	20	↘	-7	↗

$y=h(x)$의 그래프와 직선
$y=a$의 교점이 $x>0$에서 두 개,
$x<0$에서 한 개가 되어야 하므로
$-7<a<0$
따라서 정수 a의 개수는 6개이다.

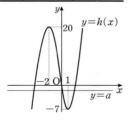

답 ①

04 $4x^3+x^2+1<4x^2-k$에서 $4x^3-3x^2+1+k<0$
$f(x)=4x^3-3x^2+1+k$라 하면
$f'(x)=12x^2-6x=6x(2x-1)$
$f'(x)=0$에서 $x=0$ 또는 $x=\dfrac{1}{2}$

x	-1	$\cdots$	0	$\cdots$	$\dfrac{1}{2}$	$\cdots$	1
$f'(x)$		$+$	0	$-$	0	$+$	
$f(x)$	$-6+k$	↗	$1+k$	↘	$\dfrac{3}{4}+k$	↗	$2+k$

$-1\leq x\leq1$에서 함수 $f(x)$의 최댓값은 $f(1)=2+k$이고,
$f(x)<0$이려면 $f(1)<0$이어야 하므로
$2+k<0$ $\therefore k<-2$
따라서 정수 k의 최댓값은 -3이다.

답 ③

05 $f(x)=x^4-4x+k$라 하면
$f'(x)=4x^3-4=4(x-1)(x^2+x+1)$
$f'(x)=0$에서 $x=1$

x	$\cdots$	1	$\cdots$
$f'(x)$	$-$	0	$+$
$f(x)$	↘	$-3+k$	↗

함수 $f(x)$의 최솟값은 $f(1)=-3+k$이고,
모든 실수 x에 대하여 $f(x)>0$이려면 $f(1)>0$이어야 하므
로
$-3+k>0$ $\therefore k>3$
따라서 정수 k의 최솟값은 4이다.

답 ④

06 시각 t에서의 점 P의 속도를 v, 가속도를 a라 하면
$v=\dfrac{dx}{dt}=-t^2+6t$, $a=\dfrac{dv}{dt}=-2t+6$
가속도가 0인 시각은 $-2t+6=0$에서 $t=3$이고 이때 점 P
의 위치가 40이므로
$-\dfrac{1}{3}\times3^3+3\times3^2+k=40$, $-9+27+k=40$ $\therefore k=22$

답 22

유형따라잡기

pp. 68~75

기출유형 01 3	01. 31	02. 27	03. ④	04. ①
기출유형 02 ③	05. ②	06. ④	07. 33	08. ①
기출유형 03 ④	09. ①	10. 1	11. ①	12. ①
기출유형 04 ③	13. ④	14. 22	15. 3	16. ⑤
기출유형 05 3	17. ③	18. ⑤	19. 1	20. ②
기출유형 06 8	21. 27	22. ④	23. ①	24. ①
기출유형 07 ⑤	25. ①	26. ②		
기출유형 08 ③	27. ④	28. ⑤	29. ⑤	

기출유형 01

Act❶ $f(x)=k$로 변형한 후 $y=f(x)$의 그래프와 직선 $y=k$의
교점의 개수가 3이 되는 정수 k를 구한다.
$x^3-3x^2=k$에서 $f(x)=x^3-3x^2$이라 하면
$f'(x)=3x^2-6x=3x(x-2)$
$f'(x)=0$에서 $x=0$ 또는 $x=2$

x	$\cdots$	0	$\cdots$	2	$\cdots$
$f'(x)$	$+$	0	$-$	0	$+$
$f(x)$	↗	0	↘	-4	↗

$y=f(x)$의 그래프와 직선 $y=k$
가 서로 다른 세 점에서 만나야
하므로
$-4<k<0$
따라서 정수 k의 개수는 -3,
-2, -1의 3이다. 　　　답 3

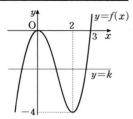

01 **Act❶** $f(x)=n$으로 변형한 후 $y=f(x)$의 그래프와 직선 $y=n$
의 교점의 개수가 3이 되는 정수 n을 구한다.
$x^3-6x^2=n$ 에서 $f(x)=x^3-6x^2$이라 하면
$f'(x)=3x^2-12x=3x(x-4)$
$f'(x)=0$에서 $x=0$ 또는 $x=4$

x	$\cdots$	0	$\cdots$	4	$\cdots$
$f'(x)$	$+$	0	$-$	0	$+$
$f(x)$	↗	0	↘	-32	↗

$y=f(x)$의 그래프와 직선 $y=n$이
서로 다른 세 점에서 만나야 하므
로 $-32<n<0$
따라서 정수 n의 개수는
-31, -30, $\cdots$, -1의 31이다.
　　　답 31

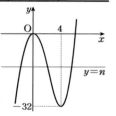

02 **Act❶** $f(x)=k$로 변형한 후 $y=f(x)$의 그래프와 직선 $y=k$의
교점의 개수가 3이 되는 실수 k의 범위를 구한다.
$-2x^3+3x^2+12x=k$에서 $f(x)=-2x^3+3x^2+12x$라 하면
$f'(x)=-6x^2+6x+12=-6(x+1)(x-2)$
$f'(x)=0$에서 $x=-1$ 또는 $x=2$

x	$\cdots$	-1	$\cdots$	2	$\cdots$
$f'(x)$	$-$	0	$+$	0	$-$
$f(x)$	↘	-7	↗	20	↘

$y=f(x)$의 그래프와 직선 $y=k$가
서로 다른 세 점에서 만나야 하므로
$-7<k<20$
따라서 $a=-7$, $b=20$이므로
$b-a=27$ 　　　답 27

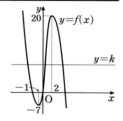

03 **Act❶** $f(x)=k$로 변형한 후 $y=f(x)$의 그래프와 직선 $y=k$의
교점의 개수가 2가 되는 실수 k를 구한다.
$x^3-6x^2+9x=k$에서 $f(x)=x^3-6x^2+9x$라 하면
$f'(x)=3x^2-12x+9=3(x-1)(x-3)$
$f'(x)=0$에서 $x=1$ 또는 $x=3$

x	$\cdots$	1	$\cdots$	3	$\cdots$
$f'(x)$	$+$	0	$-$	0	$+$
$f(x)$	↗	4	↘	0	↗

함수 $y=f(x)$의 그래프와 직선
$y=k$가 서로 다른 두 점에서 만나
야 하므로 $k=0$ 또는 $k=4$
따라서 모든 실수 k의 값의 합은 4
이다. 　　　답 ④

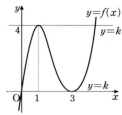

04 **Act❶** $f(x)=k$로 변형한 후 $y=f(x)$의 그래프와 직선 $y=k$의
교점의 개수가 2가 되는 실수 k를 구한다.
$x^4-4x^3-2x^2+12x-k=0$에서 $f(x)=x^4-4x^3-2x^2+12x$
라 하면
$f'(x)=4x^3-12x^2-4x+12$
$\qquad=4(x+1)(x-1)(x-3)$
$f'(x)=0$에서 $x=-1$ 또는 $x=1$ 또는 $x=3$

x	$\cdots$	-1	$\cdots$	1	$\cdots$	3	$\cdots$
$f'(x)$	$-$	0	$+$	0	$-$	0	$+$
$f(x)$	↘	-9	↗	7	↘	-9	↗

함수 $y=f(x)$의 그래프와 직선
$y=k$가 서로 다른 두 점에서 만나
야 하므로
$k=-9$ 또는 $k>7$
따라서 실수 k의 최솟값은 -9이
다. 　　　답 ①

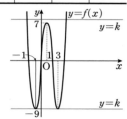

기출유형 02

Act❶ 삼차방정식이 서로 다른 세 실근을 가지려면
(극댓값)×(극솟값)<0이어야 함을 이용한다.
$f(x)=x^3-6x^2+9x-k$라 하면
$f'(x)=3x^2-12x+9=3(x-1)(x-3)=0$에서
$x=1$ 또는 $x=3$
삼차방정식 $f(x)=0$이 서로 다른 세 실근을 가지려면
$f(1)f(3)<0$이어야 하므로
$(4-k)(-k)<0$, $k(k-4)<0$ $\therefore 0<k<4$
따라서 정수 k의 개수는 1, 2, 3의 3이다. 　　　답 ③

05 **Act❶** 삼차방정식이 오직 한 실근을 가지려면
(극댓값)×(극솟값)>0이어야 함을 이용한다.
$f(x)=2x^3-3x^2+k$라 하면
$f'(x)=6x^2-6x=6x(x-1)=0$에서
$x=0$ 또는 $x=1$
삼차방정식 $f(x)=0$이 오직 한 실근을 가지려면
$f(0)f(1)>0$이어야 하므로
$k(k-1)>0$ $\therefore k<0$ 또는 $k>1$
따라서 자연수 k의 최솟값은 2이다. 　　　답 ②

06 **Act❶** 삼차방정식이 서로 다른 두 실근을 가지려면
(극댓값)×(극솟값)=0이어야 함을 이용한다.
$f(x)=x^3-3ax^2+4a$라 하면
$f'(x)=3x^2-6ax=3x(x-2a)$
$f'(x)=0$에서 $x=0$ 또는 $x=2a$

삼차함수 $y=f(x)$의 그래프가 x축에 접하려면 극댓값 또는 극솟값이 0이어야 하므로 $f(0)f(2a)=0$에서
$4a(8a^3-12a^3+4a)=0$
$-16a^2(a^2-1)=0$, $-16a^2(a+1)(a-1)=0$
$\therefore a=1$ ($\because a>0$)   답 ④

07 Act① 삼차방정식이 서로 다른 두 실근을 가지려면 (극댓값)×(극솟값)=0이어야 함을 이용한다.

함수 $f(x)=2x^3-3x^2-12x-10$의 그래프를 y축의 방향으로 a만큼 평행이동시킨 함수가 $y=g(x)$이므로
$g(x)=2x^3-3x^2-12x-10+a$
$g'(x)=6x^2-6x-12=6(x+1)(x-2)$
$g'(x)=0$에서 $x=-1$ 또는 $x=2$
삼차방정식 $g(x)=0$이 서로 다른 두 실근만을 가지려면 삼차함수 $g(x)$의 극댓값 또는 극솟값이 0이어야 하므로
$g(-1)g(2)=0$에서 $(a-3)(a-30)=0$
$\therefore a=3$ 또는 $a=30$
따라서 모든 a의 값의 합은 33이다.   답 33

08 Act① 삼차방정식 $x(x+1)(x-4)=5x+k$가 서로 다른 두 실근을 가지려면 (극댓값)×(극솟값)=0이어야 함을 이용한다.

$x(x+1)(x-4)=5x+k$에서
$x^3-3x^2-9x-k=0$
$g(x)=x^3-3x^2-9x-k$라 하면
$g'(x)=3x^2-6x-9=3(x^2-2x-3)$
$\qquad\quad =3(x+1)(x-3)$
$g'(x)=0$에서 $x=-1$ 또는 $x=3$
삼차방정식 $g(x)=0$이 서로 다른 두 실근을 가지려면 삼차함수 $g(x)$의 극댓값 또는 극솟값이 0이어야 하므로
$g(-1)g(3)=0$에서 $(5-k)(-27-k)=0$
$\therefore k=-27$ 또는 $k=5$
따라서 양수 k의 값은 5이다.   답 ①

기출유형 03

Act① $f(x)=k$로 변형한 후 $y=f(x)$의 그래프와 직선 $y=k$의 교점의 부호를 생각하여 k의 범위를 정한다.

$-x^3+3x^2+9x=k$에서 $f(x)=-x^3+3x^2+9x$라 하면
$f'(x)=-3x^2+6x+9=-3(x+1)(x-3)$
$f'(x)=0$에서 $x=-1$ 또는 $x=3$

x	$\cdots$	-1	$\cdots$	3	$\cdots$
$f'(x)$	$-$	0	$+$	0	$-$
$f(x)$	$\searrow$	-5	$\nearrow$	27	$\searrow$

$y=f(x)$의 그래프와 직선 $y=k$의 교점의 x좌표가 두 개는 음수이고 한 개는 양수이어야 하므로
$-5<k<0$
따라서 정수 k의 개수는 -4, -3, -2, -1의 4이다.   답 ④

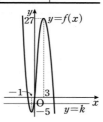

09 Act① $f(x)=a$로 변형한 후 $y=f(x)$의 그래프와 직선 $y=a$의 교점의 부호를 생각하여 a의 범위를 정한다.

$x^3-3x-a+1=0$에서 $x^3-3x+1=a$
$f(x)=x^3-3x+1$이라 하면
$f'(x)=3x^2-3=3(x+1)(x-1)$
$f'(x)=0$에서 $x=-1$ 또는 $x=1$

x	$\cdots$	-1	$\cdots$	1	$\cdots$
$f'(x)$	$+$	0	$-$	0	$+$
$f(x)$	$\nearrow$	3	$\searrow$	-1	$\nearrow$

함수 $y=f(x)$의 그래프와 직선 $y=a$의 교점의 x좌표가 한 개는 음수이고, 두 개는 양수이어야 하므로
$-1<a<1$
따라서 정수 a는 0의 1개이다. 답 ①

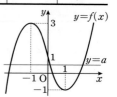

10 Act① $f(x)=a$로 변형한 후 $y=f(x)$의 그래프와 직선 $y=a$의 교점의 부호를 생각하여 a의 범위를 정한다.

$8x^3-6x-a=0$에서 $8x^3-6x=a$
$f(x)=8x^3-6x$라 하면
$f'(x)=24x^2-6=6(2x+1)(2x-1)$
$f'(x)=0$에서 $x=-\dfrac{1}{2}$ 또는 $x=\dfrac{1}{2}$

x	$\cdots$	$-\dfrac{1}{2}$	$\cdots$	$\dfrac{1}{2}$	$\cdots$
$f'(x)$	$+$	0	$-$	0	$+$
$f(x)$	$\nearrow$	2	$\searrow$	-2	$\nearrow$

함수 $y=f(x)$의 그래프와 직선 $y=a$의 교점의 x좌표가 두 개는 음수이고, 한 개는 양수이어야 하므로
$0<a<2$
따라서 정수 a의 개수는 1이다.   답 1

11 Act① $f(x)=a$로 변형한 후 $y=f(x)$의 그래프와 직선 $y=a$의 교점의 부호를 생각하여 a의 범위를 정한다.

$x^3-x^2+a=2x^2+9x$에서 $-x^3+3x^2+9x=a$
$f(x)=-x^3+3x^2+9x$라 하면
$f'(x)=-3x^2+6x+9=-3(x+1)(x-3)$
$f'(x)=0$에서 $x=-1$ 또는 $x=3$

x	$\cdots$	-1	$\cdots$	3	$\cdots$
$f'(x)$	$-$	0	$+$	0	$-$
$f(x)$	$\searrow$	-5	$\nearrow$	27	$\searrow$

함수 $y=f(x)$의 그래프와 직선 $y=a$의 교점의 x좌표가 오직 한 개의 양수이어야 하므로
$a<-5$
따라서 정수 a의 최댓값은 -6이다.   답 ①

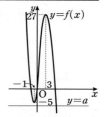

12 Act① 주어진 방정식을 $h(x)=a$로 변형한 후 $y=h(x)$의 그래프와 $y=a$의 교점의 부호를 생각하여 a의 범위를 정한다.

$f(x)=g(x)$에서

$3x^4-12x^2+1=-4x^3-1+a$

$3x^4+4x^3-12x^2+2=a$

$h(x)=3x^4+4x^3-12x^2+2$라 하면

$h'(x)=12x^3+12x^2-24x=12x(x+2)(x-1)$

$h'(x)=0$에서 $x=-2$ 또는 $x=0$ 또는 $x=1$

x	$\cdots$	-2	$\cdots$	0	$\cdots$	1	$\cdots$
$h'(x)$	$-$	0	$+$	0	$-$	0	$+$
$h(x)$	$\searrow$	-30	$\nearrow$	2	$\searrow$	-3	$\nearrow$

$y=h(x)$의 그래프와 직선 $y=a$의
교점이 $x>0$에서 두 개, $x<0$에서
두 개가 되어야 하므로
$-3<a<2$
따라서 정수 a는 -2, -1, 0, 1로
그 합은 -2이다.　　　　　답 ①

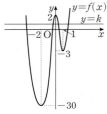

기출유형 04

Act 1 주어진 구간에서 $f(x)\geq 0$이 성립하려면 그 구간에서
($f(x)$의 최솟값)≥ 0임을 이용한다.

$2x^3+3x^2\geq 12x+k$에서 $2x^3+3x^2-12x-k\geq 0$

$f(x)=2x^3+3x^2-12x-k$라 하면

$f'(x)=6x^2+6x-12=6(x-1)(x+2)$

$f'(x)=0$에서 $x=1$ ($\because x>0$)

x	(0)	$\cdots$	1	$\cdots$
$f'(x)$		$-$	0	$+$
$f(x)$		$\searrow$	$-7-k$	$\nearrow$

$x>0$에서 함수 $f(x)$의 최솟값은 $f(1)=-7-k$이고,
$f(x)\geq 0$이려면 $f(1)\geq 0$이어야 하므로
$-7-k\geq 0$　$\therefore k\leq -7$
따라서 실수 k의 최댓값은 -7이다.　　答 ③

13 **Act 1** 주어진 구간에서 $f(x)\geq g(x)$가 성립하려면 그 구간에서
($f(x)-g(x)$의 최솟값)≥ 0임을 이용한다.

$h(x)=f(x)-g(x)$라 하면

$h(x)=x^3+x^2-2x-(x^2+x+k)=x^3-3x-k$

$h'(x)=3x^2-3=3(x+1)(x-1)$

$h'(x)=0$에서 $x=1$ ($\because x>0$)

x	(0)	$\cdots$	1	$\cdots$
$h'(x)$		$-$	0	$+$
$h(x)$		$\searrow$	$-2-k$	$\nearrow$

$x>0$에서 함수 $h(x)$의 최솟값은 $h(1)=-2-k$이고,
$h(x)\geq 0$이려면 $h(1)\geq 0$이어야 하므로
$-2-k\geq 0$　$\therefore k\leq -2$
따라서 실수 k의 최댓값은 -2이다.　　답 ④

14 **Act 1** 주어진 구간에서 $f(x)\geq g(x)$가 성립하려면 그 구간에서
($f(x)-g(x)$의 최솟값)≥ 0임을 이용한다.

$h(x)=f(x)-g(x)$라 하면

$h(x)=5x^3-10x^2+k-(5x^2+2)$

$=5x^3-15x^2+k-2$

$h'(x)=15x^2-30x=15x(x-2)$

$h'(x)=0$에서 $x=2$ ($\because 0<x<3$)

x	(0)	$\cdots$	2	$\cdots$	(3)
$h'(x)$		$-$	0	$+$	
$h(x)$		$\searrow$	$k-22$	$\nearrow$	

$0<x<3$에서 함수 $h(x)$의 최솟값은
$h(2)=k-22$이고 $h(x)\geq 0$이려면 $h(2)\geq 0$이어야 하므로
$k-22\geq 0$　$\therefore k\geq 22$
따라서 k의 최솟값은 22이다.　　答 22

15 **Act 1** 주어진 구간에서 $f(x)\geq 3g(x)$가 성립하려면 그 구간에
서 ($f(x)-3g(x)$의 최솟값)≥ 0임을 이용한다.

$h(x)=f(x)-3g(x)$라 하면

$h(x)=x^3-3x^2-9x+30-k$

$h'(x)=3x^2-6x-9=3(x+1)(x-3)$

x	-1	$\cdots$	3	$\cdots$	4
$h'(x)$		$-$	0	$+$	
$h(x)$		$\searrow$	$3-k$	$\nearrow$	

닫힌구간 $[-1, 4]$에서 함수 $h(x)$의 최솟값은
$h(3)=3-k$이고 $h(x)\geq 0$이려면 $h(3)\geq 0$이어야 하므로
$3-k\geq 0$
$\therefore k\leq 3$
따라서 구하는 k의 최댓값은 3이다.　　답 3

16 **Act 1** 주어진 구간에서 $f(x)>0$이 성립하려면 그 구간에서
($f(x)$의 최솟값)>0임을 이용한다.

$f(x)=4x^3+3x^2-6x+k$라 하면

$f'(x)=12x^2+6x-6=6(x+1)(2x-1)$

$1<x<3$에서 $f'(x)=0$인 x의 값이 없고 $f'(x)>0$이므로
함수 $f(x)$는 이 구간에서 증가한다.

따라서 $1<x<3$에서 $f(x)>0$이려면 $f(1)\geq 0$이어야 하므로
$f(1)=1+k\geq 0$　$\therefore k\geq -1$
따라서 실수 k의 최솟값은 -1이다.　　答 ⑤

기출유형 05

Act 1 $f(x)>0$이 성립하려면 ($f(x)$의 최솟값)>0임을 이용한다.

$f(x)=x^4-4k^3x+27$이라 하면

$f'(x)=4x^3-4k^3=4(x-k)(x^2+kx+k^2)$

$f'(x)=0$에서 $x=k$

x	$\cdots$	k	$\cdots$
$f'(x)$	$-$	0	$+$
$f(x)$	$\searrow$	$-3k^4+27$	$\nearrow$

함수 $f(x)$의 최솟값은 $f(k)=-3k^4+27$이고,
모든 실수 x에 대하여 $f(x)>0$이려면 $f(k)>0$이어야 하므
로
$-3k^4+27>0$, $k^4<9$　$\therefore -\sqrt{3}<k<\sqrt{3}$
따라서 정수 k의 개수는 -1, 0, 1의 3이다.　　답 3

17 `Act①` 모든 실수 x에 대하여 $f(x) \leq 0$이 성립하려면 $(f(x)$의 최댓값$) \leq 0$임을 이용한다.

$f(x) = -3x^4 + 6x^2 + k$라 하면
$f'(x) = -12x^3 + 12x = -12x(x-1)(x+1)$
$f'(x) = 0$에서 $x = -1$ 또는 $x = 0$ 또는 $x = 1$

x	$\cdots$	-1	$\cdots$	0	$\cdots$	1	$\cdots$
$f'(x)$	$+$	0	$-$	0	$+$	0	$-$
$f(x)$	↗	$3+k$	↘	k	↗	$3+k$	↘

함수 $f(x)$의 최댓값은 $f(-1)$ 또는 $f(1)$이고,
모든 실수 x에 대하여 $f(x) \leq 0$이려면 $f(-1) = f(1) \leq 0$이어야 하므로 $3+k \leq 0$ $\therefore k \leq -3$
따라서 정수 k의 최댓값은 -3이다. 답 ③

18 `Act①` 모든 실수 x에 대하여 $f(x) > 0$이 성립하려면 $(f(x)$의 최솟값$) > 0$임을 이용한다.

$f(x) = x^4 - 6x^2 - 8x + k$라 하면
$f'(x) = 4x^3 - 12x - 8 = 4(x+1)^2(x-2)$
$f'(x) = 0$에서 $x = -1$ 또는 $x = 2$

x	$\cdots$	-1	$\cdots$	2	$\cdots$
$f'(x)$	$-$	0	$-$	0	$+$
$f(x)$	↘	$3+k$	↘	$-24+k$	↗

함수 $f(x)$의 최솟값은 $f(2) = -24+k$이고,
모든 실수 x에 대하여 $f(x) > 0$이려면 $f(2) > 0$이어야 하므로 $-24+k > 0$ $\therefore k > 24$
따라서 정수 k의 최솟값은 25이다. 답 ⑤

19 `Act①` $h(x) = f(x) - g(x) > 0$에서 $(h(x)$의 최솟값$) > 0$임을 이용한다.

$h(x) = f(x) - g(x)$라 하면 $h(x) = x^4 + 4x + 4a - a^2$
$h'(x) = 4x^3 + 4 = 4(x+1)(x^2 - x + 1)$

x	$\cdots$	-1	$\cdots$
$h'(x)$	$-$	0	$+$
$h(x)$	↘	$-3+4a-a^2$	↗

모든 실수 x에 대하여 $f(x) > g(x)$, 즉 $h(x) > 0$이려면 $h(-1) > 0$이어야 하므로
$-3 + 4a - a^2 > 0$, $(a-1)(a-3) < 0$ $\therefore 1 < a < 3$
따라서 정수 a의 개수는 1이다. 답 1

20 `Act①` 임의의 두 실수 x_1, x_2에 대하여 $f(x_1) > g(x_2)$가 성립하려면 $f(x)$의 최솟값이 $g(x)$의 최댓값보다 커야 한다.

$f(x) = 3x^4 - 4x^3 + 16$에서
$f'(x) = 12x^3 - 12x^2 = 12x^2(x-1)$
$f'(x) = 0$에서 $x = 0$ 또는 $x = 1$

x	$\cdots$	0	$\cdots$	1	$\cdots$
$f'(x)$	$-$	0	$-$	0	$+$
$f(x)$	↘	16	↘	15	↗

함수 $f(x)$는 $x = 1$일 때 최소이므로 최솟값은 $f(1) = 15$
또, $g(x) = -2x^2 + 12x + k = -2(x-3)^2 + k + 18$이므로 함

수 $g(x)$는 $x = 3$일 때 최대이고 최댓값은
$g(3) = k + 18$
이때 $f(1) > g(3)$이어야 하므로
$15 > k + 18$ $\therefore k < -3$
따라서 정수 k의 최댓값은 -4이다. 답 ②

기출유형 06

`Act①` 위치를 미분하면 속도, 속도를 미분하면 가속도임을 이용한다.

점 P의 시각 t에서의 위치가 $x = t^3 - 5t^2 + 6t$이므로
시각 t에서의 속도를 v라 하면 $v = 3t^2 - 10t + 6$
또, 시각 t에서의 가속도를 a라 하면 $a = 6t - 10$
따라서 $t = 3$에서의 가속도는
$6 \times 3 - 10 = 8$ 답 8

21 `Act①` 위치를 미분하면 속도임을 이용한다.

두 점 P, Q의 시각 t에서의 속도를 각각 v_1, v_2라 하면
$v_1 = 3t^2 - 4t + 3$, $v_2 = 2t + 12$
$v_1 = v_2$에서
$3t^2 - 6t - 9 = 0$, $(t+1)(t-3) = 0$
$\therefore t = 3$ ($\because t \geq 0$)
$t = 3$에서의 두 점 P, Q의 위치는 각각
$x_1 = 18$, $x_2 = 45$
이므로 구하는 두 점 사이의 거리는
$45 - 18 = 27$ 답 27

22 `Act①` 수직선 위를 움직이는 점이 운동 방향을 바꾸는 순간의 속도는 0임을 이용한다.

시각 t에서의 속도를 v라 하면 $v = 3t^2 - 12$
운동 방향이 바뀌는 순간의 속도는 0이므로
$3t^2 - 12 = 0$, $3(t+2)(t-2) = 0$ $\therefore t = 2$ ($\because t > 0$)
$t = 2$일 때 점 P의 위치가 원점이므로
$2^3 - 12 \times 2 + k = 0$ $\therefore k = 16$ 답 ④

23 `Act①` 수직선 위를 움직이는 점이 운동 방향을 바꾸는 순간의 속도는 0임을 이용한다.

시각 t에서의 속도를 v, 가속도를 a라 하면
$v = 3t^2 + 2at + b$, $a = 6t + 2a$
시각 $t = 1$에서의 점 P가 운동 방향을 바꾸므로
$3 + 2a + b = 0$ $\cdots\cdots$ ㉠
$t = 2$에서의 가속도는 0이므로
$12 + 2a = 0$ $\cdots\cdots$ ㉡
㉠, ㉡을 연립하여 풀면 $a = -6$, $b = 9$
$\therefore a + b = 3$ 답 ①

24 `Act①` 운동 방향이 바뀌지 않으려면 속도 $v = f'(t)$의 부호의 변화가 없어야 한다.

시각 t에서의 속도를 v라 하면 $v = 3t^2 - 10t + a$
움직이는 방향이 바뀌지 않기 위해서는 최고차항의 계수가 양수이므로 $v \geq 0$이어야 한다.

즉 $3t^2-10t+a=0$의 판별식을 D라 하면 $D\le0$이어야 하므로 $\dfrac{D}{4}=5^2-3a\le0$ $\therefore a\ge\dfrac{25}{3}$

따라서 자연수 a의 최솟값은 9이다. 답 ①

기출유형 07

Act① 수직선 위를 움직이는 점 P의 시각 t에서의 속도 $v(t)$의 그래프가 주어질 때, 가속도는 접선의 기울기 $v'(t)$이고 속도의 부호가 반대이면 운동 방향도 반대임을 이용하여 참, 거짓을 판단한다.

ㄱ. $t=g$일 때 $v'(g)>0$이므로 가속도는 양의 값이다. (참)

ㄴ. $t=d$, $t=h$의 좌우에서 $v(t)$의 부호가 바뀌므로 점 P는 $0<t<i$에서 운동 방향을 2번 바꾼다. (참)

ㄷ. $0<t<d$에서 점 P는 한쪽 방향으로 계속 이동하였으므로 $t=d$일 때 원점으로부터 가장 멀리 떨어진다. (참)

ㄹ. $v(a)>0$, $v(g)<0$이므로 $t=a$일 때와 $t=g$일 때, 점 P의 운동 방향은 서로 반대이다. (거짓)

따라서 옳은 것은 ㄱ, ㄴ, ㄷ이다. 답 ⑤

25 **Act①** 수직선 위를 움직이는 점 P의 시각 t에서의 위치 $x(t)$의 그래프가 주어질 때, 속도는 접선의 기울기 $x'(t)$이고 그래프의 접선의 기울기의 부호가 반대이면 운동 방향도 반대임을 이용하여 참, 거짓을 판단한다.

ㄱ. $t=5$에서 그래프의 접선의 기울기가 양에서 음으로 바뀌었으므로 운동 방향을 바꿨음을 알 수 있다. (참)

ㄴ. 점 P가 운동 방향을 바꾼 것은 4번이다. (거짓)

ㄷ. 열린구간 $(2, 5)$에서 운동 방향이 바뀌지 않았다. (거짓)

따라서 옳은 것은 ㄱ뿐이다. 답 ①

26 **Act①** 주어진 그래프와 t축의 교점에서 $f(t)=kt(t-1)(t-4)=kt^3-5kt^2+4kt$ $(k>0)$으로 놓고 가속도가 0이 되는 시각을 구한다.

$x=f(t)$에서 $f(0)=0$, $f(1)=0$, $f(4)=0$이고, $f(t)$는 t에 대한 삼차식이므로 $f(t)=kt(t-1)(t-4)=kt^3-5kt^2+4kt$ $(k>0)$로 놓을 수 있다.

이때 점 P의 속도와 가속도는 각각 $v=f'(t)=3kt^2-10kt+4k$, $a=\{f'(t)\}'=6kt-10k$

$a=0$에서 $6kt-10k=0$, $2k(3t-5)=0$ $\therefore t=\dfrac{5}{3}$

따라서 점 P의 가속도가 0이 되는 시각은 $\dfrac{5}{3}$ 답 ②

기출유형 08

Act① 그림자의 길이 l을 t에 대한 함수로 나타낸 후 그림자의 길이의 변화율은 $\dfrac{dl}{dt}$임을 이용한다.

사람이 $1.4\,\mathrm{m/s}$의 속도로 걸어가므로 t초 동안 움직이는 거리는 $1.4t\,\mathrm{m}$

그림자 끝이 t초 동안 움직이는 거리를 $x\,\mathrm{m}$라 하면

그림에서 $\triangle ABC\backsim\triangle DEC$이므로 $\overline{AB}:\overline{DE}=\overline{BC}:\overline{EC}$

$3:1.8=x:(x-1.4t)$

$3x-4.2t=1.8x$

$1.2x=4.2t$

$\therefore x=3.5t$

t초 후의 그림자의 길이를 $l\,\mathrm{m}$라 하면 $l=\overline{BC}-\overline{BE}=x-1.4t=3.5t-1.4t=2.1t$

따라서 그림자의 길이의 변화율은 $\dfrac{dl}{dt}=2.1(\mathrm{m/s})$ 답 ③

27 **Act①** 가장 바깥쪽 원의 넓이 S를 t에 대한 함수로 나타낸 후 넓이의 변화율은 $\dfrac{dS}{dt}$임을 이용한다.

가장 바깥쪽 원의 반지름의 길이가 1초에 $0.5\,\mathrm{m}$씩 커지므로 t초 후 가장 바깥쪽 원의 반지름의 길이를 $r\,\mathrm{m}$라 하면 $r=0.5t$

또 가장 바깥쪽 원의 넓이를 $S\,\mathrm{m}^2$라 하면 $S=\pi r^2=\pi(0.5t)^2=0.25\pi t^2$

가장 바깥쪽 원의 넓이 S의 변화율은 $\dfrac{dS}{dt}=0.5\pi t$

따라서 $t=4$일 때, 가장 바깥쪽 원의 넓이의 변화율은 $0.5\pi\times4=2\pi(\mathrm{m}^2/\mathrm{s})$ 답 ④

28 **Act①** 정사각형의 넓이 S를 t에 대한 함수로 나타낸 후 넓이의 변화율은 $\dfrac{dS}{dt}$임을 이용한다.

각 변의 길이가 $0.2\,\mathrm{m/s}$씩 늘어나므로 t초 후 정사각형의 한 변의 길이는 $(5+0.2t)\,\mathrm{m}$

t초 후의 정사각형의 넓이를 $S\,\mathrm{m}^2$라 하면 $S=(5+0.2t)^2$

$\therefore \dfrac{dS}{dt}=2(5+0.2t)\times0.2=0.4(5+0.2t)$

정사각형의 넓이가 $49\,\mathrm{m}^2$가 되었을 때 한 변의 길이는 $7\,\mathrm{m}$이므로 $5+0.2t=7$에서 $t=10$

따라서 $t=10$일 때, 정사각형의 넓이의 변화율은 $0.4(5+0.2\times10)=2.8\,(\mathrm{m}^2/\mathrm{s})$ 답 ⑤

29 **Act①** 원기둥의 부피 V를 t에 대한 함수로 나타낸 후 부피의 변화율은 $\dfrac{dV}{dt}$임을 이용한다.

밑면의 반지름의 길이가 $2\,\mathrm{cm/s}$씩 늘어나고, 높이는 $1\,\mathrm{cm/s}$씩 줄어들므로 t초 후 원기둥의 밑면의 반지름의 길이는 $(2+2t)\,\mathrm{cm}$, 높이는 $(12-t)\,\mathrm{cm}$

t초 후의 원기둥의 부피를 $V\,\mathrm{cm}^3$라 하면 $V=\pi(2+2t)^2(12-t)=(-4t^3+40t^2+92t+48)\pi$

시각 t에 대한 원기둥의 부피 V의 변화율은 $\dfrac{dV}{dt}=(-12t^2+80t+92)\pi$

높이가 11 cm가 되었을 때의 시각은
12−t=11에서 t=1
따라서 t=1일 때, 원기둥의 부피의 변화율은
$(-12+80+92)\pi=160\pi(\text{cm}^3/\text{s})$　　　　답 ⑤

VIT **V**ery **I**mportant **T**est　　　pp. 76~77

01. ④　　**02.** ③　　**03.** 2　　**04.** ②　　**05.** 7
06. ②　　**07.** 6　　**08.** 18　　**09.** 10　　**10.** ⑤

01

$x^3-3x^2-4-k=0$, 즉 $x^3-3x^2-4=k$에서
$f(x)=x^3-3x^2-4$라 하면
$f'(x)=3x^2-6x=3x(x-2)$
$f'(x)=0$에서 $x=0$ 또는 $x=2$

x	$\cdots$	0	$\cdots$	2	$\cdots$
$f'(x)$	+	0	−	0	+
$f(x)$	↗	−4	↘	−8	↗

$y=f(x)$의 그래프와 직선 $y=k$가 오직
한 점에서만 만나야 하므로
$k>-4$, $k<-8$
따라서 $a=-4$, $b=-8$이므로
$a-b=4$　　　　답 ④

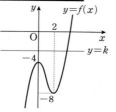

02

$h(x)=f(x)-g(x)$는 삼차함수이고
$h'(x)=f'(x)-g'(x)$이므로
$h'(x)=0$에서 $x=0$ 또는 $x=2$
$h(0)=f(0)-g(0)=0$이므로 함수
$y=h(x)$의 그래프의 개형은 오른쪽
그림과 같다.
ㄱ. $0<x<2$에서 $h(x)$는 감소한다. (참)
ㄴ. 함수 $h(x)$는 $x=2$에서 극솟값을 갖는다. (참)
ㄷ. 방정식 $h(x)=0$은 서로 다른 두 실근을 갖는다. (거짓)
따라서 [보기]에서 옳은 것은 ㄱ, ㄴ이다.　　　　답 ③

03

$f(x)=x^3-3x-1$에서
$f'(x)=3x^2-3=3(x+1)(x-1)$
$f'(x)=0$에서 $x=-1$ 또는 $x=1$

x	$\cdots$	−1	$\cdots$	1	$\cdots$
$f'(x)$	+	0	−	0	+
$f(x)$	↗	1	↘	−3	↗

따라서 함수 $y=f(x)$의 그래프는 그림과 같다.

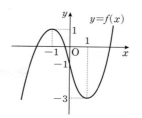

또, 함수 $y=|f(x)|$의 그래프는 그림과 같다.

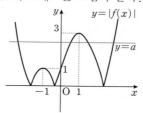

방정식 $|f(x)|=a$의 서로 다른 실근의 개수는 함수 $y=|f(x)|$
의 그래프와 직선 $y=a$의 교점의 개수와 같다.
따라서 $y=|f(x)|$의 그래프와 직선 $y=a$가 서로 다른 네 점에서
만나도록 하는 a의 값의 범위는 $1<a<3$이므로 구하는 자연수 a
의 값은 2이다.　　　　답 2

04

$f(x)=x^3-2x^2-4x-k$라 하면
$f'(x)=3x^2-4x-4=(3x+2)(x-2)$
$f'(x)=0$에서 $x=-\dfrac{2}{3}$ 또는 $x=2$

x	0	$\cdots$	2	$\cdots$
$f'(x)$		−	0	+
$f(x)$	−k	↘	−k−8	↗

$x\geq0$에서 함수 $f(x)$의 최솟값은
$f(2)=-k-8$이고 $f(2)\geq0$이어야 하므로
$-k-8\geq0$　∴ $k\leq-8$
따라서 k의 최댓값은 −8이다.　　　　답 ②

05

$f(x)=x^3+9x+k-6x^2-6$이라 하면
$f'(x)=3x^2-12x+9=3(x-1)(x-3)$
$f'(x)=0$에서 $x=1$ 또는 $x=3$

x	(1)	$\cdots$	3	$\cdots$
$f'(x)$		−	0	+
$f(x)$	↘		k−6	↗

$x>1$에서 함수 $f(x)$의 최솟값은 $f(3)=k-6$이고 $f(3)>0$이어
야 하므로
$k-6>0$　∴ $k>6$
따라서 자연수 k의 최솟값은 7이다.　　　　답 7

06

두 점 P, Q의 시각 t일 때의 위치는 각각
$f(t)=2t^2-2t$, $g(t)=t^2-8t$
이므로 속도는 각각
$f'(t)=4t-2$, $g'(t)=2t-8$
이때 두 점의 속도의 부호가 반대일 때, 두 점이 서로 반대 방향

으로 이동하므로

$f'(t)g'(t)<0$

$(4t-2)(2t-8)=4(2t-1)(t-4)<0$

$\therefore \dfrac{1}{2}<t<4$

따라서 $a=\dfrac{1}{2}$, $b=4$이므로 $ab=2$　　　　　　　　답 ②

07

점 P의 시각 t에서의 속도를 v라 하면

$v=3t^2-24t+36=3(t-2)(t-6)$

점 P가 운동 방향을 바꾸는 순간의 속도는 0이므로

$v=0$에서 $t=2$ 또는 $t=6$

따라서 두 번째로 운동 방향을 바꾸는 시각은 6이다.　　답 6

08

점 Q가 선분 PR의 중점이 될 때는 $2x_Q=x_P+x_R$이므로

$2(t^3+t^2+2t)=(3t^3+2t^2)+(-t^3+t^2+4)$

$t^2-4t+4=0$, $(t-2)^2=0$ $\therefore t=2$

또, 시각 t에서의 점 Q의 속도를 v_Q라 하면

$v_Q=\dfrac{dx_Q}{dt}=3t^2+2t+2$

따라서 구하는 속도는

$3\times2^2+2\times2+2=18$　　　　　　　　　　　답 18

09

$f(t)=\dfrac{1}{3}t^3-4t^2+10t$라 하면

점 P의 속도 v는

$v=f'(t)=t^2-8t+10=(t-4)^2-6$

이때 속력은 $|f'(t)|$이므로

$0\le t\le5$에서 $|f'(t)|$의 최댓값은 $t=0$일 때, 10이다.

따라서 점 P의 최대 속력은 10이다.　　　　　　답 10

10

ㄱ. $t=2$일 때, $x_1=8-16=-8$, $x_2=2-12=-10$

따라서 두 점 P, Q 사이의 거리는 2이다. (참)

ㄴ. 두 점 P, Q의 시각 t에서의 속도를 v_1, v_2라 하면

$v_1=4t-8$, $v_2=t-6$

$4t-8=t-6$에서 $t=\dfrac{2}{3}$

따라서 원점을 출발한 후 $t=\dfrac{2}{3}$일 때 두 점 P, Q의 속도가

같아진다. (참)

ㄷ. $3<t<5$일 때, $v_1=4t-8>0$, $v_2=t-6<0$

이므로 두 점 P, Q는 서로 반대 방향으로 움직인다. (참)

따라서 ㄱ, ㄴ, ㄷ 모두 옳다.　　　　　　　　답 ⑤

Ⅲ 적분

08 부정적분

p. 79

01. ④　　**02.** ⑤　　**03.** 12　　**04.** ③　　**05.** ②
06. 4

01

$f(x)=\displaystyle\int\left(\dfrac{1}{2}x^3+2x+1\right)dx-\int\left(\dfrac{1}{2}x^3+x\right)dx$

$\qquad=\displaystyle\int(x+1)dx$

$\qquad=\dfrac{1}{2}x^2+x+C$ (단, C는 적분상수)

이때 $f(0)=1$이므로 $C=1$

따라서 $f(x)=\dfrac{1}{2}x^2+x+1$이므로

$f(4)=\dfrac{1}{2}\times16+4+1=13$　　　　　　　답 ④

02

$f(x)=\displaystyle\int(3x^2-2x+7)dx$

$\qquad=x^3-x^2+7x+C$ (단, C는 적분상수)

이때 $f(1)=0$이므로

$1-1+7+C=0$ $\therefore C=-7$

따라서 $f(x)=x^3-x^2+7x-7$이므로

$f(2)=8-4+14-7=11$　　　　　　　　　답 ⑤

03

$f(x)=\displaystyle\int(6x^2+4)dx=2x^3+4x+C$

점 $(0, 6)$은 $y=f(x)$의 그래프 위의 점이므로

$f(0)=6$에서 $C=6$

따라서 $f(x)=2x^3+4x+6$이므로

$f(1)=2+4+6=12$　　　　　　　　　　답 12

04

주어진 식의 양변을 x에 대하여 미분하면

$f(x)=f(x)+xf'(x)-6x^2-4x$

$xf'(x)=6x^2+4x$

$\therefore f'(x)=6x+4$

$f(x)=\displaystyle\int(6x+4)dx=3x^2+4x+C$ (단, C는 적분상수)

이때 $f(0)=0$이므로 $C=0$

따라서 $f(x)=3x^2+4x$이므로

$f(1)=3+4=7$　　　　　　　　　　　　답 ③

05

$f'(x)=6x^2-10x+4=2(3x-2)(x-1)$이므로

$f'(x)=0$에서 $x=\dfrac{2}{3}$ 또는 $x=1$

함수 $f(x)$는 $x=1$일 때 극솟값을 가지므로 $f(1)=3$

$f(x)=\int(6x^2-10x+4)dx=2x^3-5x^2+4x+C$

이때 $f(1)=2-5+4+C=3$에서 $C=2$

따라서 $f(x)=2x^3-5x^2+4x+2$이므로

$f(2)=16-20+8+2=6$ 답 ②

06 $f'(x)=3x^2-6x=3x(x-2)$이므로

$f'(x)=0$에서 $x=0$ 또는 $x=2$

함수 $f(x)$는 $x=0$에서 극댓값, $x=2$에서 극솟값을 갖는다.

$f(x)=\int(3x^2-6x)dx=x^3-3x^2+C$ (단, C는 적분상수)

이때 $f(2)=8-12+C=0$에서 $C=4$

따라서 $f(x)=x^3-3x^2+4$이므로 $f(x)$의 극댓값은

$f(0)=4$ 답 4

유형따라잡기			pp. 80~83
기출유형 01 ④	**01.** ③	**02.** ④	**03.** ④	**04.** ①
기출유형 02 ①	**05.** ②	**06.** 1	**07.** 1	**08.** 4
기출유형 03 ④	**09.** 10	**10.** ③	**11.** ③	**12.** ⑤
기출유형 04 6	**13.** ②	**14.** ⑤	**15.** ①	**16.** 2

기출유형 01

Act① 부정적분의 합, 차의 성질, $\int x^n dx=\dfrac{1}{n+1}x^{n+1}+C$를 이용하여 부정적분하고 $f(0)=-10$을 대입하여 적분상수 C의 값을 구한다.

$f(x)=\int(x+2)(x^2-2x+4)dx-\int(x-2)(x^2+2x+4)dx$

$=\int\{(x^3+8)-(x^3-8)\}dx$

$=\int 16dx$

$=16x+C$ (단, C는 적분상수)

이때 $f(0)=-10$이므로 $C=-10$

따라서 $f(x)=16x-10$이므로

$f(1)=6$ 답 ④

01 **Act①** 부정적분의 합, 차의 성질, $\int x^n dx=\dfrac{1}{n+1}x^{n+1}+C$를 이용하여 부정적분하고 $f(0)=2$를 대입하여 적분상수 C의 값을 구한다.

$f(x)=\int(3x+5)(x-1)dx$

$=\int(3x^2+2x-5)dx$

$=x^3+x^2-5x+C$ (단, C는 적분상수)

이때 $f(0)=2$이므로 $C=2$

따라서 $f(x)=x^3+x^2-5x+2$이므로

$f(-1)=-1+1+5+2=7$ 답 ③

02 **Act①** 부정적분의 합, 차의 성질, $\int x^n dx=\dfrac{1}{n+1}x^{n+1}+C$를 이용하여 부정적분하고 $f(0)=1$을 대입하여 적분상수 C의 값을 구한다.

$f(x)=\int(1+2x+3x^2+\cdots+8x^7)dx$

$=x+x^2+x^3+\cdots+x^8+C$ (단, C는 적분상수)

이때 $f(0)=1$이므로 $C=1$

따라서 $f(x)=x+x^2+x^3+\cdots+x^8+1$이므로

$f(-1)=1$ 답 ④

03 **Act①** 부정적분의 합, 차의 성질, $\int x^n dx=\dfrac{1}{n+1}x^{n+1}+C$를 이용하여 부정적분하고 $f(0)=1$을 대입하여 적분상수 C의 값을 구한다.

$f(x)=\int\left(\dfrac{1}{3}x^3+3x+1\right)dx-\int\left(\dfrac{1}{3}x^3+2x\right)dx$

$=\int(x+1)dx$

$=\dfrac{1}{2}x^2+x+C$ (단, C는 적분상수)

이때 $f(0)=1$이므로 $C=1$

따라서 $f(x)=\dfrac{1}{2}x^2+x+1$이므로

$f(2)=\dfrac{1}{2}\times4+2+1=5$ 답 ④

04 **Act①** 적분 기호 안을 간단히 한 후 $\int x^n dx=\dfrac{1}{n+1}x^{n+1}+C$ 를 이용하여 부정적분하고 $f(0)=\dfrac{4}{5}$를 대입하여 적분상수 C의 값을 구한다.

$f(x)=\int(x-2)(x+2)(x^2+4)dx$

$=\int(x^4-16)dx$

$=\dfrac{1}{5}x^5-16x+C$ (단, C는 적분상수)

이때 $f(0)=\dfrac{4}{5}$이므로 $C=\dfrac{4}{5}$

따라서 $f(x)=\dfrac{1}{5}x^5-16x+\dfrac{4}{5}$이므로

$f(1)=\dfrac{1}{5}-16+\dfrac{4}{5}=-15$ 답 ①

기출유형 02

Act① $f(x)=\int f'(x)dx$를 이용하여 부정적분하고 $f(0)=3$ 을 대입하여 적분상수 C의 값을 구한다.

$f(x)=\int(-2x+1)dx$

$=-x^2+x+C$ (단, C는 적분상수)

이때 $f(0)=3$이므로 $C=3$

따라서 $f(x)=-x^2+x+3$이므로

$f(2)=-4+2+3=1$ 답 ①

05 **Act①** $f(x)=\int f'(x)dx$를 이용하여 부정적분하고 $f(0)=5$ 를 대입하여 적분상수 C의 값을 구한다.

$f(x)=\int (4x-3)dx$
$\qquad =2x^2-3x+C$ (단, C는 적분상수)

이때 $f(0)=5$이므로 $C=5$

따라서 $f(x)=2x^2-3x+5$이므로

$f(2)=8-6+5=7$ 답 ②

06 **Act①** $f(x)=\int f'(x)dx$를 이용하여 부정적분하고 $f(2)=10$ 을 대입하여 적분상수 C의 값을 구한다.

$f(x)=\int (3x^2+2x-1)dx$
$\qquad =x^3+x^2-x+C$ (단, C는 적분상수)

이때 $f(2)=10$이므로

$8+4-2+C=10$ $\therefore C=0$

따라서 $f(x)=x^3+x^2-x$이므로

$f(1)=1+1-1=1$ 답 1

07 **Act①** 접선의 기울기 $f'(x)=2x-3$을 부정적분하고 $f(0)=3$ 을 대입하여 적분상수 C의 값을 구한다.

점 $(x, f(x))$에서의 접선의 기울기가 $2x-3$이므로

$f'(x)=2x-3$

$f(x)=\int (2x-3)dx=x^2-3x+C$ (단, C는 적분상수)

이때 $f(0)=3$이므로 $C=3$

따라서 $f(x)=x^2-3x+3$이므로

$f(2)=4-6+3=1$ 답 1

08 **Act①** 접선의 기울기 $f'(x)=3x^2-4x$를 부정적분하고 점 $(1, 3)$ 을 대입하여 적분상수 C의 값을 구한다.

점 $(x, f(x))$에서의 접선의 기울기가 $3x^2-4x$이므로

$f'(x)=3x^2-4x$

$f(x)=\int (3x^2-4x)dx$
$\qquad =x^3-2x^2+C$ (단, C는 적분상수)

곡선 $y=f(x)$가 점 $(1, 3)$을 지나므로

$1-2+C=3$ $\therefore C=4$

따라서 곡선 $f(x)=x^3-2x^2+4$가 점 $(2, k)$를 지나므로

$8-8+4=k$ $\therefore k=4$ 답 4

기출유형 03

Act① 주어진 식의 양변을 x에 대하여 미분하여 $F'(x)=f(x)$, $\dfrac{d}{dx}\left\{\int xf(x)dx\right\}=xf(x)$임을 이용하여 $f(x)$를 구한다.

주어진 식의 양변을 x에 대하여 미분하면

$F'(x)+xf(x)=3x^2+4x+1$

$f(x)+xf(x)=3x^2+4x+1$

$(1+x)f(x)=(3x+1)(x+1)$

따라서 $f(x)=3x+1$이므로

$f(1)=3+1=4$ 답 ④

09 **Act①** $\dfrac{d}{dx}\left\{\int g(x)dx\right\}=g(x)$임을 이용한다.

주어진 식의 양변을 x에 대하여 미분하면

$g(x)=(2x+1)f(x)+(x^2+x)f'(x)$

$g(1)=3f(1)+2f'(1)$

이때 $f(1)=4$, $f'(1)=-1$이므로

$g(1)=3\times 4+2\times (-1)=10$ 답 10

10 **Act①** 주어진 식의 양변을 x에 대하여 미분하여 $f'(x)$를 구한 다음 $f'(x)$를 적분하여 $f(x)$를 구한다.

주어진 등식의 양변을 x에 대하여 미분하면

$f(x)=f(x)+xf'(x)-6x^2+2x$

$xf'(x)=6x^2-2x$

$\therefore f'(x)=6x-2$

$f(x)=\int f'(x)dx=\int (6x-2)dx$
$\qquad =3x^2-2x+C$ (단, C는 적분상수)

이때 $f(1)=4$이므로

$3-2+C=4$ $\therefore C=3$

따라서 $f(x)=3x^2-2x+3$이므로

$f(0)=3$ 답 ③

11 **Act①** 주어진 식의 양변을 x에 대하여 미분하여 $f'(x)$를 구한 다음 $f'(x)$를 적분하여 $f(x)$를 구한다.

주어진 식의 양변을 x에 대하여 미분하면

$f(x)+xf'(x)-F'(x)=6x^2-6x$

$f(x)+xf'(x)-f(x)=6x^2-6x$

$xf'(x)=6x^2-6x$ $\therefore f'(x)=6x-6$

$f(x)=\int f'(x)dx$
$\qquad =\int (6x-6)dx=3x^2-6x+C$ (단, C는 적분상수)

이때 $f(0)=-1$이므로 $C=-1$

$\therefore f(x)=3x^2-6x-1$

따라서 방정식 $f(x)=0$, 즉 $3x^2-6x-1=0$의 모든 근의 곱은 근과 계수의 관계에 의하여 $-\dfrac{1}{3}$이다. 답 ③

12 **Act①** 첫 번째 식의 양변을 x에 대하여 미분하여 두 번째 식에 대입하여 $g(x)$의 차수를 추정한다.

첫 번째 식의 양변을 x에 대하여 미분하면

$f'(x)=xg(x)$

이것을 두 번째 식 $f'(x)-g(x)=3x^3+x$에 대입하면

$xg(x)-g(x)=3x^3+x$ ······㉠

이때 ㉠에서 우변은 삼차함수이므로 좌변의 $xg(x)$는 삼차함수이어야 한다.

즉 함수 $g(x)$는 최고차항의 계수가 3인 이차함수이므로

$g(x)=3x^2+ax+b$라 하면 $g'(x)=6x+a$

$g(x)$, $g'(x)$를 ㉠에 대입하면

$x(3x^2+ax+b)-(6x+a)=3x^3+x$

$3x^3+ax^2+(b-6)x-a=3x^3+x$

따라서 $a=0$, $b=7$이고 $g(x)=3x^2+7$이므로

$g(1)=3+7=10$ 답 ⑤

기출유형 04

Act① 극소인 점을 찾아 $f'(x)$의 부정적분에서 적분상수를 구한다.

$f'(x)=3(x^2-1)=3(x+1)(x-1)$이므로

$f'(x)=0$에서 $x=-1$ 또는 $x=1$

함수 $f(x)$는 $x=-1$에서 극댓값, $x=1$에서 극솟값을 갖는다.

$f(x)=\displaystyle\int(3x^2-3)dx=x^3-3x+C$ (단, C는 적분상수)

함수 $f(x)$는 $x=1$에서 극솟값 2를 가지므로

$f(1)=1-3+C=2$에서 $C=4$

따라서 $f(x)=x^3-3x+4$이므로 $f(x)$의 극댓값은

$f(-1)=-1+3+4=6$ 답 6

13 **Act①** 극대인 점을 찾아 $f'(x)$의 부정적분에서 적분상수를 구한다.

$f(x)$의 최고차항이 $2x^3$이므로 $f'(x)$의 최고차항은 $6x^2$이다.

이때 $f'(-2)=f'(1)=0$이므로 $f'(x)=6(x+2)(x-1)$

$f(x)$는 $x=-2$일 때 극댓값을 가지므로 $f(-2)=10$

$f(x)=\displaystyle\int6(x+2)(x-1)dx$

$\quad=\displaystyle\int(6x^2+6x-12)dx$

$\quad=2x^3+3x^2-12x+C$ (단, C는 적분상수)

함수 $f(x)$는 $x=-2$에서 극댓값 10을 가지므로

$f(-2)=-16+12+24+C=10$에서 $C=-10$

따라서 $f(x)=2x^3+3x^2-12x-10$이므로 $f(x)$의 극솟값은

$f(1)=2+3-12-10=-17$ 답 ②

14 **Act①** 극소인 점을 찾아 $f'(x)$의 부정적분에서 적분상수를 구한다.

$f'(x)=3x^2-12=3(x+2)(x-2)$이므로

$f'(x)=0$에서 $x=-2$ 또는 $x=2$

함수 $f(x)$는 $x=-2$에서 극댓값, $x=2$에서 극솟값을 갖는다.

$f(x)=\displaystyle\int(3x^2-12)dx$

$\quad=x^3-12x+C$ (단, C는 적분상수)

함수 $f(x)$는 $x=2$에서 극솟값 3을 가지므로

$f(2)=8-24+C=3$에서 $C=19$

따라서 $f(x)=x^3-12x+19$이므로 $f(x)$의 극댓값은

$f(-2)=-8+24+19=35$ 답 ⑤

15 **Act①** $f'(x)=(x-\alpha)(x-\beta)=0$에서 극댓값과 극솟값의 차는 $|f(\alpha)-f(\beta)|$임을 이용한다.

$f'(x)=x(x-1)$이므로

$f'(x)=0$에서 $x=0$ 또는 $x=1$

함수 $f(x)$는 $x=0$에서 극댓값, $x=1$에서 극솟값을 갖는다.

$f(x)=\displaystyle\int(x^2-x)dx$

$\quad=\dfrac{1}{3}x^3-\dfrac{1}{2}x^2+C$ (단, C는 적분상수)

따라서 극댓값과 극솟값의 차는

$f(0)-f(1)=C-\left(\dfrac{1}{3}-\dfrac{1}{2}+C\right)$

$\qquad\qquad=\dfrac{1}{2}-\dfrac{1}{3}=\dfrac{1}{6}$ 답 ①

16 **Act①** 포물선 $y=f'(x)$의 꼭짓점이 $(1, 1)$이므로 $f'(x)=k(x-1)^2+1$ $(k<0)$로 놓는다.

$y=f'(x)$는 꼭짓점의 좌표가 $(1, 1)$인 이차함수이므로

$f'(x)=k(x-1)^2+1$ $(k<0)$이라 하면

그래프가 원점을 지나므로 $f'(0)=0$에서

$k+1=0$ $\quad\therefore k=-1$

$\therefore f'(x)=-(x-1)^2+1=-x^2+2x=-x(x-2)$

$f'(x)=0$에서 $x=0$ 또는 $x=2$

함수 $f(x)$는 $x=0$에서 극솟값, $x=2$에서 극댓값을 갖는다.

$f(x)=\displaystyle\int(-x^2+2x)dx$

$\quad=-\dfrac{1}{3}x^3+x^2+C$ (단, C는 적분상수)

함수 $f(x)$는 $x=0$에서 극솟값 $\dfrac{2}{3}$를 가지므로

$C=\dfrac{2}{3}$

따라서 $f(x)=-\dfrac{1}{3}x^3+x^2+\dfrac{2}{3}$이므로 $f(x)$의 극댓값은

$f(2)=-\dfrac{8}{3}+4+\dfrac{2}{3}=2$ 답 2

VIT Very Important Test pp. 84~85

01. ⑤ **02.** ① **03.** 3 **04.** ④ **05.** ⑤

06. ③ **07.** ② **08.** ③ **09.** ③ **10.** ②

11. 4 **12.** ④

01

$f(x)=\displaystyle\int\dfrac{1}{1+x}dx+\int\dfrac{x^3}{1+x}dx$

$\quad=\displaystyle\int\left(\dfrac{1}{1+x}+\dfrac{x^3}{1+x}\right)dx$

$\quad=\displaystyle\int\dfrac{1+x^3}{1+x}dx$

$\quad=\displaystyle\int\dfrac{(1+x)(1-x+x^2)}{1+x}dx$

$\quad=\displaystyle\int(1-x+x^2)dx$

$\quad=x-\dfrac{x^2}{2}+\dfrac{x^3}{3}+C$

$$\therefore f(1)-f(-1)=\left(1-\frac{1}{2}+\frac{1}{3}+C\right)-\left(-1-\frac{1}{2}-\frac{1}{3}+C\right)$$
$$=\frac{8}{3}$$
답 ⑤

02

점 $(x,\ f(x))$에서의 접선의 기울기가 $3x^2-2x+1$이므로

$f'(x)=3x^2-2x+1$

$f(x)=\displaystyle\int(3x^2-2x+1)dx$

$\quad=x^3-x^2+x+C$ (단, C는 적분상수)

이때 곡선 $y=f(x)$가 점 $(1,\ 6)$을 지나므로

$f(1)=1-1+1+C=6 \quad \therefore C=5$

따라서 $f(x)=x^3-x^2+x+5$이므로

$k=f(-2)=-8-4-2+5=-9$
답 ①

03

$f'(x)=-3x^2+3$이므로

$f(x)=\displaystyle\int(-3x^2+3)dx$

$\quad=-x^3+3x+C$ (단, C는 적분상수)

$f(2)=-1$에서 $-2+C=-1$이므로 $C=1$

$\therefore f(x)=-x^3+3x+1$

$f'(x)=0$에서 $x=-1$ 또는 $x=1$

x	$\cdots$	-1	$\cdots$	1	$\cdots$
$f'(x)$	$-$	0	$+$	0	$-$
$f(x)$	$\searrow$	극소	$\nearrow$	극대	$\searrow$

따라서 함수 $f(x)$는 $x=1$에서 극대이고 극댓값은

$f(1)=3$
답 3

04

$f'(x)=\begin{cases} 2x+3\ (x>1) \\ k\ \ \ \ \ \ \ \ (x\leq1) \end{cases}$이므로

$f(x)=\begin{cases} x^2+3x+C_1(x>1) \\ kx+C_2\ \ \ \ (x\leq1) \end{cases}$ (단, C_1, C_2는 적분상수)

$f(0)=2$이므로 $C_2=2$

또 $f(2)=9$이므로

$4+6+C_1=9 \quad \therefore C_1=-1$

$f(x)=\begin{cases} x^2+3x-1\ (x>1) \\ kx+2\ \ \ \ \ \ \ (x\leq1) \end{cases}$

함수 $f(x)$가 $x=1$에서 연속이려면

$f(1)=\displaystyle\lim_{x\to1-}(kx+2)=\lim_{x\to1+}(x^2+3x-1)$이므로

$k+2=1+3-1 \quad \therefore k=1$
답 ④

05

$|x-1|=\begin{cases} x-1\ (x\geq1) \\ -x+1(x<1) \end{cases}$이므로

$f'(x)=|x-1|-2x=\begin{cases} -x-1\ \ \ (x\geq1) \\ -3x+1\ (x<1) \end{cases}$

$f(x)=\begin{cases} -\dfrac{1}{2}x^2-x+C_1\ (x\geq1) \\ -\dfrac{3}{2}x^2+x+C_2\ (x<1) \end{cases}$ (단, C_1, C_2는 적분상수)

$f(0)=1$이므로 $C_2=1$

함수 $y=f(x)$는 실수 전체의 집합에서 연속이므로

$\displaystyle\lim_{x\to1+}f(x)=-\frac{1}{2}-1+C_1=-\frac{3}{2}+C_1$ ······㉠

$\displaystyle\lim_{x\to1-}f(x)=-\frac{3}{2}+1+1=\frac{1}{2}$ ······㉡

㉠, ㉡에서 $\displaystyle\lim_{x\to1+}f(x)=\lim_{x\to1-}f(x)$이므로 $C_1=2$

$\therefore f(2)=-\dfrac{1}{2}\times2^2-2+2=-2$
답 ⑤

06

주어진 그래프에서

$f'(x)=\begin{cases} -x\ \ \ \ (x\leq1) \\ x-2\ (x>1) \end{cases}$이므로

$f(x)=\begin{cases} -\dfrac{x^2}{2}+C_1\ \ \ \ \ \ (x\leq1) \\ \dfrac{x^2}{2}-2x+C_2\ (x>1) \end{cases}$ (단, C_1, C_2는 적분상수)

이때 $f(0)=3$이므로 $C_1=3$

또 $f(x)$는 $x=1$에서 연속이므로 $\displaystyle\lim_{x\to1+}f(x)=f(1)$이어야 한다.

즉 $\displaystyle\lim_{x\to1+}\left(\frac{x^2}{2}-2x+C_2\right)=f(1)$에서

$\dfrac{1}{2}-2+C_2=-\dfrac{1}{2}+3 \quad \therefore C_2=4$

따라서 $f(x)=\begin{cases} -\dfrac{x^2}{2}+3\ \ \ \ \ (x\leq1) \\ \dfrac{x^2}{2}-2x+4(x>1) \end{cases}$이므로

$f(3)=\dfrac{9}{2}-6+4=\dfrac{5}{2}$
답 ③

07

주어진 등식의 양변을 x에 대하여 미분하면

$f(x)=f(x)+xf'(x)-6x^2-2x$,

$xf'(x)=6x^2+2x,\ f'(x)=6x+2$

$\therefore f(x)=\displaystyle\int(6x+2)dx$

$\quad=3x^2+2x+C$

이때 $f(1)=8$이므로 $f(1)=5+C=8 \quad \therefore C=3$

따라서 $f(x)=3x^2+2x+3$이므로

$f(-1)=3-2+3=4$
답 ②

08

주어진 등식의 양변을 x에 대하여 미분하면

$F'(x)=(x^2+2)'\displaystyle\int g(x)dx+(x^2+2)\left\{\int g(x)dx\right\}'$

$\quad=2x\displaystyle\int g(x)dx+(x^2+2)g(x)$

위 식의 양변에 $x=0$을 대입하면

$F'(0)=2g(0),\ 6=2g(0)$

$\therefore g(0)=3$
답 ③

09

ㄱ. $\{x^2+F(x)\}'=2x+f(x)$이므로

$$\int \{2x+f(x)\}dx=x^2+F(x)+C$$

ㄴ. $\{x^2F(x)\}'=2xF(x)+x^2f(x)$이므로

$$\int \{2xF(x)+x^2f(x)\}dx=x^2F(x)+C$$

ㄷ. $\{xF(x)\}'=F(x)+xf(x)$이므로

$$\int \{F(x)+xf(x)\}dx=xF(x)+C$$

따라서 옳은 것은 ㄱ, ㄷ이다. 답 ③

10

$f'(x)=-x^2-2x=-x(x+2)$

$f'(x)=0$에서 $x=-2$ 또는 $x=0$

x	$\cdots$	-2	$\cdots$	0	$\cdots$
$f'(x)$	$-$	0	$+$	0	$-$
$f(x)$	$\searrow$	극소	$\nearrow$	극대	$\searrow$

함수 $f(x)$는 $x=-2$에서 극솟값, $x=0$에서 극댓값을 갖는다.

$f(x)=\int f'(x)dx=\int (-x^2-2x)dx=-\dfrac{1}{3}x^3-x^2+C$

따라서 극댓값과 극솟값의 차는

$f(0)-f(-2)=C-\left(C-\dfrac{4}{3}\right)=\dfrac{4}{3}$ 답 ②

11

$\lim\limits_{x\to\infty}\dfrac{f'(x)}{x}=2$에서 $f'(x)=2x+a$로 놓자.

$\lim\limits_{x\to1}\dfrac{f(x)}{x-1}=3$에서 $f(1)=0$이므로

$\lim\limits_{x\to1}\dfrac{f(x)}{x-1}=\lim\limits_{x\to1}\dfrac{f(x)-f(1)}{x-1}=f'(1)$

즉 $f'(1)=3$이므로 $2+a=3$ ∴ $a=1$

따라서 $f'(x)=2x+1$이므로

$f(x)=\int (2x+1)dx=x^2+x+C$ (단, C는 적분상수)

이때 $f(1)=0$이므로 $1+1+C=0$에서 $C=-2$

따라서 $f(x)=x^2+x-2$이므로

$f(2)=4$ 답 4

12

$F(x)=\int f(x)dx$, $G(x)=\int g(x)dx$라 하자.

$\int \{-f(x)+3g(x)\}dx=x+2$에서

$-\int f(x)dx+3\int g(x)dx=x+2$

$-F(x)+3G(x)+C_1=x+2$ (단, C_1은 적분상수) $\cdots\cdots$ ㉠

또 $\int \{f(x)-2g(x)\}dx=x^2-1$에서

$\int f(x)dx-2\int g(x)dx=x^2-1$

$F(x)-2G(x)+C_2=x^2-1$ (단, C_2는 적분상수) $\cdots\cdots$ ㉡

㉠$\times2+$㉡$\times3$을 하면

$F(x)+2C_1+3C_2=3x^2+2x+1$ $\cdots\cdots$ ㉢

따라서 ㉢의 양변을 x에 대하여 미분하면

$f(x)=6x+2$

∴ $f(1)=8$ 답 ④

09 정적분

01. ①　　**02.** 10　　**03.** ②　　**04.** ①　　**05.** ②

06. 17

01

$\displaystyle\int_0^a (3x^2-4)dx=\Big[x^3-4x\Big]_0^a$

$=a^3-4a$

$=a(a+2)(a-2)=0$

∴ $a=-2$ 또는 $a=0$ 또는 $a=2$

$a>0$이므로 $a=2$ 답 ①

02

$x+|x-3|=\begin{cases} 3 & (x\le3) \\ 2x-3 & (x\ge3) \end{cases}$ 이므로

$\displaystyle\int_1^4 (x+|x-3|)dx=\int_1^3 3dx+\int_3^4 (2x-3)dx$

$=\Big[3x\Big]_1^3+\Big[x^2-3x\Big]_3^4$

$=6+(4-0)=10$ 답 10

03

(가) $f(x+2)=f(x)$에서 함수 $f(x)$는 주기가 2인 주기함수이므로

$\displaystyle\int_0^2 f(x)dx=\int_2^4 f(x)dx=\cdots$

(나)에서 $0\le x\le2$일 때, $f(x)=-x^2+2x$이므로

$\displaystyle\int_0^2 f(x)dx=\int_0^2 (-x^2+2x)dx$

$=\Big[-\dfrac{1}{3}x^3+x^2\Big]_0^2$

$=-\dfrac{8}{3}+4=\dfrac{4}{3}$

∴ $\displaystyle\int_{-6}^6 f(x)dx=6\int_0^2 f(x)dx=6\times\dfrac{4}{3}=8$ 답 ②

04

$\displaystyle\int_0^1 tf(t)dt=k$ $\cdots\cdots$ ㉠

라 하면 $f(x)=x^2-2x+k$

이것을 ㉠에 대입하면

$\displaystyle\int_0^1 t(t^2-2t+k)dt=\int_0^1 (t^3-2t^2+kt)dt$

$=\Big[\dfrac{1}{4}t^4-\dfrac{2}{3}t^3+\dfrac{1}{2}kt^2\Big]_0^1$

$=-\dfrac{5}{12}+\dfrac{1}{2}k=k$

$-\dfrac{5}{12}+\dfrac{1}{2}k=k$에서 $k=-\dfrac{5}{6}$이므로

$f(x)=x^2-2x-\dfrac{5}{6}$

∴ $f(3)=9-6-\dfrac{5}{6}=\dfrac{13}{6}$ 답 ①

05 $f(x)=\int_1^x (t-2)(t-3)dt$의 양변을 x에 대하여 미분하면

$f'(x)=(x-2)(x-3)$

$\therefore f'(4)=2\times 1=2$ 답 ②

06 $\displaystyle\lim_{x\to 2}\frac{f(x)-f(2)}{x-2}=f'(2)$

이때, $f(x)=\int_0^x (3t^2+5)dt$의 양변을 x에 대하여 미분하면

$f'(x)=3x^2+5$

$\therefore f'(2)=3\times 2^2+5=17$ 답 17

유형따라잡기 pp. 88~95

기출유형 **01** ④　**01.** ①　**02.** 24　**03.** ④　**04.** ②

기출유형 **02** 27　**05.** ④　**06.** 0　**07.** ①

기출유형 **03** 10　**08.** ①　**09.** 3　**10.** 45

기출유형 **04** 10　**11.** ①　**12.** 9　**13.** ⑤　**14.** ①

기출유형 **05** 10　**15.** 40　**16.** ④　**17.** 256　**18.** ④

기출유형 **06** ③　**19.** 1　**20.** 8　**21.** ②　**22.** 20

기출유형 **07** ⑤　**23.** 2　**24.** 70　**25.** ①　**26.** 40

기출유형 **08** 3　**27.** 11　**28.** 2　**29.** ①　**30.** 6

기출유형 **01**

Act① $f(x)$의 한 부정적분을 $F(x)$라 하면

$\int_a^b f(x)dx=\Big[\,F(x)\,\Big]_a^b=F(b)-F(a)$임을 이용한다.

$\int_0^1 (6x^2-2x)dx=\Big[\,2x^3-x^2\,\Big]_0^1=2-1=1$ 답 ④

01 **Act①** $f(x)$의 한 부정적분을 $F(x)$라 하면

$\int_a^b f(x)dx=\Big[\,F(x)\,\Big]_a^b=F(b)-F(a)$임을 이용한다.

$\int_0^2 (3x^2+6x)dx=\Big[\,x^3+3x^2\,\Big]_0^2$

$\qquad\qquad\qquad =8+12$

$\qquad\qquad\qquad =20$ 답 ①

02 **Act①** $f(x)$의 한 부정적분을 $F(x)$라 하면

$\int_a^b f(x)dx=\Big[\,F(x)\,\Big]_a^b=F(b)-F(a)$임을 이용한다.

$\int_0^3 (x^2-4x+11)dx=\Big[\,\frac{1}{3}x^3-2x^2+11x\,\Big]_0^3$

$\qquad\qquad\qquad\qquad =9-18+33$

$\qquad\qquad\qquad\qquad =24$ 답 24

03 **Act①** $f(x)$의 한 부정적분을 $F(x)$라 하면

$\int_a^b f(x)dx=\Big[\,F(x)\,\Big]_a^b=F(b)-F(a)$임을 이용한다.

$\int_0^1 (3x^2+a)dx=\Big[\,x^3+ax\,\Big]_0^1$

$\qquad\qquad\qquad =1+a=8$

$\therefore a=7$ 답 ④

04 **Act①** $f(x)$의 한 부정적분을 $F(x)$라 하면

$\int_a^b f(x)dx=\Big[\,F(x)\,\Big]_a^b=F(b)-F(a)$임을 이용한다.

$\int_0^1 (ax^2+1)dx=\Big[\,\frac{ax^3}{3}+x\,\Big]_0^1$

$\qquad\qquad\qquad =\frac{a}{3}+1=4$

$\therefore a=9$ 답 ②

기출유형 **02**

Act① 적분 구간이 같은 두 정적분은 하나의 정적분으로 나타내어 계산한다.

$\int_0^3 (x+2)^2 dx-\int_0^3 (x^2+1)dx$

$=\int_0^3 \{(x^2+4x+4)-(x^2+1)\}dx$

$=\int_0^3 (4x+3)dx$

$=\Big[\,2x^2+3x\,\Big]_0^3$

$=18+9$

$=27$ 답 27

05 **Act①** $\int_a^b f(x)dx=-\int_b^a f(x)dx$를 이용하여 구간이 연속이 되도록 식을 변형한다.

$\int_{-1}^1 (4x^3+2)dx+\int_1^2 (4x^3+2)dx=\int_{-1}^2 (4x^3+2)dx$이고

$-\int_3^2 (4x^3+2)dx=\int_2^3 (4x^3+2)dx$이므로

$\int_{-1}^1 (4x^3+2)dx+\int_1^2 (4x^3+2)dx-\int_3^2 (4x^3+2)dx$

$=\int_{-1}^2 (4x^3+2)dx+\int_2^3 (4x^3+2)dx$

$=\int_{-1}^3 (4x^3+2)dx$

$=\Big[\,x^4+2x\,\Big]_{-1}^3$

$=(81+6)-(1-2)=88$ 답 ④

06 **Act①** $\int_a^b f(x)dx=-\int_b^a f(x)dx$를 이용하여 구간이 연속이 되도록 식을 변형한다.

$\int_{-2}^1 (3t^2-4)dt+\int_2^1 (4-3x^2)dx$

$=\int_{-2}^1 (3x^2-4)dx-\int_2^1 (3x^2-4)dx$

$=\int_{-2}^1 (3x^2-4)dx+\int_1^2 (3x^2-4)dx$

$=\int_{-2}^2 (3x^2-4)dx$

$=\Big[\,x^3-4x\,\Big]_{-2}^2$

$=0$ 답 0

07 [Act❶] 정적분의 정의와 성질을 이용하여 [보기]의 참, 거짓을 판단한다.

$f(x)$의 한 부정적분을 $F(x)$라 하면

ㄱ. $\int_0^3 f(x)dx=F(3)-F(0)$,

$3\int_0^1 f(x)dx=3F(1)-3F(0)$이므로

$\int_0^3 f(x)dx\neq 3\int_0^1 f(x)dx$ (거짓)

ㄴ. $\int_0^1 f(x)dx=F(1)-F(0)$,

$\int_0^2 f(x)dx+\int_2^1 f(x)dx$

$=F(2)-F(0)+F(1)-F(2)$

$=F(1)-F(0)$

이므로

$\int_0^1 f(x)dx=\int_0^2 f(x)dx+\int_2^1 f(x)dx$ (참)

ㄷ. [반례] $\int_0^1 \{f(x)\}^2 dx=\left\{\int_0^1 f(x)dx\right\}^2$ 에서 $f(x)=x$라 하면

$\int_0^1 \{f(x)\}^2 dx=\int_0^1 x^2 dx=\left[\dfrac{x^3}{3}\right]_0^1=\dfrac{1}{3}$

$\left\{\int_0^1 f(x)dx\right\}^2=\left(\int_0^1 x\,dx\right)^2=\left(\left[\dfrac{x^2}{2}\right]_0^1\right)^2=\dfrac{1}{4}$

이므로

$\int_0^1 \{f(x)\}^2 dx\neq\left\{\int_0^1 f(x)dx\right\}^2$ (거짓)　　답 ①

기출유형 03

[Act❶] 절댓값 기호가 있으면 구간을 나누어 절댓값 기호를 없앤다.

$x+|x-2|=\begin{cases} 2 & (x\leq 2) \\ 2x-2 & (x\geq 2) \end{cases}$ 이므로

$\int_1^4 (x+|x-2|)dx=\int_1^2 2\,dx+\int_2^4 (2x-2)dx$

$\qquad=\Big[2x\Big]_1^2+\Big[x^2-2x\Big]_2^4$

$\qquad=(4-2)+(8-0)=10$　　답 10

08 [Act❶] 절댓값 기호가 있으면 구간을 나누어 절댓값 기호를 없앤다.

$|x(x-1)|=\begin{cases} x^2-x & (x\leq 0\ 또는\ x\geq 1) \\ -(x^2-x) & (0\leq x\leq 1) \end{cases}$ 이므로

$\int_0^2 |x(x-1)|dx=\int_0^1 (-x^2+x)dx+\int_1^2 (x^2-x)dx$

$\qquad=\left[-\dfrac{1}{3}x^3+\dfrac{1}{2}x^2\right]_0^1+\left[\dfrac{1}{3}x^3-\dfrac{1}{2}x^2\right]_1^2$

$\qquad=\dfrac{1}{6}+\left(\dfrac{2}{3}+\dfrac{1}{6}\right)=1$　　답 ①

09 [Act❶] 절댓값 기호가 있으면 구간을 나누어 절댓값 기호를 없앤다.

$2|x|+k=\begin{cases} -2x+k & (x\leq 0) \\ 2x+k & (x\geq 0) \end{cases}$ 이므로

$\int_{-2}^1 (2|x|+k)dx=\int_{-2}^0 (-2x+k)dx+\int_0^1 (2x+k)dx$

$\qquad=\Big[-x^2+kx\Big]_{-2}^0+\Big[x^2+kx\Big]_0^1$

$\qquad=-(-4-2k)+(1+k)=3k+5$

따라서 $3k+5=14$이므로 $k=3$　　답 3

10 [Act❶] $f(x)=ax^2+bx$로 놓고 조건 (가)에 의하여 $[0, 2]$에서 $f(x)\leq 0$, 조건 (나)에 의하여 $[2, 3]$에서 $f(x)\geq 0$임을 이용하여 이차함수 $f(x)$의 식을 구한다.

$f(0)=0$이므로 $f(x)=ax^2+bx\ (a\neq 0)$라 하자.

조건 (가)에 의하여

$\int_0^2 |f(x)|dx=4$, $\int_0^2 f(x)dx=-4$

이므로 구간 $[0, 2]$에서 $f(x)\leq 0$이다.

또한, 조건 (나)에 의하여

$\int_2^3 |f(x)|dx=\int_2^3 f(x)dx$

이므로 구간 $[2, 3]$에서 $f(x)\geq 0$이다.

따라서 $f(2)=0$이므로

$f(2)=4a+2b=0$ ∴ $b=-2a$

즉 $f(x)=ax^2-2ax$이므로

$\int_0^2 (ax^2-2ax)dx=\left[\dfrac{a}{3}x^3-ax^2\right]_0^2$

$\qquad=\dfrac{8}{3}a-4a$

$\qquad=-\dfrac{4}{3}a=-4$

∴ $a=3$

따라서 $f(x)=3x^2-6x$이므로

$f(5)=3\times 5^2-6\times 5=75-30=45$　　답 45

기출유형 04

[Act❶] 아래끝과 위끝의 절댓값이 같고 부호가 다를 때, 피적분함수를 우함수와 기함수로 나누어 계산한다.

$\int_{-a}^a (6x^2+5x)dx=2\int_0^a 6x^2 dx$

$\qquad=2\Big[2x^3\Big]_0^a=4a^3$

$4a^3=\dfrac{1}{16}$에서 $a=\dfrac{1}{4}$ ∴ $40a=10$　　답 10

11 [Act❶] 아래끝과 위끝의 절댓값이 같고 부호가 다를 때, 피적분함수를 우함수와 기함수로 나누어 계산한다.

$\int_{-a}^a (2x^5+3x^2)dx=2\int_0^a 3x^2 dx=2\Big[x^3\Big]_0^a=2a^3$

$2a^3=16$에서 $a=2$　　답 ①

12 [Act❶] 아래끝과 위끝의 절댓값이 같고 부호가 다를 때, 피적분함수를 우함수와 기함수로 나누어 계산한다.

$\int_{-1}^1 xf(x)dx=\int_{-1}^1 (ax^2+bx)dx$

$\qquad=2\int_0^1 ax^2 dx=2\left[\dfrac{a}{3}x^3\right]_0^1=\dfrac{2}{3}a$

$$\frac{2}{3}a=2\text{이므로 } a=3$$

$$\int_{-1}^{1}x^2f(x)dx=\int_{-1}^{1}(ax^3+bx^2)dx$$
$$=2\int_{0}^{1}bx^2dx=2\left[\frac{b}{3}x^3\right]_{0}^{1}=\frac{2}{3}b$$

$$\frac{2}{3}b=-4\text{이므로 } b=-6$$
$$\therefore a-b=3-(-6)=9 \qquad\qquad \text{답 } 9$$

13 **Act①** 아래끝과 위끝의 절댓값이 같고 부호가 다를 때, 피적분 함수를 우함수와 기함수로 나누어 계산한다.

$f(x)=x^3+1$에서 $f'(x)=3x^2$이므로

$$\int_{-2}^{2}f(x)\{f'(x)-1\}dx=\int_{-2}^{2}(x^3+1)(3x^2-1)dx$$
$$=\int_{-2}^{2}(3x^5-x^3+3x^2-1)dx$$
$$=2\int_{0}^{2}(3x^2-1)dx$$
$$=2\left[x^3-x\right]_{0}^{2}=2\times6=12 \qquad \text{답 ⑤}$$

14 **Act①** $f(x)$는 기함수이고 $g(x)$는 우함수이므로 $h(x)$는 기함 수이고 $h(0)=0$임을 이용한다.

$$h(-x)=f(-x)g(-x)=-f(x)\,g(x)=-h(x)$$
이므로 다항함수 $h(x)$의 그래프는 원점에 대칭이고, $h(0)=0$이다. 즉 $h(x)$가 기함수이므로 $h'(x)$는 우함수, $xh'(x)$는 기함수, $5h'(x)$는 우함수이다.

$$\int_{-3}^{3}(x+5)h'(x)dx=\int_{-3}^{3}\{xh'(x)+5h'(x)\}dx$$
$$=2\int_{0}^{3}5h'(x)dx$$
$$=10\left[h(x)\right]_{0}^{3}$$
$$=10\{h(3)-h(0)\}$$
이때 $10\{h(3)-h(0)\}=10$이므로
$$h(3)-h(0)=1$$
$$\therefore h(3)=1+h(0)=1+0=1 \qquad \text{답 ①}$$

기출유형 05

Act① $f(x)$는 주기가 2인 주기함수이고 한 주기의 그래프가 반복해서 나타나므로 계산하기 간단한 적분 구간을 선택하여 계산한다.

함수 $f(x)$가 모든 실수 x에 대하여 $f(x)=f(x+2)$이므로
$$\int_{-1}^{1}f(x)dx=\int_{1}^{3}f(x)dx=\int_{3}^{5}f(x)dx=\cdots \quad \cdots\cdots㉠$$
이때 $f(x)=-3x^2+3\,(-1\le x\le1)$이 우함수이므로
$$\int_{-1}^{1}f(x)dx=2\int_{0}^{1}f(x)dx \qquad \cdots\cdots㉡$$
㉠, ㉡에 의하여
$$\int_{0}^{5}f(x)dx=\int_{0}^{1}f(x)dx+\int_{1}^{3}f(x)dx+\int_{3}^{5}f(x)dx$$
$$=5\int_{0}^{1}f(x)dx=5\int_{0}^{1}(-3x^2+3)dx$$

$$=5\left[-x^3+3x\right]_{0}^{1}=5\times(-1+3)=10 \qquad \text{답 } 10$$

15 **Act①** $f(x+1)=f(x-1)$에서 $f(x+2)=f(x)$, 즉 $f(x)$는 주기가 2인 주기함수이고 한 주기의 그래프가 반복해서 나타나므로 계산하기 간단한 적분 구간을 선택하여 계산한다.

함수 $f(x)$가 모든 실수 x에 대하여 $f(x+1)=f(x-1)$, 즉 $f(x+2)=f(x)$이므로
$$\int_{-1}^{1}f(x)dx=\int_{1}^{3}f(x)dx=\int_{3}^{5}f(x)dx=\cdots \quad \cdots\cdots㉠$$
이때 $f(x)=x^2+1\,(-1\le x\le1)$이 우함수이므로
$$\int_{-1}^{1}f(x)dx=2\int_{0}^{1}f(x)dx \qquad \cdots\cdots㉡$$
㉠, ㉡에 의하여
$$\int_{0}^{30}f(x)dx=30\int_{0}^{1}(x^2+1)dx$$
$$=30\left[\frac{x^3}{3}+x\right]_{0}^{1}$$
$$=30\left(\frac{1}{3}+1\right)=40 \qquad \text{답 } 40$$

16 **Act①** (가)에서 $f(x)$는 우함수이고 (나)에서 $f(x)$는 주기가 4 인 주기함수이고 한 주기의 그래프가 반복해서 나타나므로 계산 하기 간단한 적분 구간을 선택하여 계산한다.

조건 (가)에서 $f(-x)=f(x)$이므로
$$\int_{0}^{2}f(x)dx=\int_{-2}^{0}f(x)dx \qquad \cdots\cdots㉠$$
조건 (나)에서 $f(x)=f(x+4)$이므로
$$\int_{0}^{2}f(x)dx=\int_{-4}^{-2}f(x)dx \qquad \cdots\cdots㉡$$
㉠, ㉡에서 $\int_{-4}^{-2}f(x)dx=\int_{-2}^{0}f(x)dx=\int_{0}^{2}f(x)dx=6$이므로
$$\int_{-4}^{0}f(x)dx=12$$
$$\therefore \int_{-4}^{16}f(x)dx$$
$$=\int_{-4}^{0}f(x)dx+\int_{0}^{4}f(x)dx+\cdots+\int_{12}^{16}f(x)dx$$
$$=5\int_{-4}^{0}f(x)dx=5\times12=60 \qquad \text{답 ④}$$

17 **Act①** $f(x+2)=f(x)$에서 $f(x)$는 주기가 2인 주기함수이고 한 주기의 그래프가 반복해서 나타나므로 계산하기 간단한 적분 구간을 선택하여 계산한다.

$|2x|=\begin{cases}2x & (x\ge0)\\ -2x & (x\le0)\end{cases}$이므로

$$\int_{-1}^{1}f(x)dx=\int_{-1}^{0}f(x)dx+\int_{0}^{1}f(x)dx$$
$$=\int_{-1}^{0}(-2x)dx+\int_{0}^{1}2xdx$$
$$=\left[-x^2\right]_{-1}^{0}+\left[x^2\right]_{0}^{1}$$
$$=1+1=2$$
이때 함수 $f(x)$가 모든 실수 x에 대하여 $f(x+2)=f(x)$이 므로

$$\int_{-128}^{128} f(x)dx = 128\int_{-1}^{1} f(x)dx$$
$$= 128 \times 2 = 256$$

답 256

18 **Act①** 함수 $f(x)$가 우함수이고 (기함수)×(우함수)＝(기함수)
이므로 $xf(x)$는 기함수임을 이용한다.

조건 (가)에서 함수 $f(x)$는 우함수이므로 $xf(x)$는 기함수이다.

조건 (다)에서
$$\int_{-1}^{1}(x+4)f(x)dx = \int_{-1}^{1}xf(x)dx + \int_{-1}^{1}4f(x)dx$$
$$= 0 + 4\int_{-1}^{1}f(x)dx = 12$$

$$\therefore \int_{-1}^{1}f(x)dx = 3$$

조건 (나)에서 $f(x+2)=f(x)$이므로

$$\int_{-1}^{1}f(x)dx = \int_{0}^{2}f(x)dx = 3$$

$$\therefore \int_{-6}^{14}f(x)dx = \int_{0}^{20}f(x)dx = 10\int_{0}^{2}f(x)dx$$
$$= 10 \times 3 = 30$$

답 ④

기출유형 06

Act① $\int_{a}^{b}f(t)dt=k$ (k는 상수)로 놓고 k의 값을 구한다.

$$\int_{0}^{2}f(t)dt=k \text{ (k는 상수)} \qquad \cdots\cdots\text{㉠}$$

라 하면 $f(x)=4x^3+k$

이것을 ㉠에 대입하면

$$\int_{0}^{2}(4t^3+k)dt = \left[t^4+kt\right]_{0}^{2}$$
$$= 16+2k = k$$

$16+2k=k$에서 $k=-16$이므로

$f(x)=4x^3-16$

$\therefore f(2)=4\times8-16=16$

답 ③

19 **Act①** $\int_{a}^{b}f(t)dt=k$ (k는 상수)로 놓고 k의 값을 구한다.

$$\int_{0}^{2}f(t)dt=k \text{ (k는 상수)} \qquad \cdots\cdots\text{㉠}$$

라 하면 $f(x)=2x+1+k$

이것을 ㉠에 대입하면

$$\int_{0}^{2}(2t+1+k)dt = \left[t^2+t+kt\right]_{0}^{2}$$
$$= 4+2+2k = k$$

$6+2k=k$에서 $k=-6$이므로

$f(x)=2x-5$

$\therefore f(3)=2\times3-5=1$

답 1

20 **Act①** $\int_{a}^{b}f(t)dt=k$ (k는 상수)로 놓고 k의 값을 구한다.

$$\int_{0}^{2}f(t)dt=k \text{ (k는 상수)} \qquad \cdots\cdots\text{㉠}$$

라 하면 $f(x)=6x^2-2x+k$

이것을 ㉠에 대입하면

$$\int_{0}^{2}(6t^2-2t+k)dt = \left[2t^3-t^2+kt\right]_{0}^{2}$$
$$= 16-4+2k = k$$

$12+2k=k$에서 $k=-12$이므로

$f(x)=6x^2-2x-12$

$\therefore f(2)=24-4-12=8$

답 8

21 **Act①** $f(x)=3x^2+(2x-1)\int_{0}^{2}f(t)dt$에서

$\int_{0}^{2}f(t)dt=k$ (k는 상수)로 놓고 k의 값을 구한다.

$$f(x)=3x^2+2x\int_{0}^{2}f(t)dt - \int_{0}^{2}f(t)dt$$에서

$$\int_{0}^{2}f(t)dt=k \text{ (k는 상수)} \qquad \cdots\cdots\text{㉠}$$

라 하면 $f(x)=3x^2+2kx-k$

이것을 ㉠에 대입하면

$$\int_{0}^{2}(3t^2+2kt-k)dt = \left[t^3+kt^2-kt\right]_{0}^{2}$$
$$= 8+4k-2k = k$$

$8+2k=k$에서 $k=-8$

즉 $\int_{0}^{2}f(t)dt=-8$이므로 $\int_{0}^{2}f(x)dx=-8$

답 ②

22 **Act①** $\int_{a}^{b}f(t)dt=k$ (k는 상수)로 놓고 k의 값을 구한다.

$$f(x)=\frac{12}{7}x^2-2x\int_{1}^{2}f(t)dt+\left\{\int_{1}^{2}f(t)dt\right\}^2$$에서

$$\int_{1}^{2}f(t)dt=k \text{ (k는 상수)} \qquad \cdots\cdots\text{㉠}$$

라 하면 $f(x)=\frac{12}{7}x^2-2kx+k^2$

이것을 ㉠에 대입하면

$$\int_{1}^{2}\left(\frac{12}{7}t^2-2kt+k^2\right)dt = \left[\frac{4}{7}t^3-kt^2+k^2t\right]_{1}^{2}$$
$$= \left(\frac{32}{7}-4k+2k^2\right)-\left(\frac{4}{7}-k+k^2\right)$$
$$= k^2-3k+4 = k$$

$k^2-3k+4=k$에서

$(k-2)^2=0$, $k=2$

$$\therefore 10\int_{1}^{2}f(x)dx = 10k = 20$$

답 20

기출유형 07

Act① 주어진 등식의 양변에 $x=1$을 대입하여 a의 값을 우선 구한 후 양변을 x에 대하여 미분한다.

주어진 등식의 양변에 $x=1$을 대입하면 $0=1+a-2$

$\therefore a=1$

$$\int_{1}^{x}\left\{\frac{d}{dt}f(t)\right\}dt = \int_{1}^{x}f'(t)dt$$
$$= f(x)-f(1) = x^3+x^2-2$$

즉 $f(x)-f(1)=x^3+x^2-2$의 양변을 x에 대하여 미분하면

$f'(x)=3x^2+2x$

$\therefore f'(a)=f'(1)=3+2=5$

답 ⑤

23 `Act❶` 주어진 등식의 양변을 x에 대하여 미분한다.

$f(x)=\displaystyle\int_0^x(4at-3)dt$의 양변을 x에 대하여 미분하면

$f'(x)=4ax-3$

$f'(2)=8a-3=13$

$\therefore a=2$ 　　　　　　　　　　　　　　　답 2

24 `Act❶` 주어진 등식의 양변을 x에 대하여 미분한다.

$\displaystyle\int_0^x f(t)dt=x^3-5x$의 양변을 x에 대하여 미분하면

$f(x)=3x^2-5$

$\therefore f(5)=75-5=70$ 　　　　　　　　답 70

25 `Act❶` 주어진 식의 양변을 x에 대하여 미분하여 $f'(x)$를 구한 후 이것을 다시 적분한다.

$\displaystyle\int_1^x f(t)dt=xf(x)-3x^4+2x^2$의 양변을 x에 대하여 미분하면

$f(x)=f(x)+xf'(x)-12x^3+4x$

$xf'(x)=12x^3-4x$

$f'(x)=12x^2-4$

$f(x)=\displaystyle\int(12x^2-4)dx=4x^3-4x+C$ (단, C는 적분상수)

$\displaystyle\int_1^x f(t)dt=xf(x)-3x^4+2x^2$의 양변에 1을 대입하면

$0=f(1)-3+2$, $f(1)=1$　$\therefore C=1$

따라서 $f(x)=4x^3-4x+1$이므로 $f(0)=1$ 　　답 ①

26 `Act❶` $\displaystyle\int_0^1 f(t)dt=k$ (k는 상수)로 놓고 주어진 식의 양변에 $x=1$을 대입하여 k의 값을 구해 대입한 후 양변을 x에 대하여 미분하여 $f(x)$를 구한다.

$\displaystyle\int_0^x f(t)dt=x^3-2x^2-2x\int_0^1 f(t)dt$에서

$\displaystyle\int_0^1 f(t)dt=k$ (k는 상수)라 하면

$\displaystyle\int_0^x f(t)dt=x^3-2x^2-2xk$

위의 식에 $x=1$을 대입하면

$k=\displaystyle\int_0^1 f(t)dt=1-2-2k=-1-2k$

$\therefore k=-\dfrac{1}{3}$

$\displaystyle\int_0^x f(t)dt=x^3-2x^2+\dfrac{2}{3}x$의 양변을 x에 대하여 미분하면

$f(x)=3x^2-4x+\dfrac{2}{3}$이므로

$f(0)=\dfrac{2}{3}=a$

$\therefore 60a=60\times\dfrac{2}{3}=40$ 　　　　　　　답 40

`Act❶` $\displaystyle\lim_{x\to a}\dfrac{1}{x-a}\int_a^x f(t)dt=f(a)$를 이용한다.

함수 $f(x)$의 한 부정적분을 $F(x)$라 하면

$\displaystyle\lim_{x\to 1}\dfrac{1}{x-1}\int_1^x f(t)dt=\lim_{x\to 1}\dfrac{F(x)-F(1)}{x-1}$

$=F'(1)=f(1)$

$=1-3+5=3$ 　　　　　답 3

27 `Act❶` $\displaystyle\lim_{x\to a}\dfrac{1}{x-a}\int_a^x f(t)dt=f(a)$를 이용한다.

함수 $f(x)$의 한 부정적분을 $F(x)$라 하면

$\displaystyle\lim_{x\to 2}\dfrac{1}{x-2}\int_2^x f(t)dt=\lim_{x\to 2}\dfrac{F(x)-F(2)}{x-2}$

$=F'(2)=f(2)$

$=8+4-1=11$ 　　　　답 11

28 `Act❶` $\displaystyle\lim_{x\to 0}\dfrac{1}{x}\int_a^{x+a} f(t)dt=f(a)$를 이용한다.

함수 $f(x)$의 한 부정적분을 $F(x)$라 하면

$\displaystyle\lim_{x\to 0}\dfrac{1}{x}\int_3^{3+x} f(t)dt=\lim_{x\to 0}\dfrac{F(3+x)-F(3)}{x}$

$=F'(3)=f(3)$

$=9-9+2=2$ 　　　　　답 2

29 `Act❶` 적분 구간에 변수가 있는 정적분을 포함한 등식은 양변을 x에 대하여 미분한다.

$\displaystyle\lim_{h\to 0}\dfrac{f(1+3h)-f(1)}{h}=\lim_{h\to 0}\dfrac{f(1+3h)-f(1)}{3h}\times 3$

$=3f'(1)$

$f(x)=\displaystyle\int_x^x(2t-3)(t^2+1)dt$의 양변을 x에 대하여 미분하면

$f'(x)=(2x-3)(x^2+1)$이므로

$f'(1)=-1\times 2=-2$

$\therefore \displaystyle\lim_{h\to 0}\dfrac{f(1+3h)-f(1)}{h}=3f'(1)=-6$ 　답 ①

30 `Act❶` 적분 구간에 변수가 있는 정적분을 포함한 등식은 양변을 x에 대하여 미분한다.

$xf(x)=x^2+\displaystyle\int_1^x f(t)dt$의 양변을 x에 대하여 미분하면

$f(x)+xf'(x)=2x+f(x)$

$\therefore f'(x)=2$

$f(x)=\displaystyle\int 2dx=2x+C$

$xf(x)=x^2+\displaystyle\int_1^x f(t)dt$의 양변에 $x=1$을 대입하면

$f(1)=1$이므로 $f(1)=2+C=1$　$\therefore C=-1$

따라서 $f(x)=2x-1$이므로

$\displaystyle\lim_{x\to 2}\dfrac{f(x)-f(2)}{x-2}\times f(2)=f'(2)\times f(2)$

$=2\times 3=6$ 　　　　　답 6

01

$$\int_0^2 f'(x)dx=\left[f(x)\right]_0^2$$
$$=f(2)-f(0)=0-2=-2$$

답 ①

02

$$\int_2^x \left\{\frac{d}{dt}f(t)\right\}dt=\int_2^x f'(t)dt$$
$$=\left[f(t)\right]_2^x=f(x)-f(2)$$

한편, $f(t)$의 한 부정적분을 $F(t)$라 하면

$$\frac{d}{dx}\int_2^x f(t)dt=\frac{d}{dx}\{F(x)-F(2)\}=F'(x)=f(x)$$

이때 $\int_2^x\left\{\frac{d}{dt}f(t)\right\}dt=\frac{d}{dx}\int_2^x f(t)dt$이므로

$$f(x)-f(2)=f(x)$$
$$\therefore f(2)=0$$
$$f(x)=(x-1)(x-a)^2$$이므로
$$f(2)=(2-a)^2=0 \quad \therefore a=2$$

답 ⑤

03

$$\int_0^1 \{1+f(x)\}^2 dx$$
$$=\int_0^1 [1+2f(x)+\{f(x)\}^2]dx$$
$$=\int_0^1 1dx+2\int_0^1 f(x)dx+\int_0^1 \{f(x)\}^2 dx$$
$$=\int_0^1 1dx-2\int_1^0 f(x)dx+\int_0^1 \{f(x)\}^2 dx$$
$$=\left[x\right]_0^1-2\times(-1)+2$$
$$=1+2+2=5$$

답 ③

04

닫힌구간 $[0,\ 2]$에서

$$|x^2(x-1)|=\begin{cases}-x^3+x^2 & (0\leq x<1) \\ x^3-x^2 & (1\leq x\leq 2)\end{cases}$$ 이므로

$$\int_0^2 |x^2(x-1)|dx$$
$$=\int_0^1 (-x^3+x^2)dx+\int_1^2 (x^3-x^2)dx$$
$$=\left[-\frac{1}{4}x^4+\frac{1}{3}x^3\right]_0^1+\left[\frac{1}{4}x^4-\frac{1}{3}x^3\right]_1^2$$
$$=\frac{1}{12}+\frac{17}{12}=\frac{3}{2}$$

답 ①

05

$$f(x)=\begin{cases}3x^2-4x+a & (x\leq 1) \\ 2x+3 & (x>1)\end{cases} \quad \cdots\cdots\ㄱ$$

함수 $f(x)$는 연속함수이므로 $x=1$에서도 연속이다.

즉 $\lim\limits_{x\to 1-}f(x)=\lim\limits_{x\to 1+}f(x)$에서

$$\lim\limits_{x\to 1-}(3x^2-4x+a)=\lim\limits_{x\to 1+}(2x+3)$$
$$3-4+a=2+3 \quad \therefore a=6$$

$a=6$을 ㄱ에 대입하면

$$f(x)=\begin{cases}3x^2-4x+6 & (x\leq 1) \\ 2x+3 & (x>1)\end{cases}$$

$$\int_{-1}^3 f(x)dx=\int_{-1}^1 f(x)dx+\int_1^3 f(x)dx$$
$$=\int_{-1}^1 (3x^2-4x+6)dx+\int_1^3 (2x+3)dx$$
$$=\left[x^3-2x^2+6x\right]_{-1}^1+\left[x^2+3x\right]_1^3$$
$$=14+14=28=b$$
$$\therefore a+b=6+28=34$$

답 34

06

$$f(x)=9x^2+\int_0^1 (2x-3)f(t)dt$$
$$=9x^2+(2x-3)\int_0^1 f(t)dt$$

이때 $\int_0^1 f(t)dt=k$ (k는 상수) $\quad \cdots\cdots\ㄱ$

로 놓으면

$$f(x)=9x^2+k(2x-3)=9x^2+2kx-3k$$

위 식을 ㄱ에 대입하면

$$\int_0^1 (9t^2+2kt-3k)dt=k$$
$$\left[3t^3+kt^2-3kt\right]_0^1=k,\ 3+k-3k=k$$
$$\therefore k=1$$
$$\therefore \int_0^1 f(x)dx=1$$

답 ①

07

$$\int_0^2 f(t)dt=k\ (k는\ 상수) \quad \cdots\cdots\ㄱ$$

로 놓으면 $f(x)=x^2-x+k$

위 식을 ㄱ에 대입하면

$$\int_0^2 (t^2-t+k)dt=k$$
$$\left[\frac{1}{3}t^3-\frac{1}{2}t^2+kt\right]_0^2=k,\ \frac{8}{3}-2+2k=k \quad \therefore k=-\frac{2}{3}$$

따라서 $f(x)=x^2-x-\frac{2}{3}$이므로 $f(1)=-\frac{2}{3}$

답 ②

08

주어진 식의 양변에 $x=1$을 대입하면

$$0=f(1)-2+3+1 \quad \therefore f(1)=-2$$

주어진 식의 양변을 x에 대하여 미분하면

$f(x)=f(x)+xf'(x)-6x^2+6x$

$xf'(x)=6x^2-6x$ ∴ $f'(x)=6x-6$

$f(x)=\int(6x-6)dx=3x^2-6x+C$ (단, C는 적분상수)

이때 $f(1)=-2$이므로

$3-6+C=-2$에서 $C=1$

따라서 $f(x)=3x^2-6x+1$이므로

$f(2)=1$　　　　　　　　　　　　　　　　　답 ④

09

$f(x)=\int_x^{x+1}(t^3-t)dt$의 양변을 x에 대하여 미분하면

$f'(x)=\{(x+1)^3-(x+1)\}-(x^3-x)=3x(x+1)$

$f'(x)=0$에서 $x=-1$ 또는 $x=0$

x	$\cdots$	-1	$\cdots$	0	$\cdots$
$f'(x)$	$+$	0	$-$	0	$+$
$f(x)$	↗	극대	↘	극소	↗

따라서 함수 $f(x)$는 $x=-1$에서 극대, $x=0$에서 극소이므로

$M=f(-1)=\int_{-1}^0(t^3-t)dt=\left[\frac14t^4-\frac12t^2\right]_{-1}^0=\frac14$

$m=f(0)=\int_0^1(t^3-t)dt=\left[\frac14t^4-\frac12t^2\right]_0^1=-\frac14$

∴ $M-m=\frac14-\left(-\frac14\right)=\frac12$　　　　　　답 ①

10

$f(t)=|t-4|$, $F'(t)=f(t)$라 놓으면

$\lim\limits_{x\to1}\dfrac{1}{x^2-1}\int_1^x|t-4|dt$

$=\lim\limits_{x\to1}\dfrac{1}{x^2-1}\int_1^xf(t)dt$

$=\lim\limits_{x\to1}\dfrac{F(x)-F(1)}{x^2-1}$

$=\lim\limits_{x\to1}\dfrac{F(x)-F(1)}{x-1}\times\lim\limits_{x\to1}\dfrac{1}{x+1}$

$=F'(1)\times\dfrac12=\dfrac12f(1)$

$=\dfrac12\times|-3|=\dfrac32$　　　　　　　　　　답 ③

11

$f(-x)=-f(x)$에서 $f(x)$는 기함수이므로

$\int_{-a}^af(x)dx=0$ (a는 상수)

이때 $\int_{-2}^1f(x)dx=3$이므로

$\int_1^2f(x)dx=\int_1^{-2}f(x)dx+\int_{-2}^2f(x)dx$

$\qquad\qquad=-\int_{-2}^1f(x)dx=-3$

∴ $\int_1^2\{f(x)+1\}dx=\int_1^2f(x)dx+\int_1^21dx$

$\qquad\qquad\qquad=-3+\left[x\right]_1^2$

$\qquad\qquad\qquad=-3+1=-2$　　　　　　답 ①

12

$F(x)=\int_0^xf(t)dt$의 양변을 x에 대하여 미분하면

$F'(x)=f(x)=x^3-3x+a$

이때 $F(x)$는 사차함수이므로 $F(x)$가 오직 하나의 극값을 가지려면 $f(x)$에서

(극댓값)×(극솟값)≥0

이어야 한다.

$f'(x)=3x^2-3=3(x+1)(x-1)=0$에서

$x=-1$ 또는 $x=1$

즉 $f(-1)$, $f(1)$이 극값이므로

$f(-1)\times f(1)=(a+2)(a-2)\geq0$

∴ $a\leq-2$ 또는 $a\geq2$

따라서 양수 a의 최솟값은 2이다.　　　　　답 2

10 정적분의 활용

p. 99

01. 8　　**02.** 4　　**03.** ④　　**04.** 12　　**05.** ①
06. ⑤

01 $y=6x^2-12x$와 x축의 교점의 x좌표는

$6x^2-12x=0$에서 $6x(x-2)=0$

∴ $x=0$ 또는 $x=2$

닫힌구간 $[0,\ 2]$에서 $y\leq0$이므로

$\int_0^2|6x^2-12x|dx=\int_0^2(12x-6x^2)dx$

$\qquad\qquad\qquad\qquad=\left[6x^2-2x^3\right]_0^2=8$

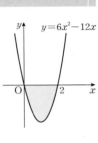

답 8

02 $y=-2x^2+3x$와 $y=x$의 교점의

x좌표는

$-2x^2+3x=x$에서

$2x(x-1)=0$

∴ $x=0$ 또는 $x=1$

따라서 구하는 넓이는

$\int_0^1\{(-2x^2+3x)-x\}dx$

$=\int_0^1(-2x^2+2x)dx$

$=\left[-\dfrac23x^3+x^2\right]_0^1$

$=\dfrac13$

따라서 $p=3$, $q=1$이므로 $p+q=4$　　　답 4

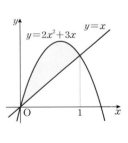

03 $y=-x^4+x$, $y=ax(1-x)$로 둘러싸인 도형의 넓이를 S_1이라 하면

$S_1=\int_0^1\{(-x^4+x)-ax(1-x)\}dx$

$$=\int_0^1 \{-x^4+ax^2+(1-a)x\}dx$$

$$=\left[-\frac{1}{5}x^5+\frac{a}{3}x^3+\frac{1-a}{2}x^2\right]_0^1$$

$$=\frac{3}{10}-\frac{a}{6}$$

$y=-x^4+x$, $y=x^4-x^3$으로 둘러싸인 도형의 넓이를 S_2라 하면

$$S_2=\int_0^1 \{(-x^4+x)-(x^4-x^3)\}dx$$

$$=\int_0^1 (-2x^4+x^3+x)dx$$

$$=\left[-\frac{2}{5}x^5+\frac{1}{4}x^4+\frac{1}{2}x^2\right]_0^1=\frac{7}{20}$$

이때 $S_1=\frac{1}{2}S_2$이므로

$$\frac{3}{10}-\frac{a}{6}=\frac{1}{2}\times\frac{7}{20} \quad \therefore a=\frac{3}{4}$$

답 ④

04 두 점 P, Q의 속도가 같아지는 순간의 시각 t는
$3t^2+t=2t^2+3t$에서
$t^2-2t=0$, $t(t-2)=0$ $\therefore t=2$ $(\because t>0)$
$t=2$에서의 두 점 P, Q의 위치는

$$0+\int_0^2 v_1(t)dt=\int_0^2 (3t^2+t)dt=\left[t^3+\frac{1}{2}t^2\right]_0^2=10$$

$$0+\int_0^2 v_2(t)dt=\int_0^2 (2t^2+3t)dt=\left[\frac{2}{3}t^3+\frac{3}{2}t^2\right]_0^2=\frac{34}{3}$$

따라서 두 점 P, Q 사이의 거리 a는 $a=\frac{34}{3}-10=\frac{4}{3}$

$$\therefore 9a=9\times\frac{4}{3}=12$$

답 12

05 $v(t)=-2t+4=0$에서 $t=2$
이때 $0\le t\le 2$에서 $v(t)\ge 0$, $t\ge 2$에서 $v(t)\le 0$이므로 구하는 거리는

$$\int_0^4 |-2t+4|dt$$

$$=\int_0^2 (-2t+4)dt+\int_2^4 (2t-4)dt$$

$$=\left[-t^2+4t\right]_0^2+\left[t^2-4t\right]_2^4$$

$$=(-4+8)+\{(16-16)-(4-8)\}$$

$$=4+4=8$$

답 ①

06 시각 $t=0$에서 시각 $t=6$ 까지 움직인 거리는 각 구간에서 $|v(t)|$를 정적분한 값의 합이므로 $v(t)$의 그래프와 t축으로 둘러싸인 각 도형의 넓이의 합과 같다.

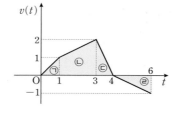

$$\therefore \int_0^6 |v(t)|dt=㉠+㉡+㉢+㉣$$

$$=\frac{1}{2}+3+1+1=\frac{11}{2}$$

답 ⑤

[참고]
$t=6$일 때, 점 P의 위치는

$$\frac{1}{2}+3+1+(-1)=\frac{7}{2}$$

기출유형 01

Act❶ 곡선과 x축의 교점의 x좌표에서 적분 구간을 정한 후 $|f(x)|$의 정적분의 값을 구한다.

$y=3x^2-12x+9$와 x축의 교점의 x좌표는
$3x^2-12x+9=0$에서
$3(x-1)(x-3)=0$
$\therefore x=1$ 또는 $x=3$
닫힌구간 $[1, 3]$에서 $y\le 0$이므로

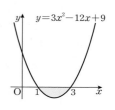

$$\int_1^3 |3x^2-12x+9|dx$$

$$=\int_1^3 (-3x^2+12x-9)dx$$

$$=\left[-x^3+6x^2-9x\right]_1^3$$

$$=(-27+54-27)-(-1+6-9)=4$$

답 4

01 **Act❶** 곡선과 x축의 교점의 x좌표에서 적분 구간을 정한 후 $|f(x)|$의 정적분의 값을 구한다.

$y=|x^2-4|$와 x축의 교점의 x좌표는
$|x^2-4|=0$에서
$x^2-4=0$, $(x+2)(x-2)=0$
$\therefore x=-2$ 또는 $x=2$

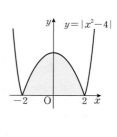

$$\int_{-2}^2 |x^2-4|dx=\int_{-2}^2 (4-x^2)dx$$

$$=2\int_0^2 (4-x^2)dx$$

$$=2\left[4x-\frac{1}{3}x^3\right]_0^2$$

$$=2\times\left(8-\frac{8}{3}\right)=\frac{32}{3}$$

답 ④

02 **Act❶** $f(x)$를 구한 후 곡선과 x축의 교점의 x좌표에서 적분 구간을 정한 후 $|f(x)|$의 정적분의 값을 구한다.

$$f(x)=\int (x^2-1)dx$$

$$=\frac{1}{3}x^3-x+C \text{ (단, }C\text{는 적분상수)}$$

이때 $f(0)=0$이므로 $C=0$

$f(x)=\dfrac{1}{3}x^3-x=\dfrac{1}{3}x(x+\sqrt{3})(x-\sqrt{3})$

이고 $f(x)$는 원점에 대칭이므로 $y=f(x)$와 x축으로 둘러싸인 부분의 넓이는

$2\displaystyle\int_{-\sqrt{3}}^{0}\left(\dfrac{1}{3}x^3-x\right)dx$

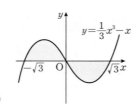

$=2\left[\dfrac{1}{12}x^4-\dfrac{1}{2}x^2\right]_{-\sqrt{3}}^{0}$

$=2\times\left\{0-\left(\dfrac{9}{12}-\dfrac{3}{2}\right)\right\}$

$=\dfrac{3}{2}$ 　　　　　　　　답 ④

03 **Act①** $f(x)$를 구한 후 곡선과 x축의 교점의 x좌표에서 적분 구간을 정한 후 $|f(x)|$의 정적분의 값을 구한다.

$f(x)=\displaystyle\int(3x^2-4x-4)dx$

$\qquad=x^3-2x^2-4x+C$ (단, C는 적분상수)

이때 $f(2)=0$에서

$8-8-8+C=0$ 　∴ $C=8$

따라서

$f(x)=x^3-2x^2-4x+8$

$\qquad=(x+2)(x-2)^2$

이므로 $y=f(x)$와 x축으로 둘러싸인 부분의 넓이는

$\displaystyle\int_{-2}^{2}(x^3-2x^2-4x+8)dx$

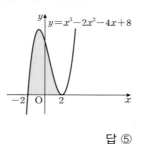

$=2\displaystyle\int_{0}^{2}(-2x^2+8)dx$

$=2\left[-\dfrac{2}{3}x^3+8x\right]_{0}^{2}$

$=2\times\left(-\dfrac{16}{3}+16\right)$

$=\dfrac{64}{3}$ 　　　　　　　　답 ⑤

04 **Act①** $f(x)=x^2+ax+b$로 놓고 주어진 조건을 이용하여 $f(x)$를 구한다.

$\displaystyle\int_{0}^{2013}f(x)dx=\int_{3}^{2013}f(x)dx$에서

$\displaystyle\int_{0}^{3}f(x)dx=0$이므로

$f(x)=x^2+ax+b$로 놓으면

$\displaystyle\int_{0}^{3}(x^2+ax+b)dx=\left[\dfrac{1}{3}x^3+\dfrac{a}{2}x^2+bx\right]_{0}^{3}$

$\qquad\qquad\qquad\qquad=9+\dfrac{9}{2}a+3b=0$

∴ $3a+2b=-6$ 　　……㉠

또, $f(3)=9+3a+b=0$이므로

$3a+b=-9$ 　　……㉡

㉠, ㉡을 연립하여 풀면 $a=-4$, $b=3$

따라서 $f(x)=x^2-4x+3$이므로

$S=\displaystyle\int_{1}^{3}|x^2-4x+3|dx=-\int_{1}^{3}(x^2-4x+3)dx$

$\qquad=-\left[\dfrac{1}{3}x^3-2x^2+3x\right]_{1}^{3}$

$=-\left\{(9-18+9)-\left(\dfrac{1}{3}-2+3\right)\right\}=\dfrac{4}{3}$

∴ $30S=30\times\dfrac{4}{3}=40$ 　　　　　　답 40

기출유형 02

Act① 두 곡선의 교점의 x좌표에서 적분 구간을 정한 후 $\{($위쪽 그래프의 식$)-($아래쪽 그래프의 식$)\}$의 정적분의 값을 구한다.

두 곡선 $y=x^2-2x+4$, $y=-2x^2+10x-5$의 교점의 x좌표는

$x^2-2x+4=-2x^2+10x-5$에서

$x^2-4x+3=0$

$(x-1)(x-3)=0$

∴ $x=1$ 또는 $x=3$

따라서 구하는 넓이는

$\displaystyle\int_{1}^{3}\{(-2x^2+10x-5)-(x^2-2x+4)\}dx$

$=\displaystyle\int_{1}^{3}(-3x^2+12x-9)dx$

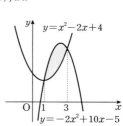

$=\left[-x^3+6x^2-9x\right]_{1}^{3}$

$=0-(-4)=4$ 　　　　　　　답 4

05 **Act①** 곡선과 직선의 교점의 x좌표에서 적분 구간을 정한 후 $\{($위쪽 그래프의 식$)-($아래쪽 그래프의 식$)\}$의 정적분의 값을 구한다.

곡선 $y=x^2-x$와 직선 $y=2x$의 교점의 x좌표는

$x^2-x=2x$에서

$x^2-3x=0$

$x(x-3)=0$

∴ $x=0$ 또는 $x=3$

따라서 구하는 넓이는

$\displaystyle\int_{0}^{3}\{2x-(x^2-x)\}dx$

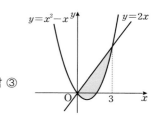

$=\displaystyle\int_{0}^{3}(3x-x^2)dx$

$=\left[\dfrac{3}{2}x^2-\dfrac{1}{3}x^3\right]_{0}^{3}=\dfrac{9}{2}$ 　　답 ③

06 **Act①** $\{($위쪽 그래프의 식$)-($아래쪽 그래프의 식$)\}$의 정적분의 값을 구한다.

$n=4$일 때, $A(4, 0)$, $B(4, 16)$이므로 구하는 넓이는 그림에서 색칠한 부분의 넓이이다.

$\displaystyle\int_{0}^{4}\left(x^2-\dfrac{1}{4}x^2\right)dx=\int_{0}^{4}\dfrac{3}{4}x^2dx$

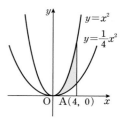

$\qquad\qquad\qquad\quad=\left[\dfrac{1}{4}x^3\right]_{0}^{4}=16$

답 ②

07 **Act❶** 점 Q에서 x축에 내린 수선의 발을 Q′이라 할 때, 구하는 넓이는 사다리꼴 POQ′Q의 넓이에서 $\int_0^1 f(x)dx$를 뺀 것임을 생각한다.

$n=1$일 때, P(0, 3)이고 $f(x)=x^2$이므로 Q(1, 1)이다.

따라서 구하는 넓이는

$\dfrac{1}{2}\times(3+1)\times1-\int_0^1 x^2dx$

$=2-\left[\dfrac{1}{3}x^3\right]_0^1$

$=2-\dfrac{1}{3}=\dfrac{5}{3}$

답 ③

08 **Act❶** 두 곡선의 교점의 x좌표에서 적분 구간을 정한 후 $\{($위쪽 그래프의 식$)-($아래쪽 그래프의 식$)\}$의 정적분의 값을 구한다.

$y=-f(x-1)-1$

$=-\{(x-1)^2-2(x-1)\}-1$

$=-x^2+4x-4$

두 곡선의 교점의 x좌표는

$x^2-2x=-x^2+4x-4$

$2x^2-6x+4=0,\ 2(x-1)(x-2)=0$

$\therefore\ x=1$ 또는 $x=2$

$\int_1^2\{(-x^2+4x-4)-(x^2-2x)\}dx$

$=\int_1^2(-2x^2+6x-4)dx$

$=\left[-\dfrac{2}{3}x^3+3x^2-4x\right]_1^2$

$=\left(-\dfrac{4}{3}\right)-\left(-\dfrac{5}{3}\right)=\dfrac{1}{3}$

답 ③

기출유형 03

Act❶ 닫힌구간 $[a, b]$에서 x축 위, 아래에 있는 두 도형의 넓이가 같으면 $\int_a^b f(x)dx=0$임을 이용한다.

$y=-x^2+6x$와 x축의 교점의 x좌표는 $-x^2+6x=0$에서

$x(x-6)=0$ $\therefore\ x=0$ 또는 $x=6$

이때 $k>6$이므로 $y=-x^2+6x$와 $x=k$는 그림과 같고 색칠한 두 도형의 넓이가 같다.

즉 $\int_0^k(-x^2+6x)dx=0$이므로

$\left[-\dfrac{1}{3}x^3+3x^2\right]_0^k=0$

$-\dfrac{1}{3}k^3+3k^2=0$

$k^3-9k^2=0,\ k^2(k-9)=0$

$\therefore\ k=9\ (\because\ k>6)$ 답 9

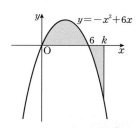

09 **Act❶** 닫힌구간 $[a, b]$에서 $f(x)$, $g(x)$가 만나서 생기는 두 도형의 넓이가 같으면 $\int_a^b\{f(x)-g(x)\}dx=0$임을 이용한다.

곡선 $y=x^3-(2+m)x^2+3mx$와 직선 $y=mx$의 교점의 x좌표는 $x^3-(2+m)x^2+3mx=mx$에서

$x^3-(2+m)x^2+2mx=0,\ x(x-2)(x-m)=0$

$\therefore\ x=0$ 또는 $x=2$ 또는 $x=m$

곡선 $y=x^3-(2+m)x^2+3mx$와 직선 $y=mx$로 둘러싸인 두 부분의 넓이가 서로 같으므로

$\int_0^m\{x^3-(2+m)x^2+3mx-mx\}dx=0$

$\int_0^m\{x^3-(2+m)x^2+2mx\}dx=0$

$\left[\dfrac{1}{4}x^4-\dfrac{2+m}{3}x^3+mx^2\right]_0^m=0$

$\dfrac{1}{4}m^4-\dfrac{2+m}{3}m^3+m^3=0$

$m^3(m-4)=0$ $\therefore\ m=4\ (\because\ m>2)$ 답 ③

10 **Act❶** 닫힌구간 $[a, b]$에서 $f(x)$, $g(x)$가 만나서 생기는 두 도형의 넓이가 같으면 $\int_a^b\{f(x)-g(x)\}dx=0$임을 이용한다.

닫힌구간 $[0, 2]$에서 곡선 $y=x^2$과 직선 $y=kx$로 둘러싸인 두 부분의 넓이가 서로 같으므로

$\int_0^2(x^2-kx)dx=0$

$\left[\dfrac{1}{3}x^3-\dfrac{1}{2}kx^2\right]_0^2=0$

$\dfrac{8}{3}-2k=0$ $\therefore\ k=\dfrac{4}{3}$ 답 ③

[다른 풀이]

$A=B$이므로 $A+C=B+C$라서 직선 $y=kx$와 직선 $x=2$ 및 x축으로 둘러싸인 부분과 곡선 $y=x^2$과 직선 $x=2$ 및 x축으로 둘러싸인 부분의 넓이가 같으므로

$\dfrac{1}{2}\times2\times2k=\int_0^2 x^2dx$

$2k=\dfrac{8}{3}$ $\therefore\ k=\dfrac{4}{3}$

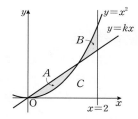

11 **Act❶** $y=-x^2+4x$와 $y=mx$로 둘러싸인 도형의 넓이는 $y=-x^2+4x$와 x축으로 둘러싸인 도형의 넓이의 $\dfrac{1}{2}$배임을 이용한다.

$y=-x^2+4x$와 $y=mx$의 교점의 x좌표는 $-x^2+4x=mx$에서

$x\{x+(m-4)\}=0$

$\therefore\ x=0$ 또는 $x=4-m$

따라서 그림에서 색칠한 도형의 넓이는

$\int_0^{4-m}\{(-x^2+4x)-mx\}dx$

$=\left[-\dfrac{1}{3}x^3+\dfrac{1}{2}(4-m)x^2\right]_0^{4-m}$

$=-\dfrac{1}{3}(4-m)^3+\dfrac{1}{2}(4-m)^3$

$=\dfrac{1}{6}(4-m)^3$

$y=-x^2+4x$와 x축으로 둘러싸인 도형의 넓이는

$$\int_0^4 (-x^2+4x)dx$$
$$=\left[-\frac{1}{3}x^3+2x^2\right]_0^4$$
$$=\left(-\frac{64}{3}+32\right)=\frac{32}{3}$$

즉 $\frac{1}{6}(4-m)^3=\frac{1}{2}\times\frac{32}{3}$

$\therefore (4-m)^3=32$

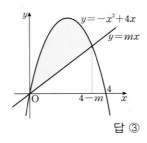

답 ③

12 **Act①** $P\left(a, \dfrac{a^3}{2}\right)$에서 $y=\dfrac{a^3}{2}$이고 $S_1=S_2$임을 이용하여 a의 값을 구한다.

점 $P(a, b)$는 $f(x)=\dfrac{1}{2}x^3$ 위의 점이므로 $b=\dfrac{a^3}{2}$

$S_1=S_2$이므로

$$\int_0^1 \frac{1}{2}x^3 dx=\int_1^a \left(\frac{a^3}{2}-\frac{1}{2}x^3\right)dx$$

$$\left[\frac{1}{8}x^4\right]_0^1=\left[\frac{a^3}{2}x-\frac{1}{8}x^4\right]_1^a$$

$$\frac{1}{8}=\left(\frac{a^4}{2}-\frac{1}{8}a^4\right)-\left(\frac{a^3}{2}-\frac{1}{8}\right)$$

$$0=\frac{3a^4}{8}-\frac{a^3}{2},\ 3a^4-4a^3=0$$

$a^3(3a-4)=0,\ a>1$이므로 $a=\dfrac{4}{3}$

$\therefore 30a=30\times\dfrac{4}{3}=40$

답 40

기출유형 04

Act① $f(x)$, $g(x)$의 그래프는 직선 $y=x$에 대하여 대칭임을 이용한다.

색칠한 부분의 넓이는 곡선 $y=f(x)$와 직선 $y=x$로 둘러싸인 부분의 넓이의 2배이므로

$$2\left\{\frac{1}{2}\times 3\times 3-\int_0^3 f(x)\right\}dx$$
$$=2\left(\frac{9}{2}-3\right)=3$$

답 ④

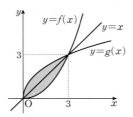

13 **Act①** $f(x)$, $g(x)$의 그래프는 직선 $y=x$에 대하여 대칭임을 이용한다.

곡선 $f(x)=ax^2$과 직선 $y=x$의 교점의 x좌표는
$ax^2=x$에서 $ax^2-x=0$, $x(ax-1)=0$

$\therefore x=0$ 또는 $x=\dfrac{1}{a}$

$y=f(x)$, $y=g(x)$로 둘러싸인 부분의 넓이는 $y=f(x)$, $y=x$로 둘러싸인 부분의 넓이의 2배이므로

$$2\int_0^{\frac{1}{a}} (x-ax^2)dx$$
$$=2\left[\frac{1}{2}x^2-\frac{a}{3}x^3\right]_0^{\frac{1}{a}}$$
$$=2\times\frac{1}{6a^2}=\frac{1}{3a^2}$$

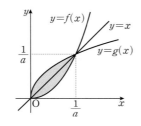

따라서 $\dfrac{1}{3a^2}=6$이므로

$$\frac{1}{a^2}=18$$

답 18

14 **Act①** $f(x)$, $f^{-1}(x)$의 그래프는 직선 $y=x$에 대하여 대칭임을 이용한다.

$f(x)=\sqrt{ax}$의 역함수는 $f^{-1}(x)=\dfrac{1}{a}x^2\ (x\geq 0)$이다.

곡선 $y=\dfrac{1}{a}x^2$과 직선 $y=x$의 교점의 x좌표는

$\dfrac{1}{a}x^2=x$에서 $\dfrac{1}{a}x(x-a)=0$

$\therefore x=0$ 또는 $x=a$

$y=\sqrt{ax}$, $y=\dfrac{1}{a}x^2$으로 둘러싸인 도형의 넓이는 $y=\dfrac{1}{a}x^2$, $y=x$로 둘러싸인 도형의 넓이의 2배이므로

$$2\int_0^a \left(x-\frac{1}{a}x^2\right)dx$$
$$=2\left[\frac{1}{2}x^2-\frac{1}{3a}x^3\right]_0^a$$
$$=2\times\frac{1}{6}a^2=\frac{1}{3}a^2$$

따라서 $\dfrac{1}{3}a^2=\dfrac{16}{3}$이므로 $a^2=16$ $\therefore a=4\ (\because a>0)$ 답 4

15 **Act①** $f(x)$, $g(x)$의 그래프는 직선 $y=x$에 대하여 대칭임을 이용한다.

함수 $y=g(x)$의 그래프는 함수 $f(x)=x^3+x-1$의 그래프를 직선 $y=x$에 대하여 대칭이동한 것과 같으므로 그림과 같고 색칠한 부분의 넓이는 서로 같다.

이때 $g(9)=a$라 하면 $f(a)=9$이므로

$a^3+a-1=9$, $a^3+a-10=0$

$(a-2)(a^2+2a+5)=0$

$\therefore a=2\ (\because a^2+2a+5=(a+1)^2+4>0)$

$$\therefore \int_1^9 g(x)dx=18-1-\int_1^2 f(x)dx$$
$$=17-\int_1^2 (x^3+x-1)dx$$
$$=17-\left[\frac{1}{4}x^4+\frac{1}{2}x^2-x\right]_1^2$$
$$=17-\frac{17}{4}=\frac{51}{4}$$

답 ③

기출유형 05

Act① 두 점 P, Q의 위치를 각각 x_P, x_Q라 하면 두 점이 다시 만날 때 $x_P=x_Q$임을 이용한다.

출발한지 t초 후의 두 점 P, Q의 위치를 각각 x_P, x_Q라 하면

$$x_P=0+\int_0^t (3t^2+4t-4)dt=t^3+2t^2-4t$$

$$x_Q = 0 + \int_0^t (10t-4)dt = 5t^2 - 4t$$

두 점 P, Q가 출발 후 $t=a$ $(a>0)$에서 다시 만나므로
$x_P = x_Q$에서
$$a^3 + 2a^2 - 4a = 5a^2 - 4a$$
$$a^3 - 3a^2 = 0, \ a^2(a-3) = 0$$
$$\therefore a = 3 \ (\because a > 0)$$

답 ⑤

16 **Act①** 원점을 출발한 점 P의 시각 t에서의 위치 x는
$x = 0 + \int_0^t v(t)dt$임을 이용한다.
$$0 + \int_0^3 (3t^2 - 6t + 4)dt = \left[t^3 - 3t^2 + 4t \right]_0^3 = 12$$

답 ③

17 **Act①** 속도 $v(t)$의 부호가 바뀔 때 점 P의 운동 방향이 바뀌므로 $v(t)=0$일 때의 t의 값을 구한다.
운동 방향, 즉 $v(t)$의 부호가 바뀌는 것은 $v(t)=0$일 때이므로 $3t^2 - 8t - 3 = 0$에서
$(3t+1)(t-3) = 0$ $\therefore t=3 \ (\because t>0)$
즉 점 P는 출발한지 3초 후에 운동 방향이 바뀐다.
따라서 $t=3$에서의 점 P의 위치는
$$0 + \int_0^3 (3t^2 - 8t - 3)dt = \left[t^3 - 4t^2 - 3t \right]_0^3 = 27 - 36 - 9 = -18$$

답 ①

18 **Act①** 로켓이 최고 높이에 도달할 때의 속도가 0임을 이용한다.
로켓이 최고 높이에 도달할 때의 속도는 0이므로
$v(t) = 30 - 10t = 0$에서 $t=3$
$t=0$일 때 지상 35 m의 높이에서 로켓을 쏘아 올렸으므로 구하는 최고 높이는
$$35 + \int_0^3 (30 - 10t)dt = 35 + \left[30t - 5t^2 \right]_0^3$$
$$= 35 + 45 = 80 \, (\text{m})$$

답 ④

19 **Act①** $v_1(t) = v_2(t)$일 때의 t의 값을 구한다.
두 점 P, Q의 속도가 같아지는 순간의 시각 t는
$6t^2 + 10t = 12t^2 - 8t$에서
$6t^2 - 18t = 0$, $6t(t-3) = 0$ $\therefore t=3 \ (\because t>0)$
$t=3$에서의 두 점 P, Q의 위치는
$$0 + \int_0^3 v_1(t)dt = \int_0^3 (6t^2 + 10t)dt$$
$$= \left[2t^3 + 5t^2 \right]_0^3 = 54 + 45 = 99$$
$$0 + \int_0^3 v_2(t)dt = \int_0^3 (12t^2 - 8t)dt$$
$$= \left[4t^3 - 4t^2 \right]_0^3 = 108 - 36 = 72$$
따라서 두 점 P, Q 사이의 거리는 $a = 99 - 72 = 27$

답 27

기출유형 06

Act① 이동 거리를 구할 때에는 속도 $v(t)$의 부호에 주의하여 적분한다.
$v(t) = 4t - 8 = 0$에서 $t=2$
이때 $0 \le t \le 2$에서 $v(t) \le 0$, $t \ge 2$에서 $v(t) \ge 0$이므로 구하는 거리는
$$\int_0^3 |4t-8|dt = \int_0^2 (-4t+8)dt + \int_2^3 (4t-8)dt$$
$$= \left[-2t^2 + 8t \right]_0^2 + \left[2t^2 - 8t \right]_2^3$$
$$= (-8+16) + \{(18-24) - (8-16)\}$$
$$= 10$$

답 10

20 **Act①** 이동 거리를 구할 때에는 속도 $v(t)$의 부호에 주의하여 적분한다.
$v(t) = -2t + 6 = 0$에서 $t=3$
이때 $0 \le t \le 3$에서 $v(t) \ge 0$, $t \ge 3$에서 $v(t) \le 0$이므로 구하는 거리는
$$\int_0^6 |-2t+6|dt = \int_0^3 (-2t+6)dt + \int_3^6 (2t-6)dt$$
$$= \left[-t^2 + 6t \right]_0^3 + \left[t^2 - 6t \right]_3^6$$
$$= (-9+18) + \{(36-36) - (9-18)\}$$
$$= 9 + 9 = 18$$

답 ③

21 **Act①** 자동차가 정지할 때의 속도가 0임을 이용한다.
$v(t) = 24 - 6t = 0$에서 $t=4$
따라서 자동차는 제동을 건 후 4초 후에 정지하므로 정지할 때까지 달린 거리는
$$\int_0^4 |24-6t|dt = \int_0^4 (24-6t)dt = \left[24t - 3t^2 \right]_0^4$$
$$= 48 \, (\text{m})$$

답 ⑤

22 **Act①** $v(t) = \dfrac{dx}{dt}$, $v(2) = 0$임을 이용하여 a의 값을 구한다.
시각 t에서의 점 P의 속도 $v(t)$는
$$v(t) = \frac{dx}{dt} = 6t^2 + 2at$$
$v(2) = 24 + 4a = 0$에서 $a = -6$
$\therefore v(t) = 6t^2 - 12t = 6t(t-2)$
이때 $0 \le t \le 2$에서 $v(t) \le 0$이므로 구하는 거리는
$$\int_0^2 |6t^2 - 12t|dt = \int_0^2 (-6t^2 + 12t)dt$$
$$= \left[-2t^3 + 6t^2 \right]_0^2$$
$$= -16 + 24 = 8$$

답 ②

23 **Act①** 물체가 최고 높이에 도달할 때의 속도가 0임을 이용한다.
물체가 최고 높이에 도달할 때의 속도는 0이므로
$v(t) = 40 - 10t = 0$에서 $t=4$
이때 $4 \le t \le 6$에서 $v(t) \le 0$이므로 구하는 거리는
$$\int_4^6 |40-10t|dt = \int_4^6 (10t-40)dt = \left[5t^2 - 40t \right]_4^6$$
$$= (180-240) - (80-160) = 20$$

답 20

기출유형 07

Act① 원점에서 출발한 물체의 위치는 속도를 적분한 것임을 생각한다.

주어진 그래프에서 $f(t)=2t-2$, $g(t)=-\dfrac{1}{2}t+3$

두 점 P, Q가 a초 후에 처음으로 다시 만나므로

$\displaystyle\int_0^a f(t)dt=\int_0^a g(t)dt$에서

$\displaystyle\int_0^a (2t-2)dt=\int_0^a\left(-\dfrac{1}{2}t+3\right)dt$

$\left[t^2-2t\right]_0^a=\left[-\dfrac{1}{4}t^2+3t\right]_0^a$

$a^2-2a=-\dfrac{1}{4}a^2+3a$, $\dfrac{5}{4}a^2-5a=0$

$5a\left(\dfrac{1}{4}a-1\right)=0$ $\therefore a=4$ $(\because a>0)$ 답 4

24 Act1 지면에서 수직인 방향으로 올라가는 물체의 높이는 속도를 적분한 것임을 생각한다.

ㄱ. $t=a$일 때, 물체 A의 높이는 $\displaystyle\int_0^a f(t)dt$이고

물체 B의 높이는 $\displaystyle\int_0^a g(t)dt$이다.

주어진 그림에서 $\displaystyle\int_0^a f(t)dt>\int_0^a g(t)dt$

이므로 물체 A가 물체 B보다 높은 위치에 있다. (참)

ㄴ. (i) $0\le t\le b$일 때, $f(t)-g(t)\ge0$이므로

$\displaystyle\int_0^t \{f(t)-g(t)\}dt$는 이 구간에서 증가한다.

즉 시각 t에서의 두 물체 A, B의 높이의 차는 점점 커진다.

(ii) $b<t\le c$일 때, $f(t)-g(t)<0$이므로

$\displaystyle\int_0^t \{f(t)-g(t)\}dt$는 이 구간에서 감소한다.

즉 시각 t에서의 두 물체 A, B의 높이의 차는 점점 줄어든다.

(i), (ii)에서 $t=b$일 때, $\displaystyle\int_0^t \{f(t)-g(t)\}dt$의 값이 최대

이므로 물체 A와 물체 B의 높이의 차가 최대이다. (참)

ㄷ. $\displaystyle\int_0^c f(t)dt=\int_0^c g(t)dt$이므로 $t=c$일 때, 물체 A와 물체 B는 같은 높이에 있다. (참)

따라서 옳은 것은 ㄱ, ㄴ, ㄷ이다. 답 ⑤

25 Act1 $x(0)=x(c)=1$, $x(b)=0$임을 이용하여 t에서의 위치 $x(t)$를 생각한다.

ㄱ. $\displaystyle\int_0^c v(t)dt$는 $t=0$부터 $t=c$까지 위치의 변화량이고

$x(0)=x(c)=1$이므로

$\displaystyle\int_0^c v(t)dt=x(c)-x(0)=1-1=0$ (참)

ㄴ. $\displaystyle\int_0^a v(t)dt+\int_a^b v(t)dt=\int_0^b v(t)dt$

$\displaystyle\int_0^b v(t)dt$는 $t=0$부터 $t=b$까지 위치의 변화량이고

$x(0)=1$, $x(b)=0$이므로

$\displaystyle\int_0^b v(t)dt=x(b)-x(0)=0-1=-1$

$\therefore \displaystyle\int_0^a v(t)dt+\int_a^b v(t)dt=-1$ (참)

ㄷ. $x(t)$는 점 P의 시각 t에서의 위치이므로

$x'(t)=v(t)$

$v(t)=0$에서 $t=a$ 또는 $t=b$

t	0	$\cdots$	a	$\cdots$	b	$\cdots$	c
$v(t)$		+	0	-	0	+	
$x(t)$	1	↗		↘	0	↗	1

$x(t)$는 $t=b$일 때 극소인 동시에 최소이다.

따라서 점 P는 원점을 한 번 지난다. (참)

따라서 옳은 것은 ㄱ, ㄴ, ㄷ이다. 답 ⑤

VIT Very Important Test pp. 107~109

01. ② **02.** ⑤ **03.** ④ **04.** 1 **05.** 1
06. ② **07.** 8 **08.** ① **09.** 3 **10.** ①
11. ④ **12.** ③ **13.** ④ **14.** ⑤ **15.** 9
16. ② **17.** ⑤

01

$\displaystyle\int_{-1}^0 (-3x^2+3)dx+\int_0^3 (-x+3)dx$

$=\left[-x^3+3x\right]_{-1}^0+\left[-\dfrac{1}{2}x^2+3x\right]_0^3$

$=2+\dfrac{9}{2}=\dfrac{13}{2}$ 답 ②

02

$-2x^2+kx=-x(2x-k)=0$에서

$x=0$ 또는 $x=\dfrac{k}{2}$

이때 곡선 $y=-2x^2+kx$와 x축으로 둘러싸인 부분의 넓이가 72이므로

$\displaystyle\int_0^{\frac{k}{2}} (-2x^2+kx)dx$

$=\left[-\dfrac{2}{3}x^3+\dfrac{k}{2}x^2\right]_0^{\frac{k}{2}}$

$=\dfrac{k^3}{24}=72$

이때 $k^3=24\times72=12^3$이므로 $k=12$ 답 ⑤

03

곡선과 직선의 교점의 x좌표는

$x^2-4x+2=x-2$, $x^2-5x+4=0$

$(x-1)(x-4)=0$ $\therefore x=1$ 또는 $x=4$

따라서 구하는 넓이는

$\displaystyle\int_1^4 \{(x-2)-(x^2-4x+2)\}dx$

$=\displaystyle\int_1^4 (-x^2+5x-4)dx$

$$=\left[-\frac{1}{3}x^3+\frac{5}{2}x^2-4x\right]_1^4$$
$$=\frac{8}{3}-\left(-\frac{11}{6}\right)=\frac{9}{2}$$

답 ④

04

$\int_{-1}^{a} x(x+1)(x-a)dx=0$이므로

$$\int_{-1}^{a} x(x+1)(x-a)dx$$
$$=\int_{-1}^{a} \{x^3-(a-1)x^2-ax\}dx$$
$$=\left[\frac{1}{4}x^4-\frac{a-1}{3}x^3-\frac{a}{2}x^2\right]_{-1}^{a}$$
$$=-\frac{1}{12}(a^4+2a^3-2a-1)$$
$$=-\frac{1}{12}(a-1)(a+1)^3=0$$

따라서 양수 a의 값은 1이다.

답 1

05

곡선 $y=x^2$과 직선 $y=2x+3$의 교
점의 x좌표는
$x^2=2x+3$에서 $x^2-2x-3=0$
$(x+1)(x-3)=0$
∴ $x=-1$ 또는 $x=3$
따라서 곡선 $y=x^2$과 직선 $y=2x+3$
으로 둘러싸인 도형의 넓이는

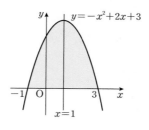

$$\int_{-1}^{3} (2x+3-x^2)dx \quad \cdots\cdots \text{①}$$

①은 곡선 $y=-x^2+2x+3$과 x축으로 둘러싸인 도형의 넓이와
같으므로 그림과 같이 직선 $x=1$에 의하여 이등분된다.

∴ $k=1$

답 1

06

곡선 $y=x^2-2x=(x-1)^2-1$의 그래프의 대칭축은 $x=1$이고,
$S_1=2S_2$가 성립하므로 곡선 $y=x^2-2x$와 직선 $x=1$ 및 x축으로
둘러싸인 도형의 넓이는 S_2와 같다.

즉 $-\int_1^2 (x^2-2x)dx=\int_2^a (x^2-2x)dx$

$$\int_1^2 (x^2-2x)dx+\int_2^a (x^2-2x)dx=0$$

$$\int_1^a (x^2-2x)dx=0$$

$$\left[\frac{1}{3}x^3-x^2\right]_1^a=0$$

$$\frac{1}{3}a^3-a^2-\left(\frac{1}{3}-1\right)=0$$

$a^3-3a^2+2=0$, $(a-1)(a^2-2a-2)=0$

∴ $a=1$ 또는 $a=1\pm\sqrt{3}$

그런데 $a>2$이므로 $a=1+\sqrt{3}$

답 ②

07

모든 실수 x에 대하여 $f(-x)=-f(x)$이면 함수 $y=f(x)$의 그
래프는 원점에 대하여 대칭이다.

이때 $f(-1)=0$에서 $f(1)=0$이고,
$f(0)=-f(-0)=-f(0)$이므로 $f(0)=0$
이때 최고차항의 계수가 1이므로
$f(x)=x(x+1)(x-1)$
이라 하면
곡선 $y=f(x)$와 직선 $y=3x$의 교점의 x좌표는
$x(x+1)(x-1)=3x$, $x^3-4x=0$,
$x(x+2)(x-2)=0$
∴ $x=-2$ 또는 $x=0$ 또는 $x=2$
따라서 구하는 넓이는

$$\int_{-2}^{0} \{(x^3-x)-3x\}dx+\int_0^2 \{3x-(x^3-x)\}dx$$
$$=\int_{-2}^{0} (x^3-4x)dx+\int_0^2 (-x^3+4x)dx$$
$$=\left[\frac{1}{4}x^4-2x^2\right]_{-2}^{0}+\left[-\frac{1}{4}x^4+2x^2\right]_0^2$$
$$=4+4=8$$

답 8

08

점 P가 출발한 후 x초일 때의 위치를 $f(x)$라 하면

$$f(x)=\int_0^x v(t)dt$$
$$=\int_0^x (6-3t)dt$$
$$=6x-\frac{3}{2}x^2$$

점 P가 원점에 다시 올 때 $f(x)=0$이므로

$6x-\frac{3}{2}x^2=0$ ∴ $x=4$

답 ①

09

두 점 P, Q가 원점을 출발한 후 x초 후의 위치를 각각 $s_1(x)$,
$s_2(x)$라 하면

$$s_1(x)=\int_0^x (3t^2-4t+1)dt$$
$$=\left[t^3-2t^2+t\right]_0^x$$
$$=x^3-2x^2+x$$
$$s_2(x)=\int_0^x (13-6t)dt$$
$$=\left[13t-3t^2\right]_0^x$$
$$=13x-3x^2$$

이때 두 점이 다시 만나려면 $s_1(x)=s_2(x)$이어야 하므로
$x^3-2x^2+x=13x-3x^2$, $x^3+x^2-12x=0$
$x(x-3)(x+4)=0$ ∴ $x=3$ (∵ $x>0$)
따라서 두 점 P, Q가 원점을 출발한 후 다시 만나는 시각은 3이
다.

답 3

10

$v(t)=(t-1)(t-3)$
$v(0)=3$이고, $v(t)\leq0$일 때 반대 방향으로 움직이므로
$(t-1)(t-3)\leq0$ ∴ $1\leq t\leq3$
따라서 점 P가 $t=1$에서 $t=3$까지 움직인 거리는

$$\int_1^3 |v(t)|dt=\int_1^3 (-t^2+4t-3)dt=\left[-\frac{1}{3}t^3+2t^2-3t\right]_1^3$$
$$=\frac{4}{3} \qquad\qquad \text{답 ①}$$

11

$20-at=0$에서 $t=\dfrac{20}{a}$

따라서 기차가 제동이 걸린 후부터 정지할 때까지 달린 거리는

$$\int_0^{\frac{20}{a}}(20-at)dt=\left[20t-\frac{a}{2}t^2\right]_0^{\frac{20}{a}}=\frac{200}{a}$$

즉 $\dfrac{200}{a}=50$이므로 $a=4$ \qquad\qquad 답 ④

12

$v(t)=3t^2-6t=3t(t-2)=0$에서

$t=0$ 또는 $t=2$

따라서 점 P가 시각 $t=1$에서 $t=3$까지 움직인 거리는

$$\int_1^3 |3t^2-6t|dt$$
$$=\int_1^2 (-3t^2+6t)dt+\int_2^3 (3t^2-6t)dt$$
$$=\left[-t^3+3t^2\right]_1^2+\left[t^3-3t^2\right]_2^3$$
$$=2+4=6 \qquad\qquad \text{답 ③}$$

13

$v(t)=-t^2+at=0$에서 $t=0$ 또는 $t=a$

점 P가 출발한 후 시각 $t=4$에서 처음으로 운동 방향이 바뀌므로 $a=4$

$\therefore v(t)=-t^2+4t$

따라서 $t=0$에서 $t=6$까지 점 P가 움직인 거리는

$$\int_0^6 |v(t)|dt=\int_0^4 (-t^2+4t)dt+\int_4^6 (t^2-4t)dt$$
$$=\left[-\frac{1}{3}t^3+2t^2\right]_0^4+\left[\frac{1}{3}t^3-2t^2\right]_4^6$$
$$=\frac{32}{3}+\frac{32}{3}=\frac{64}{3} \qquad\qquad \text{답 ④}$$

14

ㄱ. $f(t)=t^2-t=t(t-1)$이므로 점 P는 출발 후 $t=1$에서 운동 방향을 1번 바꾼다. (참)

ㄴ. 시각 t에서 두 점 P, Q의 가속도는 각각
$$f'(t)=2t-1, \quad g'(t)=-6t+6$$
이므로
$$p=f'(2)=3, \quad q=g'(2)=-6$$
$$\therefore pq<0 \text{ (참)}$$

ㄷ. $t=0$에서 $t=3$까지 점 Q가 움직인 거리는
$$g(t)=-3t^2+6t=-3t(t-2)$$
이므로
$$\int_0^3 |g(t)|dt=\int_0^2 (-3t^2+6t)dt+\int_2^3 (3t^2-6t)dt$$
$$=\left[-t^3+3t^2\right]_0^2+\left[t^3-3t^2\right]_2^3$$

$$=4+4=8 \text{ (참)}$$

따라서 옳은 것은 ㄱ, ㄴ, ㄷ이다. \qquad\qquad 답 ⑤

15

$v(3)=0$이고 $t=3$의 좌우에서 속도의 부호가 바뀌므로 점 P가 출발한 후 처음으로 운동 방향을 바꾸는 시각은 $t=3$이다.

$\therefore a=3$

$0<t<3$일 때 $v(t)>0$이므로 점 P는 출발점에서 양의 방향으로 계속 멀어져 가고, $3<t<6$에서 $v(t)<0$이므로 점 P는 $t=3$에서 운동 방향을 바꾸어 음의 방향으로 움직인다.

즉 점 P가 출발한 후 원점에서 가장 멀리 떨어져 있을 때는 $t=3$일 때이므로

$$b=\frac{1}{2}\times 3\times 4=6 \quad\therefore a+b=3+6=9 \qquad \text{답 9}$$

16

$y=4-x^2$에서 $y'=-2x$이므로 점 $(t, 4-t^2)$에서의 접선의 방정식은
$$y-(4-t^2)=-2t(x-t)$$
$$\therefore y=-2tx+t^2+4$$

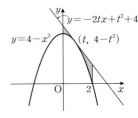

닫힌구간 $[0, 2]$에서 곡선 $y=4-x^2$과 접선 $y=-2tx+t^2+4$ 사이의 넓이는

$$\int_0^2 \{(-2tx+t^2+4)-(4-x^2)\}dx$$
$$=\int_0^2 (x^2-2tx+t^2)dx=\left[\frac{1}{3}x^3-tx^2+t^2x\right]_0^2$$
$$=2t^2-4t+\frac{8}{3}=2(t-1)^2+\frac{2}{3}$$

따라서 $t=1$일 때 넓이가 최소이고 그 때의 넓이는 $\dfrac{2}{3}$이다.

\qquad\qquad 답 ②

17

ㄱ. 점 P의 $t=3$일 때의 위치는
$$\int_0^3 v(t)dt=\int_0^2 v(t)dt+\int_2^3 v(t)dt$$
$$=1.5+(-0.5)=1$$

ㄴ. 점 P가 $t=0$에서 $t=3$까지 움직인 거리는
$$\int_0^3 |v(t)|dt=\int_0^2 v(t)dt-\int_2^3 v(t)dt$$
$$=1.5-(-0.5)=2$$

ㄷ. 시각 t에서 점 P의 좌표는 $\int_0^t v(t)dt$이다.

주어진 그래프에서 t축을 기준으로 $t=0$에서 $t=4$까지 아래쪽과 위쪽의 넓이가 같으므로 $\int_0^4 v(t)dt=0$, 즉 $t=4$에서의 점 P의 위치는 원점이 된다.

한편 $t=4$에서 $t=5$까지 $v(t)<0$이므로 점 P의 운동 방향은 음의 방향이다. 또 $t=5$에서 점 P의 운동 방향이 양의 방향으로 바뀐다. 따라서 점 P의 좌표가 최소인 시각은 $t=5$이다.

그러므로 옳은 것은 ㄱ, ㄴ, ㄷ이다. \qquad\qquad 답 ⑤

참 중요한 3·4정 수학

초등부터 대입까지 연마수학이 함께하겠습니다!

단계별 연마수학	초등학교	중학교	고등학교
기초단계	초등 연마수학 계산력 강화	중등 연마수학	고등 연마수학
발전단계		수학교과서노트	참 쉬운 2·3점 수학
도약단계			참 중요한 3·4점 수학

초등과정

● 연산마스터 계산력 강화

1-1(1권) 1-2(2권) 2-1(3권) 2-2(4권) 3-1(5권) 3-2(6권)

4-1(7권) 4-2(8권) 5-1(9권) 5-2(10권) 6-1(11권) 6-2(12권)

초등 연산마스터

· 무료 동영상 강의 제공(QR 코드)
· 교과 과정에 충실한 계산력 교재
· 풍부한 계산 문제 + 사고력 확장 서술형 문제
· 도형문제까지 쉽게 학습 가능
· 개념부터 문제 풀이 훈련까지 연산마스터

중등과정

● 연마수학 〈기초단계〉

연마수학 중1(상)
연마수학 중1(하)
연마수학 중2(상)
연마수학 중2(하)
연마수학 중3(상)
연마수학 중3(하)

중등 연마수학

· 마구잡이식 문제풀이가 아닌, 체계적 연산
· 계산 실수를 줄일 수 있게 올바른 문제풀이 유도
· 교과서로는 부족한 기초 학습을 다양하게 연습
· 혼자서도 어렵지 않게 풀 수 있는 교재

● 교과서노트 〈발전단계〉

교과서노트 중1(상)
교과서노트 중1(하)
교과서노트 중2(상)
교과서노트 중2(하)
수학교과서노트 중3(상)
수학교과서노트 중3(하)

중등 교과서노트

· 어떤 교과서에나 나오는 기본적이고 중요한 문제 마스터
· 시험에 꼭 나오는 기출 베스트 컬렉션
· 출제율 100% 중간·기말고사 완벽대비
· 혼자서도 어렵지 않게 풀 수 있는 교재

고등과정

● 연마수학 / 참 쉬운 & 참 중요한 수학

연마수학 수학(상)
연마수학 수학(하)
연마수학 수학 I
연마수학 수학 II
연마수학 미적분
연마수학 확률과 통계

고등 연마수학

· 기본서 보기에도 벅찬 학생들에게 쉽게 설명
· 유형을 하나하나 풀며 심화문제까지 도달할 수 있게 함
· 계산 실수를 줄일 수 있게 올바른 문제풀이 유도
· 교과서로는 부족한 기초 개념과 유형을 연습

참 쉬운 3점 고등수학(상)
참 쉬운 3점 고등수학(하)
참 쉬운 3점 고등수학 I
참 쉬운 3점 고등수학 II
참 쉬운 3점 미적분
참 쉬운 3점 확률과 통계

참 쉬운 2·3점 수학

· 기본 기출 문제를 중요하고 빈출도가 높은 순으로
유형별로 학습을 유도

참 중요한 3·4점 고등수학 I
참 중요한 3·4점 고등수학 II
참 중요한 3·4점 미적분
참 중요한 3·4점 확률과 통계

참 중요한 3·4점 수학

· 기출 3점 문제를 기본으로 4점 문항까지 정복 가능하게 함
· 3·4점 중요 유형을 체계적으로 학습할 수 있게 유도

연마수학 탄탄한 기본기 체계적 연마

참 중요한 3·4점 수학

KILE 학력평가원
KOREA INSTITUTE OF LEARNING EVALUATION

연마수학 | 참 중요한 3·4점 고등수학 Ⅱ

발행인 김수기 | **발행처** (주)한국학력평가원 | **홈페이지** www.iexit.net

지은이 학력평가원 수학교육연구회 | **대표전화** 02) 3426-2001 | **등록번호** 제13-1167호

디자인 북앤트리 | **조판** 콩미디어

53410
ISBN 978-89-5914-611-6
정가 12,000원